Teresa

Aprendi a ler aos quatro anos de idade e, aos oito, muitas vezes passava horas sentada, escrevendo histórias. Com a chegada da adolescência, deixei esse comportamento de lado e só o retomei na forma de psicografia quando, anos depois, meu marido e eu, uma vez por semana, estudávamos os livros de Allan Kardec. Meu braço doía e a mão mexia contra minha vontade. Colocados papéis e lápis na minha frente, comecei a escrever rapidamente.

Nós freqüentávamos as sessões da Federação Espírita e eu participava como médium de incorporação, psicografava e, algumas vezes, utilizava o dom da xenoglassia (faculdade de falar ou escrever línguas estranhas). Nessa época, recebia contos, mensagens de orientação, histórias e, assim, os romances começaram a fluir.

A sensibilidade se abre e vemos muitas coisas que não entendemos. Venho estudando há muitos anos e ainda não tenho todas as respostas. Mas sei que é melhor disciplinarmos o emocional, enfrentar os medos e tomar posse de nós mesmos para que as energias dos outros não nos envolvam.

Se conseguirmos isso e nos ligarmos aos espíritos evoluídos, a mediunidade é uma fonte de conhecimento, saúde e lucidez.

Estudar a vida espiritual abre as portas do futuro, derrotando a morte e nos mostrando que somos seres imortais.

Zibia
Gasparetto

Lucius

Esse amigo espiritual, que vem me inspirando em todos os romances, trabalhou sem revelar seu nome quando eu comecei a psicografar. Eu sentia sua presença, cheguei a vê-lo algumas vezes, mas nunca perguntei nada. Prefiro as manifestações espontâneas. Só quando terminei o livro *O amor venceu*, na última página, ele assinou Lucius.

A respeito de sua trajetória só sei o que ele revelou no livro *O fio do destino*, em que relata duas encarnações na Terra: a mais antiga como membro do parlamento inglês e a outra como escritor e juiz na França.

Para mim ele tem sido um mestre. Suas energias são prazerosas e quando ele se aproxima, meu pensamento torna-se claro, lúcido. Sinto-me muito bem.

Nos primeiros tempos em que trabalhamos juntos, ele costumava andar comigo e, conforme o lugar, as cenas que eu presenciava me orientavam, fazendo-me ir mais fundo nas observações. Depois de algum tempo, ele passou a vir apenas nos momentos de trabalho.

Aprendi muito, tanto com seus conselhos quanto com as histórias que ele me passou.

Algumas pessoas me perguntam "por que você?". Não sei por que ele me escolheu, mas sinto que os laços que nos unem são antigos e continuarão existindo pela eternidade.

Zibia Gasparetto

Revisão
Fernanda Rizzo Sanchez

Direção de Arte
Luiz Antonio Gasparetto

Capa e Editoração Eletrônica
Kátia Cabello

1ª edição
Dezembro • 2007
170.000 exemplares

Publicação, distribuição
impressão e acabamento
CENTRO DE ESTUDOS
VIDA & CONSCIÊNCIA EDITORA LTDA.
Rua Agostinho Gomes, 2312
Ipiranga • CEP 04206-001
São Paulo • SP • Brasil
Fone / Fax: (11) 6161-2739 / 6161-2670
E-mail: grafica@vidaeconsciencia.com.br
Site: www.vidaeconsciencia.com.br

Onde
está
Teresa?

Prólogo

Caminhando depressa pela rua solitária, Marília pensava nos últimos acontecimentos. A cena trágica de momentos antes não lhe saía da cabeça.

A noite estava escura e algumas pessoas caminhavam apressadas, ouvindo o ruído de alguns trovões com receio da tempestade que se avizinhava. Marília, porém, estava mais voltada ao seu drama interior do que à chuva que ameaçava cair.

A cena de momentos antes a fizera rever seus dez anos de casada. Dez anos tentando levar adiante um relacionamento que desde o início havia sido difícil, não só pelas exigências de Otávio como pelo seu temperamento maldoso, vendo em tudo e em todos más intenções.

Desde o nascimento de Altair, há cinco anos, ele havia se tornado pior, mais exigente, mais implicante. Apesar disso, Marília tentara levar o casamento adiante. Alimentava a esperança de que ele mudasse, entendesse melhor sua responsabilidade de família.

Durante a tarde, alguém colocara uma carta debaixo da porta de sua casa. Marília a apanhara e no envelope não havia remetente, apenas seu nome. Abriu e procurou a assinatura: Um amigo!

Começou a ler:

"Você é uma boa pessoa e não precisa aceitar a companhia de um marido perverso, que não valoriza a família, entregando-se a toda sorte de vícios e envolvido no crime. Afaste-se dele antes que seja tarde. Se não acredita, vá hoje à noite, às dez horas, até o endereço abaixo e terá a confirmação do que estou afirmando. Um amigo".

Marília sentiu um aperto no peito. Há muito tempo desconfiava das atividades de Otávio. Ele nunca comentava sobre seu trabalho, dizia apenas que era representante comercial, mas ela nunca o via anotando pedidos, saindo para visitar clientes; ainda assim, de vez em quando ele aparecia com dinheiro, pagava o aluguel sempre com algum atraso, comprava alguns alimentos, e quando ela lhe pedia algum dinheiro para as despesas, dizia que não tinha.

Ela sabia que o que ele dizia não era verdade. Otávio vestia-se muito bem, saía quase todas as noites, voltava tarde, e se a via acordada ficava nervoso, brigava.

Por esse motivo, mesmo que não estivesse dormindo, Marília fingia, a fim de evitar discussões.

Ao ler a carta ela sentira necessidade de descobrir aonde ele ia quando saía à noite e acabar com o mistério. Com o coração aos saltos, cinco minutos antes das dez ela chegou ao endereço indicado.

A noite estava escura e ameaçadora, mas toda a atenção dela estava focada na casa térrea que tinha diante de si.

Nenhuma luz acesa, certamente não havia ninguém. Fora bobagem acreditar em uma carta anônima. Ela fora enganada. Em um gesto natural, empurrou a porta e para seu espanto, ela se abriu.

Ficou alguns instantes indecisa, mas a curiosidade foi maior. Entrou e foi caminhando cautelosa, tateando as paredes em busca do interruptor. Finalmente o encontrou e acendeu a luz.

Sob uma luz fraca e amarelada apareceu uma sala de estar; os móveis estavam revolvidos, as gavetas abertas, como se alguém houvesse estado lá, procurando alguma coisa. Assustada, Marília recuou, ia sair, quando teve sua atenção despertada para outra sala de onde saía uma luz pálida. A curiosidade foi mais forte e ela caminhou até lá.

O que viu a fez parar estarrecida. Sob a luz fraca de um abajur, havia uma cama de casal e sobre ela um homem e uma mulher, ambos seminus, os lençóis manchados de sangue e revirados.

Marília quis gritar, mas a voz morreu na garganta. Aterrorizada, sem saber o que fazer, procurou o interruptor e acendeu a luz. Nessa hora reconheceu Otávio, a mulher, não muito jovem, mas bonita, era-lhe desconhecida.

Marília sentiu que ia desmaiar e reagiu, não podia perder os sentidos, precisava pedir socorro. Aproximou-se mais e percebeu que ambos estavam mortos.

Horrorizada, ela respirou fundo e saiu correndo daquele lugar.

Seu marido estava morto! Provavelmente ao lado da amante. Talvez um marido ofendido houvesse feito aquilo. O que fazer? Pedir socorro não adiantaria. Eles estavam mortos. Teve medo. Poderiam pensar que ela estivesse envolvida no crime. Decidiu ir embora.

Enquanto se afastava rapidamente do local, ela pensava: O que iria ser de sua vida dali para a frente? Apesar de tudo, ele sustentava a família. Ela nunca havia trabalhado, Otávio nunca permitira. Como iria criar o filho sozinha, fazê-lo estudar?

A chuva começou a cair, confundindo-se com as lágrimas que rolavam de seus olhos aflitos. De repente, um pensamento de medo a acometeu. E se alguém a tivesse visto sair daquela casa? Nesse caso poderiam culpá-la.

Quem escrevera a carta talvez fosse o próprio assassino, preparando uma cilada para que ela parecesse culpada.

Marília tremia sem saber se era de medo ou de frio, sentindo o corpo gelado, os pés encharcados e a água escorrendo.

A tempestade desabara violenta e não havia mais ninguém na rua. Marília, porém, não queria parar, com receio de ser vista próxima àquele lugar.

Parou no ponto do ônibus onde havia uma pequena cobertura. Pouco depois ele chegou, ela subiu e notou que estava quase vazio.

O cobrador olhou-a penalizado e murmurou qualquer comentário que ela sequer ouviu. Não via a hora de chegar em casa. Quando ia descer ouviu o motorista aconselhá-la:

– Tome um chá bem quente para não ficar doente!

Marília desceu e andou até sua casa, entrou e imediatamente foi tomar um banho quente. Vestiu o roupão, enrolou a toalha nos cabelos e foi devagar até o quarto de Altair com o coração aos saltos.

Abriu a porta lentamente e respirou aliviada. Ele dormia e Dorita, também. Ela não a vira sair, o que era bom. Voltou ao quarto, secou os cabelos, vestiu a camisola, mas não parava de tremer.

A cena que presenciara ficara gravada em sua mente e ela não sabia o que fazer. Pensou em ligar para a polícia, mas teve medo. Para os pais de Otávio, nem pensar. Como lhes dizer que estivera na cena do crime e não chamara a polícia?

Decidiu que o melhor seria esperar pelos acontecimentos. Ela não havia feito nada de mau. Ao contrário, estava arrasada pela traição e pela morte do marido. Era uma vítima, não uma criminosa.

Mas o fato de não falar a ninguém o que tinha visto a deixava aflita. O que dizer quando a polícia viesse para dar-lhe a triste notícia? Suspeitaria dela? Afinal, uma mulher ciumenta é sempre perigosa.

Mas apesar de haver sido traída, Marília estava triste pela morte de Otávio. Era um aperto no peito, uma sensação de perda e piedade pela morte terrível que ele tivera.

Deitou-se, mas não conseguiu dormir. Ficou se revirando na cama, lutando com os pensamentos tumultuados e desejando esquecer, sem conseguir.

1

Marília abriu os olhos assustada e olhou em volta. Por um instante pensou que nada havia acontecido e seu marido estivesse dormindo ao seu lado. Mas não havia ninguém. Sentia a cabeça pesada e o aperto no peito continuava. Havia pegado no sono quando o dia já estava amanhecendo. Olhou o relógio: sete horas.

Altair já deveria estar se vestindo para ir à escola. Levantou-se, lavou-se, vestiu um robe e foi ao quarto do filho. O menino não queria levantar e Dorita tentava fazê-lo vestir-se com dificuldade.

Marília aproximou-se:

– Deixe comigo. Vá aprontar o café.

Dorita saiu aliviada, e Marília, alisando a cabeça do menino, disse:

– Vamos filho. Está na hora. Não era hoje que você ia começar a jogar no time da escola?

Essas palavras soaram como uma mágica. Altair abriu os olhos e pulou da cama.

– Que horas são? Estou atrasado?

– Ainda não. Mas está em cima da hora. Vamos ao banheiro. Eu o ajudarei.

Em poucos minutos Altair estava pronto para tomar café. Eles desceram e foram à copa. O cheiro do café gostoso fez Marília recordar-se que desde que recebera a carta não havia comido nada. Sentia o estômago vazio e certa fraqueza.

Sentou-se ao lado do filho, serviu-o, e enquanto ele comia, ela serviu-se de café com leite, apanhou um pão, passou manteiga e começou a comer.

Agora mais do que nunca precisava sentir-se forte para enfrentar o que viria logo mais.

Dorita foi levar Altair à escola, que ficava a alguns quarteirões dali, e ela voltou ao quarto para se vestir. Ao abrir o guarda-roupas viu os ternos de Otávio, alinhados com cuidado e teve um sobressalto. Sabia que ele nunca mais voltaria para casa.

Lágrimas voltaram a seus olhos, mas ela enxugou-as com raiva. Não podia fraquejar. Quando a polícia aparecesse, precisava fingir que não sabia de nada. Não podia contar que estivera na cena do crime e não quisera dar queixa.

Caprichou na maquiagem, tentando dissimular seu abatimento. Talvez não tenha conseguido completamente, pois quando Dorita voltou da escola disse logo:

– A senhora está abatida. Não dormiu bem à noite?

– É. Perdi o sono, fiquei esperando Otávio chegar e como ele não chegou ainda fiquei preocupada.

– Não deveria. Ele já fez isso várias vezes. Daqui a pouco ele chega.

– É verdade. Bobagem minha.

Dorita suspirou, ia dizer alguma coisa, mas desistiu. De que adiantaria? Por essas e outras é que ela não ia na conversa dos homens. Nunca aceitaria um marido como aquele. Certamente, deveria estar com outra.

Ela foi cuidar do serviço e Marília foi arrumar as gavetas de Altair, que sempre remexia tudo e deixava bagunçado.

As horas foram passando e nenhuma notícia. Na hora do almoço, Dorita havia ido buscar Altair e de volta com o menino perguntou:

– Dona Marília, o *seu* Otávio ainda não chegou?

– Não, Dorita. Estou muito preocupada.

– Vai ver que ele teve algum negócio urgente e precisou viajar. Já fez isso uma vez sem avisar.

– É, pode ser.

O tempo foi passando, já estava escurecendo quando a campainha tocou. Marília estremeceu. Dorita foi atender e pouco depois voltou, olhando-a com ar assustado.

– Dona Marília, é a polícia!

Marília empalideceu e levantou-se imediatamente. Foi até a sala onde dois policiais a esperavam.

– Dona Marília Marques de Oliveira?

– Sim.

– Precisamos conversar com a senhora em particular.

Altair estava ao lado da mãe, olhando-os com curiosidade.

– Dorita, leve Altair para o quarto, veja se ele já acabou a tarefa da escola.

O menino não queria ir, mas um olhar imperioso da mãe o fez obedecer. Quando ficaram a sós, ela continuou:

– Podem falar.

– Seu marido se chama Otávio de Oliveira?

– Sim.

– Ele está em casa?

– Não senhor. Ele saiu ontem à noite e não voltou.

– E a senhora não ficou preocupada?

– Um pouco, mas ele costuma fazer isso e às vezes até viaja sem avisar.

Os dois policiais trocaram um olhar de cumplicidade, depois um deles disse:

– Infelizmente, as notícias que trazemos não são boas. Seu marido está morto.

Marília sentiu uma tontura forte e teria caído se um deles não a houvesse amparado. Apesar de saber a verdade, de ter visto a cena terrível, ao ouvir a notícia dita cruamente pelo policial tornou-se mais consciente da verdade.

Um deles correu à cozinha, apanhou um copo d'água e deu-o a ela:

– Acalme-se. Beba.

Ela apanhou o copo com as mãos trêmulas e bebeu alguns goles. Depois perguntou com voz fraca:

– Como foi?

– Ele foi assassinado.

As lágrimas corriam pelas faces de Marília e ela não estava fingindo. Eram verdadeiras. A lembrança da cena que presenciara não lhe saía do pensamento.

– A senhora sabe se seu marido tinha brigado com alguém ou tinha inimigos?

– Não. Meu marido não trazia seus amigos em casa e nunca me contava o que fazia quando saía.

– A senhora não perguntava?

– Sempre, porém ele ficava irritado e não respondia.

– Ele foi encontrado na cama com outra mulher, ambos mortos. A senhora conhecia essa mulher?

– Não. Quando ele passava as noites fora, eu desconfiava. Perguntava e ele brigava. Dizia que ficava bebendo com os amigos e cuidando de negócios. Com o passar do tempo não perguntei mais.

– A senhora vai precisar vir conosco para reconhecer o corpo.

– Agora?

– Sim.

– Preciso avisar os pais dele.

– Pode nos dar o nome e endereço, nós faremos isso.

Marília tremia e eles a observavam calados. Ela foi até a mesinha do telefone, apanhou um bloco e escreveu o nome, o endereço e o número do telefone dos pais de Otávio, destacou a folha e entregou-a aos policiais.

– Vou subir para me trocar, não vou demorar.

Eles concordaram e Marília subiu a escada, sentindo as pernas trêmulas, as mãos frias, o coração apertado. Assim que entrou no quarto, Altair correu para ela indagando:

– É verdade que o papai está morto?

Antes que Marília respondesse, Dorita entrou aflita:

– Não consegui segurá-lo. Infelizmente os policiais falavam alto e ouvimos o que disseram. Eu disse ao Altair que não era verdade.

Marília abraçou o menino, dizendo com voz que procurou tornar firme:

– É verdade, sim. Seu pai morreu. Mas eu estou aqui, com você.

Altair tremia e perguntou:

– Você não vai morrer, vai?

– Não. Vamos continuar juntos: eu, você e Dorita. Não tenha medo.

– Com você eu não tenho medo de nada.

– Isso, meu filho.

– Agora eu preciso sair com os policiais. Mas assim que puder estarei de volta.

– Posso ir com você? Tenho medo de ficar sozinho.

– É melhor ficar com Dorita. Não há perigo de nada. Saia um pouco, meu filho, preciso me trocar.

Dorita puxou-o pela mão e eles saíram. Marília arrumou-se o mais rápido que pôde, apanhou a bolsa, mas quando abriu a porta do quarto, Altair a estava esperando.

Seus olhos aflitos procuraram os dela:

– Eu quero ir com você, tenho medo de ficar aqui.

Eles desceram e Marília disse aos policiais:

– Meu filho está muito assustado. Não quer ficar sozinho com Dorita.

– Pode levá-lo com a moça.

Dorita rapidamente fechou as janelas e saíram. Alguns vizinhos estavam olhando curiosos e Marília entrou rapidamente no carro da polícia, puxando Altair pela mão. Dorita acomodou-se em seguida e os policiais ligaram o veículo e saíram.

Uma vez no carro, um deles esclareceu:

– Passaremos antes no local onde está o corpo para fazer o reconhecimento e depois teremos de ir à delegacia.

Marília arrepiou-se ao lembrar-se da cena que presenciara na noite anterior, mas sentiu-se aliviada ao perceber que não estava sendo levada para lá.

Passava das nove da noite quando entraram em um prédio onde algumas pessoas entravam e saíam. Os policiais acomodaram os três em uma sala e se foram. Pouco depois voltaram e um deles disse:

– A senhora vem conosco, os dois esperam aqui.

Marília sentiu as pernas tremerem. Altair segurou o braço da mãe e ela, procurando aparentar calma, disse:

– Não tenha medo. Vou na sala ao lado e volto logo. Fique calmo. Não vai acontecer nada.

Os policiais a levaram por um corredor mal iluminado até uma porta onde um homem vestindo um jaleco cinzento, fê-los entrar. Havia algumas mesas vazias e duas onde estavam corpos cobertos com lençol.

O homem encaminhou-os para uma delas, pediu a Marília que se aproximasse, depois levantou a ponta do lençol. Ela olhou o corpo procurando controlar a emoção.

– É ele! – afirmou sem conter as lágrimas. – É meu marido Otávio.

– Tem certeza? – indagou um dos policiais.

– Sim. É ele.

O homem cobriu o rosto do morto imediatamente, e levou-a até a outra mesa, pedindo que se aproximasse.

Ela percebeu que o outro corpo que estava ali era da mulher e sentiu uma tontura forte, suas pernas bambearam.

Um dos policiais segurou seu braço com força dizendo:

– Coragem. É preciso que olhe para ela e veja se a identifica. Não sabemos quem é. Seu marido estava com os documentos, mas não achamos nada dela. A senhora precisa nos ajudar.

Marília respirou fundo e depois respondeu:

– Está bem.

O homem levantou a ponta do lençol e ela olhou. A mulher era mais velha do que notara naquela noite. Em seu pescoço havia uma enorme gaze que cobria um ferimento.

– Pode nos dizer quem é ela?

– Não. Não a conheço.

– Está certa disso?

– Estou.

– Está bem. Vamos embora.

Os dois policiais conduziram Marília para fora da sala. Ela soluçava e um deles entregou-lhe um lenço de papel que ela pegou, enxugou o rosto, assoou o nariz. Ao chegarem na porta da sala onde Altair estava ela parou.

– Preciso me controlar – disse. – Meu filho está muito assustado. Não quero que fique pior.

Marília ficou ali durante alguns minutos, depois, quando se sentiu melhor, respirou fundo e entrou na sala. Altair vendo-a correu para ela e abraçou-a.

– Viu como eu não demorei?

– Quero ficar com você.

– Está bem, meu filho. Estamos juntos.

Depois, os três foram levados à delegacia que estava cuidando do caso. Marília estava mais calma. O cadáver de Otávio não estava mais tão assustador. Haviam limpado o sangue e coberto os ferimentos com gaze.

Durante o trajeto ela perguntou aos policiais:

– O que vai acontecer agora? A polícia já sabe quem cometeu esses crimes?

– Ainda não, mas estamos investigando. Pode estar certa de que vamos achar os culpados.

– Pensam que foi mais de um?

– Talvez. Ainda é cedo para dizer. Mas o local do crime está sendo periciado.

Marília calou-se. Ela estivera lá na noite do crime. Eles seriam capazes de descobrir isso? O resto do trajeto ela continuou silenciosa.

Na delegacia, enquanto Dorita e Altair esperavam do lado de fora, Marília foi interrogada pelo delegado e repetiu a mesma história que contara aos policiais.

Depois, foi a vez de Dorita, ela entrou na sala atemorizada. Nunca havia estado em uma delegacia. Notando o embaraço dela o delegado disse em tom cordial:

– Meu nome é Monteiro, e o seu?

– Dora, mas todos me chamam de Dorita.

– Há quanto tempo trabalha na casa de d. Marília?

– Há oito anos.

– Quer dizer que você conhece bem a vida da família. O sr. Otávio era um bom patrão?

– Ele não se envolvia muito com o trabalho da casa. Era d. Marília que me dizia o que fazer.

– Sei. Quer dizer que ele não conversava com você?

– Só às vezes, para perguntar pela d. Marília, quando não a via por perto. Ele quase não parava em casa.

Monteiro fez ligeira pausa, depois continuou:

– Ele tinha muitos amigos?

– Só se os tivesse na rua, porque em casa nunca apareceu nenhum.

– Pelo jeito ele não era apegado à família.

– Não mesmo. Ele mal olhava para o filho e brigava quando o menino falava mais alto ou corria pela casa.

– Pelo seu tom percebo que não gostava muito dele.

– Não é porque ele está morto que eu não vou dizer a verdade. Eu não gostava mesmo dele.

– Por quê? Alguma vez ele a maltratou?

– Não. Ele mal me dirigia a palavra. É porque eu via como ele tratava d. Marília. Ela sim, é uma mulher bondosa, boa esposa, boa mãe.

– Ele tinha motivos para não tratá-la bem?

– De forma alguma. Como eu disse, ela sempre foi uma mulher muito correta e vivia para a família, enquanto ele...

– O que tem ele?

– Saía quase todas as noites, muitas vezes nem voltava para casa.

– Por esse motivo ela brigava com ele?

– Não, pelo contrário. Se ela lhe perguntasse aonde ia ou aonde havia estado, ele brigava. Virava bicho. Tanto que com o tempo ela não perguntou mais.

– Seu patrão trabalhava em quê?

– Não sei. Ele nunca falava sobre o seu trabalho.

– Há alguma coisa diferente ou estranha que você tenha notado nos últimos dias?

– Não.

– Nem na noite do crime?

– Não senhor. Seu Otávio costumava passar algumas noites fora e até voltava no fim da tarde do outro dia. Teve uma ocasião em que ele foi viajar e não avisou nada. Ficou quase três dias sem aparecer.

– O que você pensava disso?

– Bom, senhor delegado, para mim quando um homem casado dorme fora, tem mulher no pedaço. Pelo que sei, ele não estava sozinho quando foi morto.

– Você nunca desconfiou de mais nada?

– Não senhor.

– Está bem. Pode ir. Se lembrar de mais alguma coisa, ainda que lhe pareça insignificante, entre em contato comigo. Tudo pode nos ajudar a descobrir quem cometeu este crime.

Dorita deixou a sala mais tranqüila. O delegado mostrara-se cordial e ela se sentira valorizada por poder desabafar e contar o que sabia.

– E então, como foi? – indagou Marília quando a viu.

– Bem. Eu estava com medo, mas o delegado soube conversar. Eu contei o que sabia. Disse a verdade.

– Fez bem.

– O que vai acontecer agora? É tarde e Altair está morrendo de sono.

– Perguntei quando eles vão liberar o corpo de Otávio, estou esperando a resposta.

Nesse momento, um casal entrou na sala, ela em lágrimas, ele com o olhar assustado. Vendo-os, Marília levantou-se:

– Dona Emília, viu que tragédia?

A mulher procurou conter-se, dizendo com voz abafada:

– Eu ainda não estou acreditando! Isso não aconteceu com meu Otavinho!

– Infelizmente, é verdade. Eu queria que não houvesse acontecido – respondeu Marília, tentando abraçá-la.

Ela fingiu que não viu, voltou-se para o marido, abraçando-o e soluçando. Marília deixou cair os braços desanimada. Ela sabia que a sogra nunca aceitara seu casamento com Otávio. Sempre que podia procurava deixar claro o que sentia com relação a ela, comentando com amigos e parentes que Marília não era boa o suficiente para seu filho, um rapaz bonito, cheio de qualidades e com um futuro brilhante.

Marília não sabia como ela chegara a essa conclusão, uma vez que Otávio não era como ela dizia. Era alto, forte, mas intolerante, fechado e maldoso. Embora ficasse revoltada com o comportamento da sogra, que chegava a dizer ao filho o que pensava dela, tentando separá-los, ela procurava não levá-la a sério.

Nos primeiros dias de casada, Marília perguntara ao

marido por que sua sogra a tratava daquela forma. Mas ele dera de ombros e lhe dissera que não se importava com o que a mãe dizia e que ela deveria fazer o mesmo. Proibiu-a de voltar ao assunto.

Já Herculano, seu sogro, era menos implicante e ficava em volta da esposa fazendo-lhe todas as vontades, elogiando-a o tempo todo, indiferente ao seu mau humor contumaz. Ele sempre conservava um sorriso nos lábios fosse qual fosse a situação. Mas Marília não confiava muito nessa postura do sogro.

Emília era desagradável, esnobe, exigia do marido coisas difíceis de suportar. Certamente, ele fingia aceitar para acalmá-la. Contudo, esse procedimento contribuía muito para que ela ficasse mais insatisfeita a cada dia e se colocasse na postura de vítima da ignorância dos outros.

Emília continuava chorando abraçada ao marido que, abatido, tentava acalmá-la.

Um policial apareceu e Herculano identificou-se e pediu informações sobre a morte do filho, solicitando autorização para ver o corpo.

– O delegado vai conversar com os senhores.

– Eu quero ver o corpo! – pediu Emília com voz chorosa. – Ainda não acredito que ele esteja morto. Pode ser um engano.

– Infelizmente, não há nenhum engano. O corpo foi reconhecido pela esposa.

Emília lançou um olhar duvidoso sobre Marília que havia se sentado novamente:

– Ela pode ter se enganado. Eu quero ver esse corpo.

– A senhora diga isso ao delegado. Agora, sentem-se, vou avisá-lo que estão aqui.

O policial afastou-se. Emília lançou um olhar de repulsa para as pessoas que esperavam ali. Ela não desejava sentar-se ao lado delas.

Mas Herculano viu que havia dois lugares em um

banco logo depois do lugar onde Marília se sentara e conduziu a esposa para lá. Contrariada, ela sentou-se empertigada.

Vinte minutos depois, o policial voltou e convidou-os a falar com o delegado, que os recebeu atencioso, convidando-os a sentarem-se a sua frente.

– Meu nome é Monteiro – disse. – Lamento o que aconteceu ao filho de vocês.

– Não acredito que ele esteja morto. Quero ver o corpo.

– O corpo já foi identificado pela esposa, além do que, no local do crime, havia uma carteira com os documentos dele.

Emília teve uma crise de choro:

– Não pode ser! Meu filho, não!

– Como foi isso? – indagou Herculano triste.

– Em uma casa que não era a dele, foram encontrados dois cadáveres, o de seu filho e o de uma mulher que ainda não foi identificada.

– Uma mulher? Quem poderia ser? – indagou Emília admirada.

– Ainda não sabemos. Na sala da casa os móveis estavam revirados e no quarto, os corpos do casal morto na cama. Estamos fazendo as primeiras investigações e quero fazer-lhes algumas perguntas. Saber mais sobre a vida de Otávio para tentar descobrir alguma pista do assassino.

– Estamos dispostos a colaborar – tornou Herculano –, mas penso que não podemos fazer muito.

– Neste momento todas as informações são importantes. Quero que falem tudo o que se lembrarem a respeito dele. Seus hábitos, seus amigos etc.

– Fale você – pediu Emília.

– Otávio sempre foi uma pessoa discreta. Não tinha o hábito de falar sobre sua vida.

– Qual seu grau de escolaridade?

– Otávio não gostava de estudar. Com muito custo conseguimos que chegasse ao ensino médio.

– Ele tinha irmãos?

Desta vez foi Emília quem respondeu:

– Era filho único. O que será de mim agora sem ele?

– Otávio era muito apegado à senhora?

– Ele não era apegado a ninguém – interveio Herculano. – Ela é que era muito apegada a ele, era Deus no Céu e Otavinho na Terra.

– Otavinho sempre foi um bom filho. Era calado, mas de vez em quando ia nos ver e dava-nos dinheiro.

– Ele trabalhava em quê?

– Era representante comercial. Tinha um escritório e até um funcionário.

– Quero o endereço desse escritório.

Os dois entreolharam-se e não responderam logo. Depois Herculano disse:

– Não sei onde fica. Ele nunca me deu o endereço.

– O senhor nunca foi lá?

– Não. Como eu disse, meu filho era discreto, não gostava de falar muito e quando eu perguntava, ele se irritava, ficava nervoso. Então, Emília ficava zangada comigo.

O delegado olhou-os sério, depois decidiu:

– Está bem. Esta foi uma conversa informal. Vamos tomar algumas providências e voltaremos a conversar oportunamente.

– Eu quero ver meu filho! – pediu Emília.

– Vou pedir que os levem até ele.

– Quando vamos poder fazer o enterro? – indagou Herculano.

– Não posso precisar. Depois da autópsia e de algumas investigações o corpo será liberado.

– Meu Deus! – gemeu Emília nervosa. – Eles vão cortar o corpo do Otavinho!

– Acalme-se, Emília – pediu Herculano. – É de praxe.

Os dois deixaram a sala e Herculano olhou em volta, procurando a nora e o neto. Não os viu e comentou:

– Eu queria falar com Marília e consolar Altair.

– Eu quero ver Otavinho logo e ir embora deste lugar horrível o quanto antes.

Um atendente os chamou para levá-los ver os corpos com a intenção de saber se conheciam a mulher. Os policiais não tinham descoberto sua identidade porque ela fora ferida nas mãos e não puderam colher suas impressões digitais, o que impedira sua identificação.

A hipótese de que eles teriam sido mortos por um marido traído era viável, mas havia um complicador: a desordem da sala sugeria que estivessem procurando alguma coisa e que teria sido mais de um. O casal foi morto na cama, o que afastava a probabilidade de luta.

– O senhor viu onde minha nora foi? – indagou Herculano ao atendente.

– Ela estava esperando para saber quando o corpo seria liberado. Mas como ainda não sabemos, ela foi embora.

Levados ao necrotério, diante do corpo do filho, os dois choraram muito e Emília começou a passar mal.

– É ele mesmo! Até agora eu achava que podia não ser o nosso filho!

Herculano abraçou-a, tentando acalmá-la, mas sentia o coração oprimido e decidiu:

– Agora, vamos sair daqui. Precisamos tomar um pouco de ar.

Ele a puxou pelo braço e, apesar de ela querer ficar, acabou cedendo.

– Antes de ir precisam ver a mulher que estava com ele e dizer se a conhecem.

Emília não queria, mas Herculano forçou-a a olhar o rosto dela. Eles disseram que nunca a tinham visto.

Uma vez fora da sala o atendente disse:

– Podem ir embora. Quando o corpo estiver liberado nós os avisaremos.

Eles saíram, cabisbaixos, pernas trêmulas, peito oprimido. O rosto do filho e daquela mulher não lhes saía do pensamento.

2

Marília estava sentada na copa, tendo um bloco de anotações a sua frente, calculando o montante de sua despesa mensal. Mesmo fazendo muita economia ela não sabia como iria manter a casa.

Precisava procurar um emprego. Havia se formado em letras, porém nunca tinha trabalhado e, além disso, estava bastante desatualizada.

Encontrara algum dinheiro na gaveta que Otávio costumava deixar sempre fechada e que ela fora forçada a arrombar, mas o montante mal dera para as despesas do enterro. Seus sogros não ajudaram em nada, pelo contrário, ela fora forçada a ouvir as reclamações da sogra que pretendia para o filho um enterro mais luxuoso.

Marília suspirou triste. Ainda não se refizera do golpe e a cena trágica que presenciara naquela noite fatídica não lhe saía da lembrança.

Conversar com Altair sobre o assassinato do pai fora-lhe doloroso. Apesar de insatisfeita com as atitudes do marido, ela o poupava diante do filho. Preferia que ele não soubesse dos pontos fracos do pai e que guardasse dele uma lembrança melhor. Mas o menino, muito inteligente, percebera os fatos e ela não pôde evitar que ele chegasse perto da verdade.

Seus pais, que moravam no interior de São Paulo, na cidade de Rio Preto, haviam comparecido ao enterro e tinham ido embora no dia anterior. Apesar de não serem ricos, haviam lhe deixado algum dinheiro que ela desejava economizar pelo menos até que começasse a trabalhar.

Conversara com Dorita sobre a dificuldade que teria para lhe pagar o salário, mas ela lhe dissera que ficaria trabalhando mesmo que Marília não lhe pagasse.

– Obrigada pela confiança, mas por enquanto não sei o que fazer nem quando terei dinheiro para lhe pagar. Se desejar trabalhar em outro lugar, compreenderei. Continuaremos amigas do mesmo jeito.

– De jeito nenhum. Estou aqui antes de Altair nascer e esse menino é como se fosse meu filho. Além disso, adoro trabalhar para a senhora, que vai precisar que eu tome conta do menino quando encontrar um serviço. Vou ficar. Estou certa de que juntas encontraremos uma forma de resolver esse problema. Eu sei que vai dar tudo certo!

Marília a abraçou comovida:

– Você é minha amiga e eu quero que me trate por você. Otávio era quem exigia que me tratasse por "senhora" e eu nunca concordei.

– Não sei se vou me acostumar...

– Vai sim. Eu me sentirei melhor dessa forma.

– Está bem.

Marília voltou às contas. O pior era o aluguel. Seria preciso mudar-se para uma casa menor e mais barata. Mas havia o contrato. Teria de procurar o senhorio e conversar com ele.

O telefone tocou, Dorita atendeu e chamou-a:

– Marília, o dr. Monteiro deseja falar com você.

Ela atendeu prontamente. Depois dos cumprimentos ele disse:

– Preciso que venha à delegacia hoje. Quero falar com a senhora.

– A que horas?

– Dentro de uma hora. Estarei esperando.

– Aconteceu alguma coisa? Encontrou o assassino de meu marido?

– Ainda não, mas encontramos uma pista.

– Está bem, irei.

Uma hora depois, Marília chegou à delegacia. Estava curiosa. O que iria descobrir sobre a vida do marido?

Dez minutos depois foi introduzida na sala do dr. Monteiro que a olhou sério e mandou que se sentasse na cadeira em frente a sua mesa.

– E então doutor, o que descobriu?

Ele perguntou com voz firme:

– A senhora conhecia a casa onde ocorreu o crime?

– Não senhor.

– Nunca esteve lá?

Marília estremeceu e hesitou um pouco quando respondeu:

– Não...

– Suas impressões digitais foram encontradas em dois cômodos da casa. Como explica isso?

Marília empalideceu. O que temia tinha acontecido. Só lhe restava contar a verdade.

– Eu não conhecia aquela casa até o dia do crime. Vou contar-lhe toda a verdade.

– A senhora mentiu e a aconselho a não esconder nada porque a partir de hoje passa a ser suspeita de haver assassinado aqueles dois.

Marília desesperou-se:

– Não doutor. Não fui eu. Tenho horror a sangue, nunca seria capaz de cometer esse crime.

– Otávio não era um bom marido. Não a tratava bem, passava muitas noites fora, certamente com a amante. A senhora tinha sérios motivos para cometer esse crime.

– Não fui eu... juro... só fui até lá por causa da carta anônima que recebi naquela tarde.

– Que carta é essa?

– Está na minha casa, não sei quem a enviou, estava assinada "um amigo", dizia que se eu desejasse descobrir onde meu marido passava as noites, fosse naquela noite, às dez horas no endereço escrito embaixo. Não contive a curiosidade. Há muito eu me perguntava isso. Também perguntava a Otávio, mas em vez de me responder, ele brigava comigo.

Lágrimas desciam pelas faces de Marília que torcia as mãos aflita.

– Continue, pediu o delegado.

– Quando cheguei lá, a casa estava às escuras, pensei que não houvesse ninguém. Mas quando empurrei levemente a porta, ela abriu. Procurei o interruptor e acendi a luz. A sala estava revirada, as gavetas abertas, tive medo e ia me retirar quando vi que no cômodo da frente havia uma luz fraca. Fui até lá, o quarto estava iluminado por um pequeno abajur e eu vi os dois corpos sobre a cama.

Ela fez ligeira pausa, a lembrança da trágica cena ainda estava viva em sua memória. Estava difícil continuar.

Notando o quanto ela estava nervosa, o delegado apanhou um copo d'água e deu-o a ela:

– Beba. Acalme-se.

Marília apanhou o copo com as mãos trêmulas e tomou alguns goles.

– Continue...

Ela respirou fundo e prosseguiu:

– Suspeitei que fosse Otávio. Eu estava muito assustada, mas precisava saber a verdade. Então, acendi a luz a aproximei-me da cama. O que vi foi horrível, jamais esquecerei. Os dois corpos em meio aos lençóis cheios de sangue, quase desmaiei, foi preciso segurar-me na mesinha ao lado da cama para não cair. Percebi que estavam mortos. O medo foi tamanho que saí correndo. Chovia muito e fiquei ensopada. Tomei um ônibus e fui para casa.

– Porque não chamou a polícia? Eles poderiam ainda estar vivos e terem sido salvos.

– Não, doutor. O rosto deles estava petrificado, tenho certeza de que estavam mortos. Pensei em chamar a polícia, mas tive medo. Se estivessem vivos eu teria feito isso, mas do jeito que estavam, de nada adiantaria. A porta estava aberta e logo alguém perceberia e avisaria a polícia.

– Teve medo do quê?

– Eu imaginei que a carta poderia ter sido uma armadilha do próprio assassino para incriminar-me. E, infelizmente, fiz o que ele pedira.

Monteiro passou a mão no queixo várias vezes, um gesto que fazia sempre que estava pensando e não respondeu logo. Marília tomou mais alguns goles de água, tirou um lenço da bolsa e enxugou as lágrimas que ainda teimavam em aflorar.

– Se está dizendo a verdade, a senhora pode ter razão. Guardou a carta?

– Sim. Está em minha casa.

– Nesse caso, vou mandar alguém buscá-la. Ela pode ser uma boa pista.

– O senhor estava se referindo às minhas impressões digitais quando disse ao telefone que tinha uma pista?

– Também. Mas encontramos na casa outras digitais: a de Otávio estava por toda a parte, porém não sabemos se as outras eram da mulher.

– O senhor já sabe quem é ela?

– Estamos investigando. Em breve saberemos. A senhora não sabe mesmo em que seu marido trabalhava?

– Ele se dizia representante comercial, mas suspeito que mentia.

– Vamos investigar suas contas bancárias.

– Ele não tinha contas no banco. Costumava pagar as despesas com dinheiro.

– A senhora está enganada. Ele tinha duas contas bancárias e suspeitamos até que mandava dinheiro para o exterior.

Marília admirou-se:

– O senhor tem certeza? Eu nunca vi nenhum talão de cheques.

– Deve haver muitas coisas que a senhora não sabe. Ele guardava os talões e outros documentos na casa onde foi assassinado. Tudo faz crer que seus negócios eram suspeitos e operava lá.

– Estou surpresa. Nunca imaginei nada disso. Ele pagava o aluguel com atraso e dizia que estava com pouco dinheiro. O senhor já sabe quanto ele tinha no banco?

– Ainda não.

– Eu gostaria de saber. Estou sem dinheiro. Tenho apenas o pouco que meus pais me deram depois do enterro. Mas não vai dar para manter a casa mais do que um mês, com muita economia.

– É melhor não contar com esse dinheiro por enquanto. Há fortes suspeitas de que seu marido se envolvia em negócios ilícitos e enquanto não for provado o contrário esse dinheiro não será liberado.

Marília suspirou resignada, depois disse:

– Estou procurando trabalho, mas como nunca trabalhei não está sendo fácil. Aceito qualquer coisa.

Monteiro a olhava pensativo. Apesar da suspeita que pesava sobre ela, ele sentia que Marília falava a verdade.

– A senhora pode ir agora, mas não se ausente da cidade. Tem de ficar à disposição da polícia.

– Está bem, doutor. Se precisar de mim, sabe onde me encontrar.

Marília deixou a delegacia pensativa. Vivera durante dez anos com um homem que lhe era um desconhecido. Não sabia em que trabalhava, não conhecia seus amigos nem os lugares que costumava freqüentar. Como pudera aceitar uma coisa dessas? Por que continuara vivendo ao lado de um homem que a maltratava, que não era bom nem para o próprio filho?

Quantas vezes chorara desiludida, aturando as grosserias de Otávio, a sua indiferença com Altair? Há muito compreendera que seu amor por ele fora ilusão. Ele, que durante o namoro mostrara-se educado e solícito, assim que se casaram foi demonstrando seu lado verdadeiro. Mas foi depois que Altair nasceu que ela teve a certeza de que o que sentira não fora amor. O homem que ela imaginava que ele fosse é que despertara seu interesse e a fizera pensar que o amava.

Apesar dessa certeza, Marília não teve coragem de separar-se dele. As poucas vezes que mencionara isso, provocara nele reações tão violentas que teve medo de tentar. Otávio ameaçava sumir para sempre, levando Altair, o que a deixava desesperada. Ela sabia que ele seria capaz de cumprir a ameaça.

Agora estava livre, mas por outro lado precisaria trabalhar para manter as despesas. O dinheiro era pouco, não podia perder tempo.

Marília chamou Dorita e pediu-lhe que fosse comprar o jornal. O que ela fez em seguida. Enquanto esperava ficou se perguntando que tipo de serviço deveria procurar. Ela não tinha nenhuma prática, a não ser nos serviços caseiros.

Quando Dorita voltou, alguns minutos depois, ela já havia decidido procurar o que encontrasse dentro de suas possibilidades. Quanto poderia ganhar em um emprego desses? Esse era o ponto mais difícil. O aluguel era caro. Enquanto morasse naquela casa, teria de pagá-lo.

Apanhou o jornal, abriu-o sobre a mesa, procurando a seção de empregos, e começou a ler. Os que encontrou exigiam experiência comprovada, o que ela não possuía e o salário inicial não cobriria o montante de suas despesas.

Depois de ler tudo, fechou o jornal, desanimada. O que fazer? Mais do que nunca se arrependeu de não ter pensado nisso antes. Perdera dez anos de sua vida naquele casamento infeliz, com medo de separar-se, agüentar as conseqüências e não ter como sustentar o filho.

A vida a colocara exatamente na situação que temera e era preciso enfrentá-la.

– Se ao menos eu soubesse como! Estou disposta a me esforçar, a fazer qualquer coisa, mas o quê?

Dorita, vendo-a desanimada, aproximou-se.

– Não desanime – disse, tentando motivá-la. – Nós vamos encontrar um jeito.

Marília olhou-a triste:

– Eu preciso encontrar trabalho, mas nunca trabalhei fora, assim fica difícil. Não tenho formação profissional. Não sei como encontrar um emprego.

– Deus não vai nos desamparar.

– Você não sabe do pior. O delegado me chamou para dizer que eu sou suspeita de ter matado Otávio e aquela mulher!

Dorita exclamou assustada:

– Que absurdo! De onde ele tirou essa idéia?

Marília foi até a gaveta da cômoda, apanhou a carta anônima e mostrou-a a Dorita:

– Por causa disto. Vou contar-lhe tudo.

Em poucas palavras Marília contou por que fora àquela casa na noite do crime e o que vira lá. E finalizou:

– Fui ingênua. Talvez o próprio assassino seja o autor da carta e tenha desejado me envolver para livrar-se da culpa.

– Há muita gente maldosa neste mundo. Mas esse delegado, com a experiência que tem, deve ter percebido que você jamais seria capaz de cometer um crime bárbaro como aquele.

– Eu contei ao delegado toda a verdade, mas não sei se ele acreditou em mim. Hoje mesmo vai mandar um policial buscar a carta. Disse que eu não posso sair da cidade. Como vou arranjar um emprego sendo suspeita de um crime?

– As pessoas são desconfiadas. Não vai ser fácil. Teremos de trabalhar por conta própria.

– Por conta própria? Em quê? Com que capital? O delegado disse que Otávio tinha dinheiro no exterior. Ele acha que é um dinheiro ganho de maneira desonesta e por esse motivo não vou poder recebê-lo.

– Teremos de começar com pouco dinheiro, devagar. Mas para quem tem vontade de trabalhar, logo ele vai se multiplicar.

– O dinheiro que ainda nos resta dá apenas para comer até o fim deste mês. Você não entende que não temos nada para começar? O que poderemos fazer?

Dorita pensou um pouco, depois respondeu:

– As pessoas gostam de comer. Vamos fazer coisas gostosas e vender. Um pouco só do dinheiro que temos, dará para começar.

– Você pensa em fazer comida para vender?

– Por que não? Coisas gostosas, petiscos. Sei fazer coisas deliciosas com pouco dinheiro.

– Ninguém vai querer comprar. As pessoas fazem na própria casa.

– Qual nada. Muitas adoram comprar tudo pronto. Se for bem gostoso, vai vender e muito. Você tem receitas muito gostosas de salgadinhos, doces que d. Eugênia ensinou. Até eu aprendi! Nós fazemos alguns pratos e eu saio para vender.

– Tenho receio de gastar dinheiro nisso e não dar certo.

– Podemos experimentar com um primeiro prato. Aqueles pães de queijo de d. Eugênia são deliciosos. Sei fazer direitinho.

– Os seus ficaram iguais aos de vovó, melhores do que os meus.

– Então, em vez de ficar esperando um emprego, vamos começar hoje mesmo. Ainda temos o queijo que sua mãe trouxe do interior.

– Tudo bem, vamos experimentar. Você faz?

– Deixe comigo. O dinheiro vai começar a entrar nesta casa.

Apesar de não acreditar que a sugestão de Dorita desse certo, o entusiasmo dela fê-la sentir-se mais animada.

– Enquanto você faz, pensarei numa forma de embalar.

Marília foi para o seu quarto, na gaveta da cômoda havia uma caixa onde ela guardava algumas coisas. Abriu-a e dentre outros objetos havia uma peça de fita estreita de cetim vermelho. Sorriu satisfeita. Ela compraria alguns saquinhos de papel, colocaria os pães de queijo e amarraria com a fita.

Foi à cozinha, onde Dorita já começara a trabalhar, e disse-lhe:

– Vou até a papelaria comprar alguns saquinhos de papel. Quantos você acha que serão necessários e de que tamanho?

Dorita pensou um pouco, depois disse:

– Estou fazendo duas receitas de pão de queijo do tamanho que d. Eugênia faz. Você é boa nas contas.

– Está bem.

Marília saiu e voltou meia hora depois, trazendo o que precisava. No fim da tarde, os pães de queijo estavam prontos e empacotados. Dorita sorriu satisfeita:

– Estão lindos!

Marília calculou todas as despesas e fez o preço. Depois perguntou:

– O que vamos fazer agora para vendê-los?

– Deixe comigo. Amanhã eu vou sair depois do almoço e tentar vendê-los.

Apesar de Marília não acreditar que esse tipo de negócio desse resultado, sentia-se satisfeita por ter se ocupado e esquecido pelo menos por algumas horas a insegurança daquele momento.

No fim da tarde do dia seguinte Dorita voltou e colocou nas mãos de Marília várias notas e algumas moedas.

– Vendi tudo! – disse triunfante. – Se tivesse mais teria vendido. Fui a um salão de beleza, perto da casa da d. Rute, estava lotado e vendi tudo. As pessoas gostaram e algumas encomendaram para a próxima semana.

– Que bom! Não pensei que conseguisse tão rápido!

– A Cleide, dona do salão, disse que eu poderia passar por lá todas as tardes para levar salgadinhos.

– Estou começando a acreditar que pode dar certo!

– Claro que pode. Vou experimentar outras receitas e vamos ter variedades.

– Eu sei fazer algumas coisas deliciosas que aprendi com minha avó.

– Eu pensei em fazer para amanhã empadinhas de palmito. O que acha?

– Faça isso. Eu vou ver meu livro de receitas e escolher algo para fazer também. Se o dinheiro que ganharmos não der para todas as despesas, pode ser suficiente para nossa alimentação.

– Do jeito que eu vi hoje, se trabalharmos bem, pode ser suficiente para muito mais.

As duas continuaram conversando, fazendo planos para o futuro. Marília sentia-se encorajada e disposta a esforçar-se ao máximo para que essa primeira experiência desse certo.

3

Dias depois, Marília estava atarefada, ajudando Dorita a fazer pão de queijo. Haviam recebido uma encomenda grande de uma freguesa do salão de beleza, para a festa de aniversário de seu filho que completaria dez anos e adorava pão de queijo.

O telefone tocou e Marília atendeu.

– É o delegado Monteiro. Preciso que você venha hoje à delegacia.

– O senhor descobriu o assassino de meu marido?

– Estamos investigando. A senhora deve estar aqui às duas horas.

Marília pensou um pouco, depois respondeu:

– Está bem.

Depois que desligou o telefone ficou pensativa. O que o delegado queria dela? Se não encontrou o assassino, talvez tivesse descoberto alguma pista.

Olhou o relógio, eram onze horas. Teria tempo para ajudar Dorita mais um pouco. Voltou à cozinha.

– Dorita, o delegado quer que eu vá à delegacia hoje, às duas horas.

– Logo hoje que temos esta encomenda... Não dá para transferir para amanhã?

– Não. Ele estava com uma voz firme, notei que tem pressa. Ainda temos tempo. Só vou sair à uma e meia. Vou explicar-lhe nossa situação e pedir-lhe que me libere logo.

Às duas horas da tarde, Marília entrou na delegacia e foi imediatamente conduzida à sala do dr. Monteiro. Depois dos cumprimentos, ele fê-la sentar em frente a sua mesa.

– O que deseja de mim? – indagou ela.

Monteiro fixou-a sério, depois, estudando as reações do rosto dela, disse:

– Descobrimos quem é a mulher que estava com seu marido. Trata-se de Teresa Borges de Azevedo, esposa de um empresário muito rico. Ela morava com a família no Rio de Janeiro. A senhora a conhecia?

Marília meneou a cabeça negativamente.

– Nunca ouvi falar nela.

– Tem certeza?

– Tenho. Como já lhe disse, meu marido nunca falava de suas amizades.

– Procure lembrar-se. Ela tinha sessenta anos, mais de trinta de casamento, dois filhos moços.

– É estranho que essa senhora tenha deixado a família para morrer aqui, ao lado de meu marido. Ele tinha apenas quarenta e dois anos. Não entendo. Apesar de tê-los visto juntos na cama, custo a crer que ele tivesse procurado uma mulher tão mais velha para relacionar-se.

– Esse fato é estranho mesmo, além do que o marido acreditava que ela estivesse descansando na Europa. Ficou chocado. Veio imediatamente para São Paulo, reconheceu o corpo hoje pela manhã. Eu tinha esperança de que a senhora pudesse me dizer alguma coisa mais.

– Doutor, eu já lhe disse tudo o que sabia. Meu marido era um homem cheio de mistérios.

– Vou interrogar novamente os pais dele. Talvez conheçam essa mulher.

– Não creio. Otávio não se abria com os pais. Eles não se relacionavam muito bem.

– Mesmo assim, vou tentar.

– O que mais o senhor deseja de mim? Como sabe, fiquei sem dinheiro, então, eu e Dorita estamos fazendo quitutes para vender. É como pensamos sobreviver, uma vez que nunca trabalhei e não tenho experiência para conseguir um emprego. Hoje estamos com uma encomenda grande e eu gostaria de voltar logo para casa.

– Não posso liberá-la ainda. O marido de Teresa vai chegar dentro de meia hora, desejo conversar com vocês dois, juntos.

– Não sei como isso poderá ajudá-lo nas ivestigações. Eu sequer o conheço!

– Precisa colaborar com as investigações. Lembre-se de que enquanto não encontrarmos o assassino, a senhora continua sendo suspeita de haver cometido esse crime.

Marília suspirou triste e respondeu:

– Está bem, doutor. Tenho todo interesse em colaborar.

Alguns minutos depois um policial entrou e disse que o marido de Teresa havia chegado.

– Mande-o entrar – ordenou o delegado.

Um homem alto, forte, cabelos castanhos, um pouco grisalhos, bem vestido entrou. Tinha rosto moreno e olhos penetrantes que se fixaram curiosos em Marília.

Depois de cumprimentá-lo, Monteiro disse:

– Esta é d. Marília, viúva de Otávio de Oliveira, morto com sua esposa.

Ele estendeu a mão que Marília apertou e disse:

– Alberto de Azevedo.

– Marília Marques de Oliveira.

– Sente-se, sr. Azevedo, e diga-me: conhecia Otávio de Oliveira?

– Não senhor.

– Nem sua esposa?

Ele meneou a cabeça negativamente. Parecia emocionado e nervoso.

– Não. Não consigo entender o que está acontecendo. Custo a crer que Teresa tenha tido uma relação íntima com aquele senhor. Estávamos casados há mais de trinta anos e minha mulher sempre foi muito correta.

– Mas é verdade. Ela foi encontrada na cama com Otávio, seminua. Não dá para negar esse fato.

– Mesmo assim, custo a crer. Nós temos dois filhos moços. Osmar de trinta e dois anos e Vitório de vinte e nove. Ela sempre foi muito dedicada à família. Eu vim para cá sem acreditar que o corpo da mulher assassinada fosse dela. Liguei para a Itália onde ela deveria estar, mas me disseram que Teresa nunca estivera lá. Isso me assustou. Mas mesmo assim, duvidei. Tanto que até agora não contei nada aos meus filhos. Nem sei como dar-lhes essa notícia.

– Ela viajou para a Europa sozinha?

– Com uma amiga. Nos últimos tempos, Teresa andava deprimida, os médicos aconselharam que ela saísse da rotina, fizesse uma viagem, fosse fazer compras, as mulheres gostam dessas coisas... Eu não pude acompanhá-la. Tenho negócios importantes em andamento e naquele momento não dava para viajar. Então, ela encontrou uma amiga dos tempos de faculdade que estava viúva, e concordou em ir com ela.

– O senhor conhecia bem essa amiga?

– Não. Teresa me apresentou pouco antes de viajarem. Chama-se Elvira.

– É só isso que sabe sobre ela?

– Sim. Como eu lhe disse, elas foram colegas de faculdade. Teresa fazia filosofia e Elvira, letras.

– Precisamos encontrar essa mulher. Ela deve saber

o que pode ter acontecido. É provável que essa viagem nunca tenha se realizado.

– O que me diz é um absurdo. Teresa não ia me enganar desse jeito.

– Nós temos fatos, não suposições. Se quisermos descobrir o assassino, precisamos investigar todas as hipóteses.

Alberto tirou um lenço do bolso e enxugou o suor do rosto. Estava visivelmente nervoso e abatido.

Marília, que esperava ser esclarecida por ele, não se conteve:

– Não consigo entender. Essa senhora era muito mais velha do que Otávio. Se não tivesse visto os dois juntos naquela cama, seria difícil acreditar.

Alberto fitou-a sério e indagou:

– A senhora conhecia minha esposa?

– Não. Nunca a vi antes. Não sabia sequer seu nome.

Alberto virou-se para o delegado:

– Está vendo, doutor? Este caso está muito estranho. Eu poderia jurar que minha esposa nunca foi amante desse homem.

O delegado passou a mão pela testa. De fato, apesar das aparências, era mais misterioso do que parecera à primeira vista.

Marília remexeu-se na cadeira inquieta:

– O senhor conseguiu alguma pista sobre a carta anônima?

– Por enquanto apenas suas impressões digitais, o que deixa apenas duas hipóteses: ou a senhora forjou aquela carta ou a pessoa teria usado luvas.

– Eu não forjei nada. Como poderia se não conhecia aquele endereço? Está claro que a pessoa usou luvas.

– Como eu lhe disse, há duas hipóteses e a senhora continua como suspeita.

Marília levantou-se indignada:

– O senhor acha que eu, uma mulher franzina, poderia ter lutado à faca com os dois e tê-los vencido? Sempre agüentei a violência de Otávio porque ele era mais forte e eu não tinha nenhuma chance.

– Por favor, sente-se, d. Marília. Ainda não tenho provas definitivas.

– Para mim, quem matou os dois foi a pessoa que escreveu aquela carta e desejou incriminar-me.

Ela sentou-se novamente e Monteiro perguntou para Alberto:

– O senhor sabe pelo menos o endereço da amiga de sua mulher?

– Não. Teresa me disse que ela morava no Flamengo. Não me deu o endereço.

– Não desconfiou de nada? Sua esposa vai viajar com uma desconhecida e o senhor não anotou sequer seu endereço? E se fosse uma pessoa suspeita?

– Minha esposa nunca se relacionou com pessoas suspeitas. Eu não tinha por que desconfiar de Elvira. Teresa era muito cuidadosa ao escolher suas amizades.

Monteiro suspirou desanimado. Apesar de eles continuarem investigando meticulosamente, ainda não tinham encontrado nenhuma pista. Na tentativa de encontrar alguma coisa a mais ele determinou:

– Quero os dados de seus filhos.

– Para quê? Eles não sabem de nada.

– Vou intimá-los. Preciso do depoimento deles.

– Eu ainda não tive coragem de contar-lhes nada.

– Faça isso o quanto antes. Os jornais de amanhã certamente vão noticiar o nome e a foto de sua mulher e eles saberão de qualquer jeito. Não dá para ignorar um crime!

Alberto passou a mão pelos cabelos, aflito. Depois disse nervoso:

– É... não vou poder evitar.

– O senhor deseja mais alguma coisa de mim? – perguntou Marília.

– Por que pergunta?

– Tenho muito trabalho ainda para fazer hoje.

– Pode ir, mas não saia da cidade. Posso precisar da sua presença.

Marília levantou-se apressada. O ambiente da delegacia a deprimia, a presença do viúvo de Teresa também.

Durante o trajeto de volta para casa, Marília não conseguia esquecer as palavras de Alberto. Que Teresa havia sido amante de Otávio era evidente, mas desde quando isso acontecia? Alberto dissera a verdade? Se ele fosse o assassino e autor da carta anônima, iria negar que suspeitava de sua mulher. Deveria sentir-se muito confortável ouvindo o delegado dizer claramente que ela, Marília, era suspeita. A carta tivera essa finalidade.

Esse pensamento deixava-a nervosa. Teria sido melhor que ela tivesse ignorado a carta, porém a curiosidade foi mais forte.

Ao chegar em casa, Marília encontrou Dorita atarefada com a encomenda, lavou as mãos e tratou de ajudá-la. Quando ela perguntou o que o delegado queria, Marília disse apenas:

– Depois que terminarmos contarei tudo detalhadamente. Agora quero esquecer esse assunto.

As duas entregaram-se ao trabalho com vontade.

Depois de dar ao delegado o nome completo e o endereço de seus filhos, Alberto deixou a delegacia. Sua cabeça doía, estava nervoso e aflito. Parou em uma farmácia, comprou alguns comprimidos, tomou logo dois. Se ao menos a dor de cabeça melhorasse, talvez ele encontrasse as palavras que pudessem atenuar um pouco a realidade para dar a notícia aos filhos.

Mas era inútil. A verdade era trágica e ele não conseguia raciocinar claramente. Parecia estar vivendo um pesadelo e dali a pouco iria acordar e verificar que nada havia acontecido.

Chegou ao hotel e o atordoamento continuava. Sentou-se no quarto, tentando tomar coragem. Para qual dos dois ligaria? Pensou em falar primeiro com Osmar. Ele era mais equilibrado do que Vitório.

Respirou fundo, tomou coragem, ligou para sua empresa e pediu para chamar o filho. Seu coração batia descompassado e sua voz estava um tanto apagada quando ele atendeu:

– Pai? O que aconteceu? Você está doente? Sua voz está diferente.

– As notícias não são boas e estou me esforçando para contar a você.

– O que você foi fazer em São Paulo? Por que saiu sem nos avisar?

– Fui intimado pela polícia para vir reconhecer o corpo de uma mulher que foi assassinada em circunstâncias misteriosas. Eles suspeitavam que fosse de sua mãe.

– Que loucura é essa? Mamãe não está de férias na Europa?

– É o que todos nós pensávamos. Mas quando cheguei aqui, tive a maior surpresa...

A voz dele morreu na garganta e Osmar falou assustado:

– Pai, fale logo, estou assustado. Você a reconheceu?

– Infelizmente. O corpo era de sua mãe.

Osmar ficou silencioso por alguns segundos. Depois disse:

– Você deve ter se confundido. Talvez seja apenas parecida.

– Não, meu filho. É ela. Eu reconheci o corpo.

– Custo a crer!

– Mas é verdade. A polícia pretende intimar você e seu irmão. Prepare-se para vir a São Paulo.

– Mas pai, a empresa não pode ficar abandonada. Você sabe que ninguém tem competência para ficar em meu lugar.

– Não tem como evitar. E você terá de dar a notícia a Vitório, eu não tenho coragem. Sabe como ele era agarrado a ela.

– Ele vai dar trabalho. Não tenho paciência. É melhor você mesmo falar com ele.

– Nada disso. Faça-me esse favor. Fale com ele e trate de recomendar ao Inácio que cuide de tudo na empresa durante sua ausência. Vocês fazem o depoimento e vão embora.

– Em vez de procurar o assassino, esse delegado está perdendo tempo querendo nos interrogar. Nós não sabemos de nada.

– Foi o que eu disse a ele. Mas não consegui nada. Vocês terão de vir. Mas penso que poderão ir logo embora. Quanto a mim, terei de ficar pelo menos até que liberem o corpo. Então, o levarei ao Rio para sepultá-lo.

– Isso não parece verdade.

– Mas é. Infelizmente. Estou com muita dor de cabeça, tomei comprimidos e desejo me deitar para ver se passa. Não se esqueça de falar com Vitório.

Osmar suspirou resignado. Ele não suportava o modo de ser do irmão. Muitas vezes recriminara a mãe, responsabilizando-a pelo excesso de sensibilidade de Vitório.

Desde pequeno ela fazia diferença entre os dois. Com ele era mais dura, direta, exigente; com Vitório tolerava suas crises nervosas, dizendo que ele era muito sensível e precisava apoiá-lo.

Osmar muitas vezes reclamara para o pai, dizendo que o irmão precisava de mais disciplina. Acreditava que ele estava fingindo e que se lhe dessem uma boa surra sua sensibilidade acabaria.

Mas como a mãe era irredutível e seu pai fazia-lhe todas

as vontades, ele não conseguia o que desejava. Há muito tempo os dois não mantinham um bom relacionamento. Eles conversavam apenas o indispensável.

Teresa sentia-se triste. Gostaria que tudo fosse diferente, mas se conformara, percebendo que ambos eram muito diferentes e que o fato de não estreitarem a amizade evitava que os desentendimentos se repetissem como quando eram adolescentes.

Osmar desligou o telefone e resolveu ir embora. Estava escurecendo quando chegou em casa. Deixou o carro na entrada para que o caseiro o guardasse.

Era uma casa imensa, rodeada de árvores e um jardim muito bem cuidado que a cercava por todos os lados.

Indiferente à beleza do lugar, Osmar entrou e rapidamente subiu até o quarto do irmão. Ao chegar diante da porta, leu o aviso pendurado na maçaneta: "Estou ocupado. Não bata, não entre".

Irritado, ele arrancou o aviso e girou a maçaneta. A porta estava trancada por dentro. Bateu várias vezes, com força, o que fez com que a governanta aparecesse e dissesse:

– Você não leu o aviso?

Osmar fulminou-a com o olhar e não respondeu.

– O que deu em você? – continuou ela, aproximando-se. – Seu irmão está fazendo meditação e não pode ser interrompido.

Apesar de irritado, Osmar não se atrevia a reagir. Ela fora criada de sua mãe desde o tempo de solteira, ajudara a criá-los com bondade e firmeza, mas com Vitório, ela também era tolerante, protegendo-o sempre quando ele queria brigar com o irmão.

– Aconteceu uma tragédia horrível. Não posso esperar o Vitório querer me atender.

– O que foi? – indagou ela, olhando-o preocupada.

– Papai ligou contando uma história que custo a acreditar. Você sabia o que ele foi fazer em São Paulo?

– Sabia.

– Ele disse que o corpo da mulher assassinada era o de minha mãe.

Dinda segurou-se na maçaneta da porta para não cair. Seu rosto estava pálido quando ela disse:

– Era ela mesma?

– Era. Papai não quis nem falar com Vitório. Estava chocado e passando mal. O delegado vai nos intimar e preciso falar com ele já.

A maçaneta rolou e Dinda apoiou-se na parede. Suas pernas tremiam. Vitório apareceu na fresta da porta.

– Por que você se fecha desse jeito? Aconteceu uma desgraça e nós vamos ter de ir a São Paulo.

Vitório estava pálido. Olhou o rosto de Dinda e abraçou-a com força.

– Dinda, diga que é mentira o que estou pensando!

Ela chorava em seus braços e não conseguia falar. Osmar olhou-os com raiva e atirou as palavras sobre eles:

– Mamãe está morta. Foi assassinada em São Paulo. O delegado vai nos intimar. É bom parar com isso. Chorar não vai trazer mamãe de volta. Seja homem ao menos uma vez na vida.

Ele afastou-se irritado, enquanto Dinda e Vitório, abraçados, continuavam soluçando. Depois, entraram no quarto e fecharam a porta. Quando conseguiu falar, Vitório disse:

– Então era isso! Eu implorei para que ela não fizesse aquela viagem. Eu sabia que se ela fosse alguma coisa terrível aconteceria. Mas ela estava determinada. Desta vez não quis me ouvir!

– Estava marcado para acontecer. Você sentiu.

– Não me conformo. Por que ela não me ouviu?

Dinda abraçou-o, tentando controlar-se. Precisava dar força a ele. Ficaram assim, abraçados, sentindo uma imensa dor no coração.

Quatro

Eram dez horas da manhã seguinte quando Osmar e Vitório chegaram ao hotel onde o pai estava hospedado. Bateram à porta do quarto e Alberto abriu. Estava abatido e nervoso. Os dois rapazes o abraçaram e Osmar disse:

– E então, como estão as coisas?

Alberto suspirou triste e respondeu:

– Do mesmo jeito. A polícia ainda não liberou o corpo. Vocês já receberam a intimação?

– Não. Achei melhor não esperar que ela chegasse. Depois, desejei ver tudo de perto. Ainda não acredito que esse corpo seja de mamãe.

Vitório, que se conservara calado, interveio:

– É ela. Eu tive um pressentimento de que ela não deveria fazer essa viagem, implorei para que não fosse. Ela, porém, estava determinada e não quis ouvir-me.

– Lá vem você com suas loucuras. O assunto é sério. Não é hora para você fazer seu show.

– Vitório está certo. Aquele corpo é o dela. Não há como duvidar.

Alberto hesitou um pouco, depois continuou:

– Vou ligar para o delegado e perguntar quando vocês devem se apresentar na delegacia.

– É bom, pai, porque preciso voltar à empresa o mais breve possível. Tenciono falar com ele o quanto antes e voltar ainda hoje para o Rio de Janeiro.

Alberto ligou para a delegacia, conversou com Monteiro que marcou para eles estarem lá dali uma hora.

– Antes de ir, preciso contar-lhes o que se sabe sobre o crime. Apesar das aparências, não creio em nada do que a polícia diz, mas certos fatos inexplicáveis ferem a honra de sua mãe e de todos nós.

Vitório não se conteve:

– Mamãe sempre foi uma mulher maravilhosa, de sentimentos nobres.

– É o que eu penso, meu filho. Mas o fato existe e precisamos enfrentá-lo. Ao lado do corpo de sua mãe, foi encontrado morto um homem, e a polícia acredita que ele era seu amante.

– Isso não pode ser! Ela não se atreveria a fazer uma coisa dessas! – disse Osmar pálido.

– É mentira! – gritou Vitório indignado.

Alberto suspirou triste.

– Ninguém mais do que eu lamenta o que aconteceu. Mas como explicar o fato de estarem ambos, lado a lado, na cama, mortos?

– Ela estava deitada na cama com outro homem? – perguntou Osmar indignado.

– Sim – balbuciou Alberto com um fio de voz.

– Ninguém pode saber disso! – tornou Osmar, bastante assustado.

– Infelizmente não pude evitar. Deve estar tudo relatado nos jornais de hoje. Não tive coragem de comprar nenhum.

– Como não? Você precisava ter impedido isso de qualquer jeito.

– Como?

– Oferecendo dinheiro.

– Impossível. Os jornalistas estavam no necrotério e na delegacia como ratos, farejando as notícias. Fotografaram tudo. Não havia como impedi-los. Nossa imprensa é livre.

Osmar não se conformava:

– É uma vergonha, pai. Como vamos enfrentar nossos amigos e clientes? Tenho vontade de não voltar mais para casa.

– Mamãe é inocente, tenho certeza – disse Vitório. – Vou ficar aqui, investigar esses fatos e descobrir a verdade. Não posso permitir que o nome de mamãe seja jogado na lama.

Osmar olhou para o irmão com desprezo:

– Eles foram encontrados juntos na cama. Não dá para duvidar. Nunca imaginei que mamãe fosse tão leviana.

– Não fale assim, meu filho. Essa história está mal contada. Vitório está certo. Com o tempo, a polícia vai descobrir o assassino e inocentar Teresa.

– Eu estou indignado. Gostaria que o chão me engolisse. Vou precisar de muita coragem para voltar ao Rio. Vou pensar em um jeito de vencer essa desgraça.

Alberto olhou para Osmar angustiado. Apesar de confiar em Teresa, havia momentos em que ele também fraquejava e suspeitava de que ela de fato tivera um amante.

Alberto passou a mão nos cabelos como que querendo espantar os maus pensamentos, respirou fundo em busca de força para continuar, e disse:

– É melhor vocês irem para a delegacia.

– Quanto antes eu me livrar dessa formalidade, melhor – considerou Osmar.

Eles chegaram na delegacia meia hora antes da hora combinada, tiveram de esperar que Monteiro voltasse do almoço.

– Eu quero ver o corpo da mamãe.

– Pois eu prefiro não ver. Para quê? Ela já morreu mesmo – disse Osmar.

– Eu preciso ver – pediu Vitório a um policial que estava ao lado deles.

– Só o delegado pode autorizar – respondeu ele.

Pouco depois, Monteiro chegou, eles se apresentaram e depois de cumprimentá-los o delegado tornou:

– Aguardem um momento. Já vou chamá-los.

Eles sentaram-se novamente um tanto impacientes. Dez minutos depois, um policial pediu a Osmar que entrasse na sala.

Vitório insistia, queria pedir ao delegado para ver o corpo da mãe, ao que o policial respondeu:

– O dr. Monteiro pediu para entrar um de cada vez. Espere um pouco mais.

Monteiro pediu que Osmar se sentasse, esperou que ele confirmasse os dados pessoais e depois começou a interrogá-lo:

– O senhor sabia que sua mãe estava em São Paulo?

– Não. Ela saiu de casa dizendo que iria para a Europa com uma amiga. Pensei que ela estivesse lá.

– Você conhecia Elvira?

– Quem é essa mulher?

– Amiga de Teresa em cuja companhia ela saiu de casa para essa viagem.

– Nunca ouvi falar dela.

– Sua mãe costumava ter amigas sem que a família soubesse?

– Até então eu acreditava que não. Mas não conheço essa Elvira.

– Sua mãe foi encontrada morta, ao lado de um homem, ambos na cama, em trajes menores. Foram mortos a golpes de faca.

Osmar remexeu-se na cadeira e parecia controlado. O delegado sentiu que seria difícil extrair alguma coisa dele e tentou provocá-lo, falando com certa malícia. Mas ele não se alterou.

– O senhor parece estar falando de outra pessoa. Minha mãe nunca faria uma coisa dessas.

– Que outra explicação teria para esses fatos?

Osmar respondeu:

– Não sei.

Monteiro olhou fixamente nos olhos dele querendo penetrar-lhe os pensamentos. Mas Osmar não parecia tenso, o que era inesperado. Afinal, sua mãe fora brutalmente assassinada e estava sendo considerada adultera.

– O que pensa que pode ter acontecido? Suspeita de alguém? Algum antigo empregado ou conhecido da família?

– Minha mãe sempre foi uma mulher disciplinada. Costumava selecionar muito bem suas amizades. Esse acontecimento nos surpreendeu muito. Ela saiu para umas férias na Europa, estava um pouco cansada, só isso. Ainda estou tentando aceitar o que nos disseram. Não tenho nenhuma opinião sobre o fato. Aliás, eu vim esperando que o senhor me dissesse alguma coisa que pudesse nos dar pelo menos uma pista sobre o crime. Esse é um assunto que compete à polícia resolver.

– Por enquanto não temos nenhuma pista. Estamos colhendo informações, buscando os motivos do crime e os possíveis suspeitos. O senhor não respondeu ao que lhe perguntei. Não suspeita de alguém, algum empregado que foi despedido ou algum parente insatisfeito?

– Não. Sempre fomos educados e tivemos bom relacionamento com as pessoas que trabalham ou trabalharam conosco. Temos poucos parentes, que residem longe e com os quais apenas mantemos relações ocasionais.

Monteiro suspirou. Seria inútil continuar o interrogatório com ele.

Osmar tornou:

– Eu já lhe disse tudo o que sabia. Se o senhor já

terminou preciso ir embora. Pretendo voltar a minha cidade o quanto antes. Não posso ficar tanto tempo fora da empresa.

– Não vai assistir ao enterro de sua mãe?

– Claro que vou. Assim que o corpo for liberado, papai o levará para o Rio de Janeiro, ela será enterrada no túmulo da família. Ele vai ficar aqui para tomar as providências necessárias.

– Eu ainda posso precisar do senhor. Novos fatos poderão ocorrer.

– Nesse caso, virei novamente.

– Como era o relacionamento de seus pais?

Pela primeira vez Osmar demonstrou alguma contrariedade. Aquele delegado estava sendo impertinente. Procurou controlar-se:

– O que isso tem a ver com o crime?

– Pode ter muito. E então?

– Eles tinham um bom relacionamento. Meu pai sempre foi um marido atencioso e presente.

– Eles nunca discutiam?

– Não. Eles conversavam. Sempre foram educados e discretos.

– Não se esqueça de que sua mãe estava em trajes menores ao lado de um homem mais novo do que seu pai. Ele pode ter descoberto tudo e praticado o crime.

Osmar levantou-se indignado:

– Apesar de tudo, meu pai não acredita que mamãe tenha sido amante daquele homem. Ela sempre foi uma mulher honesta. O senhor não pode falar assim dela.

– Sente-se, sr. Osmar. Não conheci sua mãe nem sua família para poder acreditar no que está dizendo. O que tenho de verdade são os fatos e estes falam por si.

Osmar estava pálido, esforçava-se para controlar a raiva. O delegado sentia que estava conseguindo chegar onde queria. Continuou:

– Até prova em contrário, Teresa era amante daquele homem e qualquer um de sua família está sob suspeita.

– Isso é um absurdo. Meu pai nunca faria isso.

– Um marido traído tem motivo suficiente para perder a cabeça. Um filho moralista ou querendo evitar que o pai descubra também pode cometer um crime.

– O senhor está supondo errado. Quando aconteceu o crime estávamos longe daqui. Minha mãe era uma mulher rica, gostava de jóias. Pode ter sido um assalto.

– Não creio. Segundo os peritos eles foram surpreendidos na cama pelo assassino ou os assassinos e mortos ali mesmo.

– Pode ter sido mais de um?

– Não estou certo. Mas é provável. Tudo deve ter acontecido muito rápido. Naturalmente, eles não esperavam ser surpreendidos.

Aquilo tudo parecia um pesadelo e Osmar não via a hora de sair dali, respirar um ar mais leve. O delegado continuou:

– Por enquanto estou satisfeito. Depois de reconhecer o corpo pode ir. Se eu precisar, o intimarei novamente.

Osmar levantou-se e saiu. Na ante-sala viu o irmão, olhos vermelhos, rosto pálido. Aproximou-se dele:

– Veja lá o que vai dizer ao delegado. Quanto menos falar melhor.

Vitório não teve tempo de responder. Um policial aproximou-se e disse:

– Pode vir comigo.

Vitório acompanhou o policial. Em seguida, Osmar foi abordado por outro que o acompanhou até o necrotério, que ficava próximo à delegacia e onde estava o corpo. Uma vez lá, disse logo:

– É minha mãe.

Estava com pressa de sair daquele lugar horrível. Mas foi forçado a olhar o rosto da mulher e dizer que a conhecia.

O policial o dispensou depois de anotar o que ele dissera e Osmar voltou ao hotel.

Vitório entrou na sala do delegado ansioso:

– Doutor, antes de qualquer coisa eu quero ver o corpo de minha mãe!

– Sente-se, rapaz. Antes, vamos conversar um pouco. Você está nervoso. Quer um copo d'água?

– Obrigado, não é preciso. Não me conformo com a morte de minha mãe. Dói saber que alguém a matou de um modo tão cruel.

Vitório a custo tentava reter as lágrimas.

– Compreendo. Você sentiu muito a morte dela.

– Mamãe era tudo para mim. Custo a crer que ela esteja morta. Por esse motivo, preciso ver o corpo. Meu pai pode ter se confundido... ser alguém muito parecida.

– Infelizmente, o corpo é dela. Não há engano.

– Nesse caso eu quero olhar para ter certeza.

– Quando sair daqui poderá vê-lo. Antes, quero que me responda algumas perguntas.

Depois de pedir que ele desse seus dados completos ao escrevente, o delegado continuou:

– Como era o relacionamento de sua mãe em casa?

– Ela era uma dona de casa perfeita. Com ela tudo andava sempre bem.

– Tinha um bom relacionamento com seu pai?

– Mamãe sempre foi muito discreta. Não gostava de falar de seus sentimentos íntimos. Com papai era atenciosa, cortês, assim como com meu irmão. Apenas comigo ela se permitia demonstrar seu afeto.

– Por que ela fazia essa diferença?

– Sempre tivemos muita afinidade. Eu também sempre fui muito ligado a ela. Como sou muito sensível e tenho a saúde mais delicada, talvez, por esse motivo, ela tenha se aproximado mais de mim.

Monteiro olhou fixamente nos olhos de Vitório como a

querer penetrar em seus mais íntimos pensamentos. Suspeitava que talvez ele soubesse mais sobre Teresa do que os outros.

– E com seu pai, como é o seu relacionamento?

– Apenas educado. Nunca tivemos nenhuma afinidade. Sempre fui muito sensível e ele não aceita isso. Diz sempre que um homem deve ser forte. Culpava mamãe por eu ser tão emotivo, ela, porém, entendia-me. Percebia meus sentimentos e procurava apoiar-me.

– Ele achava que você era mimado?

– Talvez. Mas isso não é verdade. Sempre que eu cometia um erro, ela não deixava passar. Conversava comigo, chamando-me à responsabilidade.

– Seu pai relacionava-se bem com Osmar?

– Muito. Ele sempre foi o preferido. Os dois saíam juntos, conversavam muito e Osmar fazia-lhe todas as vontades. Tanto que até hoje trabalham juntos.

– Seu irmão parece que é muito controlado. Apesar do que aconteceu, mostrou-se calmo.

– Ele não se emociona com facilidade. Não sei como pode controlar-se tanto.

– Seu pai também é assim?

– Ele teve uma educação muito rígida. Minha avó o criou sem agrados e foi muito exigente em matéria de comportamento. Ele considera as emoções como fraqueza e empenha-se em dominá-las. Não quer parecer um fraco. Por esse motivo irrita-se tanto quando expresso minhas emoções.

– Seu pai disse que nos últimos tempos sua mãe estava com depressão. Foi por essa razão que ela decidiu viajar para a Europa com uma amiga?

– Eu implorei a ela que desistisse dessa viagem...

– Por quê? Ela não precisava de distração?

– Não. Eu sentia que ela precisava de outras coisas.

– Que coisas?

Ele notou que tinha falado demais e tentou dissimular:

– Um lugar calmo, no campo talvez, onde pudesse retomar a simplicidade e serenar a alma.

– Teria sido esse o motivo de ela haver preferido vir a São Paulo a ir para a Itália, conforme havia combinado?

– Não sei o que a teria feito mudar de idéia. Quando lhe pedi que não fizesse essa viagem ela disse que não podia de forma alguma deixar de ir.

– O que você temia?

– Eu estava com um triste pressentimento. De vez em quando eu tenho isso e quase sempre o que eu temo acontece. Eu sentia uma angústia muito grande quando pensava que ela faria essa viagem, mas não posso dizer por quê.

– Esse seu pressentimento, infelizmente, realizou-se. Ela viajou em companhia de Elvira, uma amiga dos tempos de faculdade. Você a conhece?

– Não. Ela nunca foi a nossa casa.

– Não achou estranho sua mãe de repente, aparecer com uma amiga e irem viajar juntas para a Europa?

– Eu estava muito angustiado e achei essa viagem precipitada e estranha.

– Por que precipitada?

– Porque ela só me falou nela dois dias antes de ir. Não era esse seu costume. Quando viajávamos, ela costumava programar com antecedência, checar todos os detalhes, principalmente quando era para sair do país.

– Dessa vez então foi diferente?

– Foi e isso só aumentou meu receio de que iria acontecer alguma coisa ruim.

– Você suspeita de alguém que possa ter cometido o crime? Um empregado despedido, alguém insatisfeito, alguma pessoa que tenha se desentendido com ela?

Vitório pensou um pouco, depois respondeu:

– Não. Mamãe sempre tratou bem nossos empregados,

as pessoas em geral. Nunca soube de alguém que nos odiasse a ponto de cometer esse crime.

– Por hoje chega. Estamos procurando pistas e por mais insignificante que possa lhe parecer algum acontecimento, é melhor nos contar. Pode ser o fio da meada para descobrirmos tudo.

– Não me lembro de nada.

– Se você se lembrar de alguma coisa, pode nos ligar a qualquer hora.

O delegado chamou um policial e pediu que encaminhasse Vitório até o necrotério onde estava o corpo.

Depois, o delegado foi se encontrar com o legista para conhecer mais detalhes sobre a autópsia dos corpos.

Vitório estava trêmulo quando entrou no necrotério. Indiferente ao que se passava com ele, o policial levou-o até onde o corpo estava, abriu a gaveta e Vitório olhou para o rosto da mulher que estava lá. Depois, sua voz saiu com dificuldade, mas ele quase gritou:

– Eu estava enganado! Não disse? Essa não é minha mãe!

O policial olhou-o atônito, perdeu o ar de indiferença que mantinha e retrucou:

– Vamos ver o nome: está escrito aqui, no cartão da gaveta: Teresa Borges de Azevedo.

– Você está enganado. Essa não é minha mãe!

5

O policial olhou para Vitório incrédulo:

– Não pode ser! Olhe bem. Duas pessoas já reconheceram esse corpo.

– Não é ela! É bem parecida, mas não é ela!

– Tem certeza?

– Tenho.

Ele fechou a gaveta.

– Vamos falar com o dr. Monteiro – decidiu o policial.

Assim que entraram na sala do delegado, o policial tornou:

– Ele não reconheceu o corpo.

Monteiro olhou-o admirado:

– Como não? Seu pai e seu irmão disseram que é ela.

– Eles se enganaram. É parecida, o mesmo formato do rosto, mas a cor dos cabelos não é bem essa e as mãos são muito diferentes. Estou aliviado. Esse corpo não é o de minha mãe. Isso significa que ela está viva!

– É a sua palavra contra a dos outros dois. Você olhou bem? Os documentos que a perícia encontrou embaixo da cama, identificaram-na como Teresa Borges de Azevedo.

– Afirmo que aquele corpo não é de minha mãe.

– Vamos juntos até lá, você vai olhar melhor.

O delegado o acompanhou, abriu a gaveta e pediu que Vitório olhasse novamente o corpo, insistiu para que ele o fixasse bem, mas ele continuou afirmando que não era Teresa quem estava ali.

Doutor Monteiro coçou a cabeça pensativo, depois voltaram à delegacia, e ele mandou que Vitório ficasse na sala de espera:

– Sente-se, logo voltarei a chamá-lo.

Uma vez em sua sala, Monteiro pediu à telefonista que ligasse para o pai de Vitório no hotel.

Alberto havia se deitado, tentando descansar, na esperança de que a terrível dor de cabeça melhorasse. Apesar de ter ingerido um comprimido ela continuava o incomodando.

O telefone tocou e Osmar atendeu prontamente.

– Aqui é o delegado Monteiro. Quero falar com o sr. Alberto.

– Aqui é Osmar. Papai tomou um remédio para dor de cabeça e está descansando. Pode falar comigo.

– Seu irmão disse que o corpo da mulher assassinada não é de sua mãe.

– Como não? Eu o reconheci perfeitamente e papai também.

– Mas ele afirma que não é ela. Nesse caso, vocês dois precisam voltar aqui. Vamos ter de desfazer essa dúvida para poder liberar o corpo.

Osmar sentiu vontade de desligar o telefone. Por que fora atender? Procurou esconder a irritação e respondeu:

– Isso é um absurdo. É bom o senhor saber que o que meu irmão diz não é confiável. Ele é um desequilibrado. Se ilude com facilidade. Não quer aceitar a morte de mamãe e imaginou que o corpo não é dela. Meu pai disse que a polícia identificou o corpo pelas impressões digitais.

– Isso não é verdade. Seu pai, com certeza, entendeu

mal. Os peritos encontraram os documentos de sua mãe embaixo da cama.

– Isso prova que Vitório está confuso, mentindo. Se ela tivesse ido para a Itália conforme dissera, deveria ainda estar lá, mas papai descobriu que ela nunca viajou para a Europa. Não há mais dúvida, doutor. Aquele corpo é mesmo de minha mãe.

– Pode ser. Mas espero vocês dois aqui dentro de uma hora para resolvermos essa pendência.

– Meu pai vai. Eu preciso voltar ao Rio de Janeiro ainda hoje. Tenho um vôo marcado para dentro de uma hora.

– Desmarque seu vôo. Se não vier mandarei um policial buscá-lo. Só poderá deixar a cidade quando eu autorizar.

Osmar segurou a vontade de dizer alguns desaforos ao delegado, mas não o fez para não piorar as coisas.

– Está bem, doutor. Vou avisar papai e estaremos aí daqui uma hora.

Osmar desligou o telefone com ódio do irmão. Ele tinha o dom de complicar as coisas. Por que não era igual a todo mundo?

Foi ter com o pai, contou-lhe a novidade e finalizou:

– Aquele idiota tinha que complicar tudo.

Alberto sobressaltou-se:

– E se ele tiver razão? E se aquele corpo não for mesmo de Teresa?

– Você não o reconheceu?

– Sim.

– Eu também. Vitório é um visionário, está metido com almas do outro mundo, vive iludido. Essa é mais uma ilusão dele.

– Por que faria isso?

– Para fugir da realidade. Não quer aceitar que mamãe está morta.

Alberto passou a mão nos cabelos pensativo. Bem que ele gostaria que tudo aquilo não tivesse acontecido.

– Você pode ter razão. Afinal, o corpo foi identificado pelas impressões digitais.

– Você está enganado. O delegado disse que os peritos encontraram os documentos dela embaixo da cama.

– Nesse caso está na hora de fazer essa verificação e comprovar se é ela mesmo.

– O delegado poderia fazer isso sem nos incomodar. Ele me proibiu de viajar e quer nos ver dentro de uma hora.

– Parece que esse pesadelo não termina nunca.

– Graças ao Vitório que inventou moda como sempre.

– Seja como for, temos que ir. Não vejo a hora que esse pesadelo acabe. Depois de tudo ainda teremos que transportar o corpo para o Rio de Janeiro para enterrá-lo.

– Você quer mesmo enterrá-la lá, em nosso túmulo de família, ao lado dos seus pais?

– Claro, ela é minha esposa, tem esse direito.

– Não sei se tem. Afinal, ela traiu nossa confiança, mentiu, estava com aquele homem. Para mim ela não merece ficar ao lado dos meus avós, pessoas de bem.

– Sua mãe sempre foi uma mulher de bem. Não admito que fale assim dela.

– Nossos amigos devem ter lido nos jornais o que aconteceu e certamente vão nos criticar por levarmos o corpo dela para lá.

Alberto apertou os olhos como fazia sempre que estava com raiva e respondeu:

– Quem decide isso, sou eu. Vou enterrá-la lá e pronto. Ninguém tem nada com isso. Não dou ouvidos para fofoca. Não acredito que Teresa tenha sido amante daquele homem. Ela era uma mulher honesta.

Osmar ia retrucar, mas mudou de idéia:

– Vamos logo. Quero resolver tudo o mais rápido possível e ver se o delegado me libera para que eu possa viajar.

Uma hora depois davam entrada na delegacia e foram logo conduzidos à presença do delegado. Depois dos cumprimentos ele mandou que Vitório entrasse. Assim que o viu Osmar disse nervoso:

– Que idéia foi essa de não reconhecer o corpo de mamãe?

Ele olhou o irmão e respondeu com voz firme:

– Vocês é que não deveriam ter reconhecido aquele corpo. Ele não é de mamãe.

Osmar ia retrucar, mas Monteiro interveio:

– Não quero discussões aqui. Quem faz as perguntas sou eu! Sentem-se. Vamos conversar.

Voltando-se para Alberto e olhando-o fixamente nos olhos perguntou:

– O senhor tem certeza de que aquele corpo é o de Teresa?

– Bem... parece ser ela, mas posso ter me enganado. Eu estava muito nervoso. Depois, disseram-me que a polícia já o havia reconhecido pelas impressões digitais.

– Quem lhe disse isso? Não nos foi possível fazer isso porque na tentativa de defender-se ela aparou os golpes com as mãos. Os dois polegares foram cortados o que tornou impossível o reconhecimento pelas digitais.

Alberto empalideceu. A situação era por demais penosa. Imaginar que Teresa tivesse passado por tamanha agressão deixou-o sem palavras. Lágrimas desciam pelas faces de Vitório. Osmar estremeceu, porém conseguiu controlar a emoção.

O delegado tentou amenizar a situação:

– Não contei esses detalhes antes para não deixá-los impressionados. Da maneira como os corpos estavam, dá para saber que o assassino estava com muita raiva. Se o senhor não olhou direito, vamos até lá novamente.

E dirigindo-se a Osmar continuou:

– E o senhor, olhou bem aquele corpo?

– Claro. É ela, estou certo. Meu pai ficou perturbado com as palavras de Vitório. O senhor acha que eu não reconheceria minha própria mãe? Claro que é ela.

– Vamos até lá para que vocês olhem melhor. Trata-se de um fator importante. Precisamos ter certeza da identidade dela.

Osmar ia retrucar, mas pensou melhor e decidiu que só iria prorrogar o impasse. Com o delegado e um policial eles foram ao necrotério.

Uma vez diante da gaveta aberta fixaram novamente o corpo. Era chocante, porquanto o corpo, além dos cortes de faca costurados, tinha os da autópsia que fora feita.

– Vamos, olhem bem todos os detalhes.

Osmar foi o primeiro a dizer:

– É ela. Não tenho nenhuma dúvida.

– Não é – disse Vitório. – Pai, olhe as mãos dela. Mamãe tinha os dedos mais delicados, os punhos mais finos.

– De fato – concordou Alberto. – O rosto é igual ao dela, mas as mãos são diferentes. Será por causa da agressão que sofreu?

– Nem tanto – afirmou o delegado. – Quando o corpo morre, geralmente volta a ficar com seus traços normais.

– Estamos perdendo tempo – disse Osmar. – Se é o rosto dela não sei por que a dúvida. Ela foi ferida nas mãos. Isso justifica essa pequena diferença, que aliás eu nem noto.

Vitório aproximou-se mais e, apontando para o dedo anular da mão esquerda, tornou:

– Mamãe tinha nesse dedo a marca da aliança de casamento que ela nunca tirava. Uma vez, mostrando-me essa marca, brincou dizendo que esse dedo era mais fino por causa disso. Essa mão não tem nenhuma marca de anel. Portanto, essa mulher é muito parecida com mamãe, mas não é ela.

O delegado olhou e, de fato, naquele dedo não havia

sinal de anel. Vitório poderia ter razão. Voltando-se para Alberto perguntou:

– Teresa tinha alguma irmã ou prima muito parecida com ela?

– Que eu saiba, não – respondeu Alberto.

– Está vendo, doutor? – interveio Osmar. – É ela. Não temos como duvidar. O rosto é igual ao dela. Como pode ser isso? Vamos acabar com essa dúvida de uma vez por todas e encerrar o assunto.

O delegado pensou um pouco, depois disse:

– Bem que eu gostaria de fazer isso. Mas acho prudente investigar mais um pouco. Vocês podem estar enganados e eu não posso permitir que enterrem o corpo para mais tarde ter de exumá-lo. Minha obrigação é descobrir a verdade.

– Se o senhor permitir, gostaria de trazer Dinda para ver o corpo.

– Quem é Dinda?

– A governanta de nossa casa. Ela trabalhava com mamãe desde que elas eram mocinhas. Quando ela se casou, Dinda veio junto. Foi ela quem nos criou.

– Isso é um absurdo. O que pode valer a opinião de uma criada ignorante? Cale a boca, Vitório, chega de criar caso.

– Pois eu gosto da idéia – disse o delegado. – Tragam-na hoje mesmo. Enquanto isso, vocês devem ficar na cidade.

– Hoje é impossível, não dá tempo. Depois, ela é uma pessoa simples – disse Alberto. – Não sei se conseguirá vir até aqui sozinha.

Vitório interveio:

– Ela é simples, mas muito inteligente. Estou certo de que virá sem dificuldade. Vamos mandá-la vir de avião.

– Muito bem. Mande-a vir o quanto antes. Eu mais do que os senhores tenho pressa em resolver esse caso.

Assim que eles deixaram a delegacia, Osmar não conteve o mau humor:

– Você é um idiota mesmo. Por que tinha que inventar mais uma? Não vê que está atrapalhando? Acho melhor não aparecer mais para dar palpite na delegacia. Aquele delegado me parece tão burro quanto você.

Vitório não respondeu, o que o irritou ainda mais. Ia continuar quando Alberto disse nervoso:

– Chega, Osmar. A empresa pode sobreviver alguns dias sem você. Nós não podemos enterrar aquele corpo sem ter certeza de que é de sua mãe.

– Até parece que você está acreditando nas bobagens de Vitório.

– Se aquele corpo não for de Teresa, vou tirar um grande peso do coração.

– Agora entendo porque você está do lado de Vitório. Mas no fim terá de render-se à verdade. Não entenderam que estão iludidos?

– Teresa tinha mesmo a marca da aliança no anular. Eu mesmo a vi várias vezes. Na mão daquela mulher não há nenhum sinal.

– Ele pode ter desaparecido por causa da agressão.

– Eu estou com o delegado. É preciso ter certeza.

Apesar das reclamações de Osmar, Vitório ligou para Dinda, contou-lhe tudo e pediu-lhe para que se arrumasse e viesse o mais rápido possível.

Alberto mandou Osmar pedir a um funcionário da empresa que comprasse a passagem para Dinda e a acompanhasse ao aeroporto, orientando-a. Vitório encarregou-se de buscá-la quando chegasse.

Depois de tudo resolvido, Osmar foi para o quarto porque precisava fazer algumas ligações de negócios. Estava tão nervoso que não suportava olhar para o irmão.

Vitório, no entanto, estava sereno, confiante de que sua mãe poderia estar viva. Onde ela poderia estar? Se não fora viajar para a Europa, por que não se comunicava com a família? Essas perguntas sem resposta o incomodavam. Sentia que havia um mistério em tudo isso e ele pretendia desvendá-lo.

Algum fato muito grave teria acontecido. Sua mãe não era mulher de mistérios. Sua vida sempre havia sido um livro aberto.

Alberto foi descansar e Vitório refugiou-se no quarto. Precisava pensar, tentar encontrar um caminho. Esperava Dinda com ansiedade. Ela era uma mulher prática, talvez pudesse ajudá-lo a descobrir a verdade.

Tirou os sapatos, estirou-se na cama recapitulando os acontecimentos que começara com a inexplicável depressão de Teresa.

Lembrou-se de tudo nos mínimos detalhes, até que cansado, adormeceu. Sonhou que estava em um lugar escuro, cheio de galhos secos. Vultos escuros o cercavam enquanto lhe diziam:

– Não adianta procurá-la. Você não vai encontrá-la nunca mais!

Vitório sentiu que eles falavam de Teresa e reagiu:

– Vou encontrá-la. Não tenho medo de vocês. O bem é mais forte do que tudo.

– Desista. Não vai conseguir nada!

– Isso mesmo. Nós não vamos deixar! Estamos com todo o poder. Somos poderosos!

– Mais pode a Luz divina! Ela está ao nosso lado! – gritava Vitório angustiado.

Eles tentaram agarrá-lo e Vitório correu para o corpo adormecido e acordou. Sentou-se na cama pensativo:

"Então era isso! Havia uma perseguição espiritual contra Teresa e sua família". Mentalizando luz ao seu redor, Vitório pediu ajuda aos amigos espirituais que sempre o visitavam. Aos poucos foi se acalmando.

A situação estava difícil, porém ele estava amparado.

Sentia em seu coração uma forte ligação com o espírito amigo que sempre o confortava em seus momentos difíceis.

Desde a mais tenra idade, ele via os espíritos com tal nitidez que os confundia com pessoas encarnadas, só percebendo a diferença quando eles desapareciam diante de seus olhos admirados.

A princípio contara para a mãe o que estava acontecendo, porém ela, temerosa de que ele estivesse doente, sofrendo alucinações, o levara ao médico que o olhou com naturalidade, dizendo para Teresa que ele sofria dos nervos e precisava cuidar disso o quanto antes.

Assim, ele tomava vários remédios que lhe traziam mal-estar, mas as visões continuavam. Teresa, certa de que o filho tinha saúde delicada, cercava-o de cuidados especiais, o que sempre provocava a raiva de Osmar, com quem ela era mais firme, não lhe permitindo fazer o mesmo que Vitório.

Ele passava mal por causa dos remédios e ela acreditava que ele fosse doente. Por esse motivo, era mais condescendente com ele, sem perceber que ele apenas tinha maior sensibilidade.

Quando ele cresceu e entendeu o que se passava, parou de falar sobre o assunto e seus pais pensavam que ele havia melhorado com o tratamento. Assim ele livrou-se dos medicamentos que o incomodavam.

Não falando o que sentia, vivia mais fechado em seu mundo interior e foi se acostumando com as presenças de seres de outras dimensões; procurava evitar os que tinham as energias conturbadas e aconchegar-se àqueles que tinham uma energia melhor.

Foi assim que certa noite ele viu o espírito de uma mulher, aparentando cerca de quarenta anos, fisionomia serena, olhos brilhantes e vivos, que se aproximou, fixando-o séria e disse:

– Meu nome é Analú. Vim aqui para dizer-lhe que nos

conhecemos de outras vidas e que conforme o prometido, ficarei a seu lado daqui para a frente, inspirando-lhe pensamentos bons. Chegou a hora de começar a trabalhar com a espiritualidade.

O olhar dela penetrou nele, provocando uma agradável sensação de bem-estar e alegria. O que o fez indagar:

– Quem você é realmente para mim? Sinto uma sensação boa e uma alegria muito grande.

– Um dia você saberá. O que importa é que estamos juntos e continuamos amigos como sempre fomos.

– O que é trabalhar para a espiritualidade?

– É viver para o espírito de acordo com as leis cósmicas, ensinando as pessoas a enxergarem a realidade.

– Eu não conheço essas leis nem tenho como ensinar ninguém.

– Seu espírito conhece tudo isso e, aos poucos, você se lembrará do que precisa para fazer o que é necessário.

– Mas eu não me recordo de nada. Como saber o que é certo ou errado?

– Esse é um conceito mundano. Ao reencarnar, você esqueceu momentaneamente o passado, porém ele continua em seu inconsciente e quando chegar o momento, de acordo com o que você escolher, voltará à tona.

– Eu gostaria de saber muitas coisas: "Por que eu sou diferente das outras pessoas? Por que posso ver e falar com pessoas que já morreram? Por que posso perceber o pensamento das pessoas?". Isso tudo me confunde e assusta.

– De hoje em diante estarei ao seu lado para ajudá-lo, mas devo esclarecer que não tenho nenhum poder sobre você. Só posso mandar-lhe energias de sustentação e inspirar-lhe bons pensamentos. Mas as escolhas, as decisões continuam sendo suas. Por esse motivo eu disse que tudo dependerá delas.

– Você não respondeu minhas perguntas.

– No mundo, não existem duas pessoas iguais. Cada um é um, com suas capacidades e experiências. Você é agora o resultado de suas escolhas anteriores e no futuro, será apenas o que escolher hoje. Você é um sensitivo. Por esse motivo pode ver além dos cinco sentidos. Isso aconteceu porque você desenvolveu sua sensibilidade em outras vidas e hoje possui o sexto sentido mais desenvolvido.

– Tudo isso me assusta. Eu preferia não sentir nada disso e ser como todos.

– Não diga isso. A percepção de como as coisas são, traz lucidez e força. Estou certa de que você já tem conhecimento para fazer bom uso dessa sua faculdade. Só precisa observar um pouco mais o processo, cuidar bem dos seus pensamentos para ficar apenas com o bem e não se ligar a idéias negativas.

– Eu gostaria de ser mais lúcido e sentir-me mais forte. Por vezes as idéias confundem-se em minha cabeça e eu me sinto deprimido, sem forças.

– O que confunde sua cabeça são as crenças erradas que você aprendeu desde a infância e que destoam do conhecimento que seu espírito possui. Isso está criando um conflito entre a ilusão aprendida e a verdade conquistada.

– Eu desejo sair desse estado e encontrar a paz.

– Nesse caso, precisa estudar suas crenças e descobrir até que ponto são verdadeiras. Eu preciso ir, mas estarei por perto. Pense em tudo isso e decida se deseja fazer o que eu lhe disse. Fique com a luz.

Ela desapareceu antes que Vitório tivesse tempo para responder. A partir desse dia ele começou a questionar suas crenças e descobriu que algumas eram baseadas apenas em opiniões de outros pensadores e não podiam ser provadas nem desaprovadas.

De vez em quando Analú o procurava e conversavam, trocando idéias. Ele, aos poucos, foi reformulando seus conceitos de realidade e descobrindo que para ser forte, precisava acreditar em sua própria força, usando-a sempre para encorajá-lo a perseverar em seus propósitos de aprender e conquistar o próprio equilíbrio.

Pensando no sonho que tivera, lembrou-se de Analú. Precisava conversar com ela e saber o que estava acontecendo com sua mãe. Ela era sua amiga e sempre conversava com ele sobre todos os assuntos. Por que desde que sua mãe desaparecera ela não viera para confortá-lo?

Estava certo de que o corpo que vira no necrotério não era o dela, mas como entender seu desaparecimento, a semelhança que ela tinha com a mulher morta? Se Teresa estava viva, como ele imaginava, por que não aparecera ainda, mesmo depois da notícia de sua morte estar em todos os jornais?

Essas perguntas ficavam sem resposta e agora havia aquele encontro no astral onde descobriu que havia uma conspiração de seres maldosos agindo contra sua família.

Naquele momento evocou o espírito de Analú, com todas as forças do seu espírito. Então, ouviu sua voz:

– No momento não posso ir. Ore e confie.

Vitório suspirou angustiado. Precisava ser forte e continuar confiando no bem e na amizade dos amigos espirituais. Mas, apesar disso, as perguntas sem resposta continuavam em sua cabeça.

6

Eram onze horas da manhã seguinte quando Vitório foi ao aeroporto esperar Dinda. Ela chegou, fisionomia preocupada; assim que o viu, aproximou-se, abraçando-o com força.

– Estou agoniada, meu filho. Como você está?

– Angustiado com os acontecimentos. Vamos embora, vou levá-la direto para o hotel e logo iremos à delegacia. No caminho lhe contarei tudo.

No táxi, durante o trajeto, Vitório contou tudo a ela e finalizou:

– Sugeri ao delegado que você viesse porque estou certo de que aquele corpo não é o de mamãe. Você a conhece mais do que todos nós. Não vai se enganar.

– Se o corpo não for o dela, onde ela está? Por que não se comunica conosco? Ela nunca fez isso antes. Pelo menos comigo, sempre me dizia onde estava.

– Mas desta vez ela mentiu. Não foi à Europa como disse. E para você, ela falou onde deveria estar?

Dinda hesitou um pouco, depois disse:

– Não. Desta vez não disse.

Vitório olhou-a sério e respondeu:

– Se você sabe de alguma coisa, é hora de contar. Ela pode estar em perigo e temos que descobrir o que aconteceu.

– Eu não sei. Mas se aquele corpo não é o dela, ela pode estar viva e logo estará de volta.

– E se tiver lhe acontecido alguma coisa ruim? Seus documentos foram encontrados debaixo da cama, na cena do crime. Ela está envolvida nesta tragédia de qualquer forma.

Dinda sobressaltou-se, mas não respondeu. Ela também estava muito assustada com os últimos acontecimentos.

Ela sabia que Teresa não estava na Europa como dissera para toda a família. Mas não podia dizer nada, pois lhe prometera sigilo. Se ela falasse, quando Teresa voltasse, iria repreendê-la por ter traído sua confiança. O assunto era muito sério e ela jurara guardar segredo.

Chegaram ao hotel e foram para o quarto de Alberto que os recebeu, abraçando-a com carinho:

– Sinto ter de incomodar você, fazendo-a viajar de avião e depor na delegacia.

– Não tenho medo de avião. Se não fosse pela preocupação com Teresa eu até teria gostado. Como o senhor está?

Alberto suspirou triste:

– Como posso? Esta tragédia não acaba nunca. Estou cansado, preocupado, sofrido. Espero que você consiga nos tirar dessa dúvida. Você quer descansar um pouco antes de irmos à delegacia?

– Não. Estou muito ansiosa para ver se é minha ama que está lá.

– Irei com você – disse Vitório.

– Eu também irei. Acho que Osmar não vai querer ir novamente.

Ele apareceu no quarto dizendo:

– Claro que vou. E você, Dinda, faça o favor de acabar

de uma vez com essa palhaçada. Eu preciso voltar logo para casa. Tenho muitas coisas para fazer e não posso ficar aqui parado mais tempo. Diga logo que o corpo é de mamãe e acabaremos com isso.

– Só vou dizer que é, se for verdade – respondeu ela.

– É ela. Não seja boba. Acha que eu ia me enganar? Que não conheço minha mãe?

– Vitório garante que não é – argumentou Dinda.

– Ele quis fazer sua cabeça. Mas é claro que está enganado. É ela, infelizmente. Vitório deseja tanto que ela esteja viva que está se iludindo e tentando envolver papai.

– Vamos embora – disse Alberto irritado. – É melhor você ficar. Já foi, já deu sua opinião.

– Se Vitório vai, também vou. Ele também não precisa ir. Quer apenas induzir vocês a dizer que não é ela.

Irritado, Alberto saiu do quarto e os outros três o seguiram em silêncio.

Uma vez na delegacia, o delegado os esperava e pediu que Dinda entrasse em sua sala. Os outros ficaram do lado de fora.

Depois dos cumprimentos, Monteiro convidou-a a sentar-se, e disse:

– Gostaria que me dissesse quando conheceu Teresa e desde quando trabalha para ela.

– Nós éramos crianças quando minha mãe me levou na casa dela. Meu pai tinha morrido há poucos meses e nós precisávamos trabalhar para viver. Teresa tinha treze anos, como eu, e logo nos tornamos amigas. Ela era muito bonita e fiquei encantada desde o começo. Fazia tudo para agradá-la e ficamos muito íntimas.

– Tanto que quando ela casou-se com o sr. Alberto, você foi morar na casa deles.

– Foi. Ajudei-a a criar os meninos e continuei a fazer tudo para que minha menina fosse feliz.

Algumas lágrimas brilharam nos olhos de Dinda e o delegado comentou:

– Você tornou-se o anjo da guarda de Teresa.

– Eu faria tudo para que ela fosse feliz.

– Fale-me um pouco do casamento dela. Como era a vida do casal, eles se davam bem?

– O sr. Alberto sempre foi muito bom e tratava a família com respeito.

– E os rapazes? Como era o relacionamento de Teresa com os filhos?

– Teresa sempre foi uma ótima mãe. Dedicada, estava sempre cuidando da felicidade deles.

– Os dois irmãos parece que não combinam.

– Sabe como é, doutor, coisas de família. Osmar sempre teve muito ciúmes do irmão porque como ele é mais sensível Teresa está sempre atenta com sua saúde. Mas não há nada de mais.

– A senhora sabe se Teresa tinha algum inimigo, ou parente que não gostasse dela?

– Não. Os parentes dela vivem distantes, e ela se relaciona pouco com eles.

– Mas você deve conhecer a Elvira, a colega de faculdade com quem Teresa disse à família que iria viajar para a Europa.

– Só a vi uma vez quando elas eram estudantes.

– Pode descrever como ela era?

– Não me lembro bem. Faz muitos anos. Era uma moça igual a muitas estudantes que eu vi com ela.

– Isso não esclarece muita coisa. Tente lembrar-se. É importante.

– É inútil, doutor. Não me lembro mesmo.

– Pensei que pudesse me ajudar a descobrir quem cometeu este crime.

– Não tenho nenhuma idéia. O que aconteceu me assustou muito.

Monteiro levantou-se:

– Vamos ver o corpo.

Eles saíram e do lado de fora os outros três que os esperavam os acompanharam até o necrotério.

Dinda estava emocionada, o coração apertado se perguntava se Teresa estava ou não morta. Logo iria saber.

Uma vez no necrotério, Monteiro puxou a gaveta, o rosto da mulher apareceu e ele levantou o lençol que cobria o corpo, olhando fixamente para o rosto de Dinda.

Ela colocou os óculos, abaixou-se, olhando fixamente para o corpo. Depois pediu:

– Alguém pode levantar um pouco o corpo? Quero ver as costas.

– Para quê? – indagou o delegado. – É Teresa ou não?

– Teresa tinha uma pequena mancha de nascença na curva da cintura.

– O corpo está rígido e congelado. Não a reconhece pela fisionomia? – tornou o delegado.

– O rosto é parecido com ela, porém as mãos são diferentes. Eu preciso ver a marca para ter certeza.

Osmar interveio irritado:

– Claro que é ela! Por que você também duvida?

Sem dar-lhe atenção, Monteiro chamou dois auxiliares e pediu-lhes que virassem o corpo de bruços. Devidamente protegidos pelas roupas adequadas, eles obedeceram.

– E então? – indagou o delegado ansioso.

Dinda apontou um lugar na cintura e foi categórica:

– Não é ela. Este corpo não tem a marca que Teresa tinha.

– Eu sei que não é ela! – exclamou Vitório satisfeito.

Osmar não se deu por vencido e interveio:

– Como não? Isso não tem sentido. Como vocês explicam o desaparecimento dela? Nunca existiu outra pessoa tão parecida a ponto de nos confundir. Depois, como o documento de identidade dela apareceu junto ao corpo?

– Isso é que eu preciso descobrir – respondeu Monteiro. Voltando-se para Dinda continuou: – A senhora pode responder a essas perguntas?

– Não posso. Só sei que esta não é ela. Disso estou certa.

Monteiro coçou a cabeça e perguntou a Alberto:

– O senhor deveria ter visto no corpo de sua esposa a marca a que Dinda se refere.

– Nunca notei. Teresa era uma mulher discreta. Não gostava de tirar a roupa na minha frente.

– Vamos para a outra sala conversarmos um pouco.

Acomodados na sala ao lado, Osmar estava inconformado. Não acreditava que estivesse enganado. Era impossível não ser o corpo de Teresa.

– Dinda sempre protegeu Vitório. O que ela quer é fazer com que ele continue na ilusão de que mamãe está viva. Uma marca no corpo que só ela sabia me parece uma desculpa arranjada para consolar Vitório.

– Eu nunca brincaria com um caso desses – protestou ela. – Estou dizendo o que percebi. Aquela mulher não é Teresa.

Monteiro olhou para os quatro sentados diante dele sem saber o que dizer. O caso era complicado. Por um lado, Osmar poderia ter razão. Vitório era muito apegado à mãe, poderia estar enganado. Por outro lado, Dinda era pessoa confiável. Dava para perceber isso pela maneira que se posicionava.

Ele não acreditava que ela se prestasse a mentir apenas para consolar Vitório. Mas isso tornava o caso muito mais difícil.

Ele não poderia liberar aquele corpo como sendo o de Teresa, que poderia estar viva e aparecer de uma hora para outra. Isso dar-lhe-ia, além do trabalho de requerer uma exumação, o fato de ter de admitir publicamente que estava enganado.

Era um delegado muito conceituado, ambicionava fazer carreira e um fato desses certamente o deixaria desacreditado. Nesse momento desejou nunca ter sido designado para aquele caso.

Mas não havia nada que ele pudesse fazer a não ser tentar encontrar a verdade. Pensou um pouco enquanto os demais esperavam ansiosos pela sua decisão.

Impaciente, Osmar perguntou:

– E então, doutor? Vai liberar o corpo para o enterro?

– Não. Diante das divergências, será melhor esperar e investigar um pouco mais.

Osmar fez um gesto de desagrado e tornou:

– Doutor, entenda, não posso ficar aqui indefinidamente. Tenho muitas responsabilidades. Preciso voltar para o Rio o quanto antes.

– Compreendo. Vou liberá-lo para voltar. Mas se eu precisar de seu depoimento, terá de vir novamente.

– Virei quando precisar. O senhor sabe onde moro. É só ligar. Agora, eu gostaria que só o fizesse quando realmente descobrisse alguma coisa.

– Eu vou descobrir a verdade, custe o que custar. É um ponto de honra. Estou certo de que logo terá notícias minhas.

– Dinda pode voltar comigo? Ela faz muita falta em casa – justificou-se Osmar.

– Todos podem ir para casa, desde que prometam vir quando eu chamar.

– Eu quero ficar – disse Vitório. – Quero descobrir o paradeiro de mamãe. Se os documentos dela estavam aqui, pode ser que ela também esteja.

– Por que está pensando isso? – perguntou Monteiro.

– Se ela estivesse viva e em São Paulo, teria visto os jornais e certamente nos procurado.

– E se ela tiver sido seqüestrada e não puder se comunicar?

– Você está levando sua fantasia longe demais – disse Osmar. – Eu não disse que ele vive fora da realidade?

– Pois eu penso que esta é uma hipótese que poderia explicar a ausência dela, no caso de estar viva. O contrário também pode ter acontecido.

– Nesse caso, aquele corpo seria o dela – apressou-se a dizer Osmar.

– Eu não afasto nenhuma hipótese. Agora podem ir. Se alguém ficar em São Paulo, deixe o endereço.

Assim que saíram, Osmar tornou:

– Vou reservar passagens para todos nós. Regressaremos hoje à noite.

– Para mim, não. Pretendo ficar aqui – disse Vitório.

– Para quê? Quer complicar ainda mais este caso? – reclamou Osmar.

– Eu também vou ficar – tornou Alberto.

– Isso é uma loucura. Vocês não sabem quanto tempo esse delegado pode demorar para enxergar que o corpo é de mamãe.

– Eu não gosto de ficar em hotéis – decidiu Alberto. – Vitório quer ficar. Estou pensando em alugar um apartamento para ficarmos mais à vontade.

– Eu posso ficar com vocês – disse Dinda. – Nora pode cuidar de tudo lá em casa. Ela é muito dedicada.

– Está certo. Você fica para nos ajudar. Só voltaremos quando desvendarmos a verdade.

Osmar meneou a cabeça negativamente. Não se conformava com a decisão. Para ele a questão era simples e não precisava tanta confusão. Era só enterrar o corpo de sua mãe e terminar com esse caso tão desagradável.

Ele não acreditava que ela pudesse estar viva. Mas por outro lado, a idéia de que aquele corpo não fosse de Teresa começava a agradá-lo. Nesse caso, sua mãe não seria adultera e ele não precisaria envergonhar-se diante dos conhecidos.

– Hoje mesmo vou procurar um apartamento para alugar – decidiu Vitório.

– Faça isso, meu filho. Vamos precisar de três quartos.

Uma vez no hotel, Alberto foi descansar. Sentia-se triste, deprimido. Aquela situação era desgastante. Se o corpo fosse de Teresa, ela seria considerada adultera. Mas ele a enterraria e estaria tudo resolvido. Se não fosse, onde ela estaria? Morta, sem que eles pudessem encontrá-la? Acreditava que se ela estivesse viva e pudesse, teria se comunicado.

De todas as formas, ela estava envolvida em uma tragédia e não saber a verdade tornava as coisas piores.

Dinda foi descansar, enquanto Osmar se preparava para ir ao aeroporto. Vitório foi para o quarto, sentou-se em uma poltrona. Apesar de acreditar que Teresa estivesse viva, o fato de ela não se comunicar com a família, levava-o a crer que estivesse impossibilitada.

Sua própria impotência o atormentava. Se ao menos Analú aparecesse e lhe desse alguma orientação! Ela deveria saber o que tinha acontecido. Por que não o procurava para lhe contar?

Talvez desejasse poupá-lo de uma notícia ruim, porém nada seria pior do que não saber. Fosse o que fosse, conhecer a verdade era preferível.

Suspirou triste. Desejava encontrá-la, mas por onde começar? A polícia não tinha pistas, estava perdida em indagações sem resposta.

Lembrou-se do homem que morrera com aquela mulher. Talvez devesse começar por conhecer sua família. Sabia que ele era casado e deixara um filho pequeno.

Imediatamente foi ao telefone, ligou para a delegacia e pediu para falar com Monteiro. Assim que ele atendeu, Vitório falou do seu desejo de conhecer a viúva do morto.

– Para quê? – indagou o delegado. – Você não vai encontrar nenhuma pista lá.

– Desejo conversar com ela mesmo assim.

– Será inútil, mas é um direito seu. Anote o nome e endereço.

Vitório anotou tudo e saiu. Apanhou um táxi, deu o endereço. O carro parou em frente à casa e ele desceu, olhando curioso para o lugar. Era uma rua calma, a casa, um sobrado com garagem, com pequeno jardim na frente.

Decidido, tocou a campainha. Dorita foi abrir:

– O que deseja?

– É aqui que mora d. Marília Marques de Oliveira?

– É.

– Meu nome é Vitório Borges de Azevedo. Gostaria de falar com ela.

– Ela está muito ocupada. Não sei se poderá lhe atender agora.

– Por favor. Diga-lhe que o assunto é muito importante.

– Espere um momento.

Ela entrou e pouco depois voltou dizendo:

– Entre, por favor.

Ele obedeceu e ela conduziu-o para a sala de estar:

– Sente-se e fique à vontade. Ela já vem.

Pouco depois, Marília entrou, olhando-o com curiosidade. Ele levantou-se:

– Desculpe a intromissão. Sei que a senhora estava ocupada.

– De fato. Estava trabalhando. Meu marido morreu e ficamos sem recursos. Você é um dos filhos da mulher... de Teresa?

– Sou Vitório. O filho mais novo. Vim conversar com a senhora sobre o que aconteceu.

– Foi uma tragédia horrível que me surpreendeu muito e deixou-me sem chão.

– Posso avaliar. A senhora tem um filho pequeno?

– Não me chame de senhora, por favor. Meu filho tem cinco anos.

Marília sentou-se no sofá ao lado dele, indagando:

– Por que você veio me procurar? Tudo o que eu poderia dizer sobre o caso, contei ao delegado.

– É que estou muito angustiado. Meu pai, meu irmão Osmar, eu e até nossa governanta, Dinda, viemos reconhecer o corpo da mulher assassinada ao lado de seu marido. Mas o fato é que o caso se complicou, porquanto, meu irmão, meu pai, reconheceram o corpo como sendo de minha mãe, porém eu percebi que aquela mulher, apesar da grande semelhança física, não é minha mãe.

Marília levantou-se assustada:

– Como pode ser? Seu pai disse ao delegado que era ela!

– Por esse motivo mandamos vir a governanta. Ela está com mamãe desde que ambas eram adolescentes. Ela também disse que não é mamãe.

Marília sentou-se novamente:

– Não sei o que lhe dizer. Como seu pai pôde ter se enganado?

– Pela extrema semelhança que essa mulher tem com mamãe. Mas eu notei que ela tinha as mãos diferentes, sem a marca da aliança que havia no dedo anular. Depois, Dinda revelou que mamãe tinha uma marca de nascença na parte de trás da cintura. Quando viraram o corpo da morta, essa marca não existia.

Marília estava confusa. Isso fazia com que a identidade da morta permanecesse ignorada. Então fez as perguntas naturais da situação e Vitório explicou-lhe que sua mãe não tinha nenhuma pessoa parecida com ela na família, e continuava desaparecida.

– Minha mãe é uma mulher discreta, honesta e nunca se prestaria a estar em uma situação como aquela.

– Mas e os documentos?

– Isso é que está me angustiando. De alguma forma ela está relacionada com o crime. Receio que esteja presa em algum lugar, seqüestrada, talvez, e não possa se comunicar conosco.

– Nesse caso, ela estaria em perigo! Mas se fosse um seqüestro, certamente alguém teria se comunicado pedindo dinheiro ou algo assim.

– Essa falta de notícias está me angustiando. Posso imaginar o sofrimento dela em uma situação dessas.

Ele estava visivelmente nervoso e Marília sentiu-se penalizada.

– Acalme-se. Vai ver que ela está bem, mas distante, em algum lugar que não dá para se comunicar. A qualquer momento pode mandar notícias.

– Bem que eu gostaria de poder acreditar nisso. Mas sinto que algo de ruim está acontecendo.

– Você está nervoso, imaginando o pior. Vou fazer um chá. Depois voltaremos a conversar.

Ela foi para a cozinha, enquanto Vitório recostou-se no sofá, de olhos fechados, esforçando-se para ficar calmo.

sete

Dorita trouxe a bandeja com o bule de chá, duas xícaras, um pratinho com alguns pães de queijo e colocou-a sobre a mesa de centro.

Marília serviu o chá, entregou a xícara a Vitório e ofereceu os pães de queijo dizendo:

– Experimente. Estão quentes.

– Desculpe, mas estou sem fome.

– Essa é a nossa especialidade. Estamos começando e precisamos de opiniões a respeito.

Apesar de não estar com fome, Vitório não quis ser indelicado e apanhou um. Marília sentou-se na poltrona ao lado, serviu-se, tomou um gole de chá e fixou o rapaz, esperando que ele experimentasse o pão de queijo.

Ele começou a comer, estava delicioso. Só então se lembrou de que havia dois dias que não comia nada, só tomava água e café.

– Está ótimo.

– É uma receita de minha avó.

Marília foi conversando, contando sua infância no interior, em companhia dos pais e da avó materna.

Ouvindo-a falar, Vitório foi tomando o chá, comendo

mais alguns pães de queijo e sentindo-se mais calmo. Marília tinha uma voz doce e um jeito alegre de contar as coisas.

Apesar da tragédia que se abatera sobre sua vida e das dificuldades financeiras, ela se sentia livre, útil, tendo se libertado da preocupação que Otávio lhe dava.

Apesar de ganhar pouco vendendo os quitutes, sentia-se orgulhosa por poder se sustentar com o próprio trabalho.

Depois que Vitório colocou a xícara sobre a bandeja, Marília tornou:

– O que pensa fazer para descobrir o que aconteceu de verdade?

– Ainda não sei. O delegado Monteiro não me parece capaz de fazer isso.

– Tenho a mesma opinião.

– Fale-me um pouco sobre seu marido. Como ele era em casa, no trabalho.

Marília suspirou pensativa, hesitou um pouco, depois disse:

– Eu também gostaria de saber a verdade. Vou contar-lhe o que sei. Conversando, talvez encontremos algo mais.

Marília contou tudo. Sua vida conjugal, a falta de carinho de Otávio com ela e Altair. A carta anônima e a descoberta do crime. Finalizou:

– Aquela cena ainda está dentro de mim. Ao falar sobre isso, sinto como se estivesse lá, apavorada, vendo os dois naquele quarto. Nem sei como consegui chegar em casa.

– Você não chamou a polícia, não pediu socorro?

– O delegado também fez a mesma pergunta. Mas eu vi que ambos estavam mortos, tive medo que suspeitassem de mim e fugi. Mas como eu disse, o dr. Monteiro encontrou minhas impressões digitais e fui forçada a contar-lhe tudo. Ele disse que eu era suspeita, mas penso que ele disse isso para intimidar-me. Eu possuo um corpo frágil, não teria condições físicas de brigar com duas pessoas e vencer. Ele não acredita de verdade que tenha sido eu.

– A família de Otávio não sabia onde ele trabalhava?

– Não. Assim como ele não falava comigo sobre seus negócios, fazia o mesmo com eles. Otávio não dava dinheiro senão para o estritamente necessário e reclamava muito por fazer isso. Mas o delegado descobriu que ele tinha duas contas bancárias com dinheiro que ficou retido enquanto eles investigam sua origem. Por tudo isso, não recebi nada e precisei arranjar uma forma de ganhar alguma coisa.

– Você é uma mulher de coragem. Já tinha trabalhado para fora alguma vez?

– Não. Meus pais são de classe média, pude estudar sem precisar trabalhar. Sou formada em letras, mas me casei cedo e Otávio não deixou que eu exercesse minha profissão. Ele não gostava que eu saísse sozinha. Ficava muito irritado se eu não o obedecesse. Deixou-me apenas me formar.

– Compreendo.

Dorita entrou para recolher a bandeja.

– Desejo apresentar-lhe Dorita. Ela está comigo há muito tempo. É uma amiga que tem me ajudado muito neste momento incerto. Foi dela a idéia de fazermos os pães de queijo.

– Estão deliciosos.

Dorita sorriu feliz.

– Está mais calmo? O senhor estava muito abatido e nervoso quando chegou.

– Sim, Dorita. Seu chá fez milagre e o apoio que estou recebendo aqui, está me ajudando muito. Peço-lhe que não me chame de senhor.

– Está bem. Posso me intrometer um pouco e fazer uma sugestão?

– Faça – respondeu Vitório.

– Vocês querem descobrir a verdade. Nós no momento não temos dinheiro para fazer isso, mas você pode procurar um bom detetive e pagar-lhe para investigar o caso.

Vitório olhou-a surpreendido:

– É verdade! Como não pensei nisso antes?

– Você estava nervoso e as boas idéias aparecem só quando estamos calmos.

– É uma grande idéia. Vou fazer isso mesmo. Mas não conheço ninguém nesta cidade. Eu quero o melhor detetive. Vocês conhecem alguém?

As duas sacudiram a cabeça negativamente.

– Não importa, eu vou achar. Mas seria bom se vocês também procurassem. Vamos nos juntar para descobrir a verdade.

– Não seria justo. Não temos dinheiro para pagar as despesas. Isso deve custar muito caro – objetou Marília.

– Não precisam pagar nada. As despesas correm por minha conta. O que eu quero é que vocês me ajudem. Tenho estado muito perturbado. Sozinho será mais difícil. Vocês precisam trabalhar e eu vou embora. Assim que contratar alguém, voltarei para conversarmos e traçarmos nossos planos.

Vitório despediu-se e saiu. Marília e Dorita retomaram o trabalho, comentando sobre aquela visita. Ambas gostaram muito dele.

– Nota-se que é um rapaz bom. Ele me parece ter algo especial – comentou Dorita.

– Seu amor pela mãe é comovente. Desejo que ela esteja viva e que volte para casa sã e salva.

– Não é só o fato de ele ser ligado à mãe. Ele me parece diferente. Mais sensível, sinto que podemos confiar nele.

– É. Afinal, sou a viúva do homem que foi morto com aquela mulher. Ele poderia ter se mostrado desconfiado, mas não foi o que me pareceu.

– Ele está certo de que não é a mãe dele quem foi morta com Otávio.

– Será que ele não se enganou? O pai e o irmão reconheceram o corpo.

– Vai ver que é alguém da família que eles não conheciam. Às vezes as pessoas se distanciam e perdem o contato. Para mim foi isso.

– Não sei. Por mais que eu pense não consigo entender. Por que Otávio iria relacionar-se com uma mulher tão mais velha?

– Um bom detetive vai descobrir. Vamos trabalhar, já perdemos muito tempo.

– Isso mesmo.

As duas dedicaram-se com prazer ao trabalho.

Vitório parou um táxi e sentou-se na frente, ao lado do motorista. Deu o endereço do hotel, depois entabulou conversa com ele.

– Eu vim recentemente para São Paulo e não conheço bem a cidade.

– Eu nasci no interior, mas moro aqui há mais de vinte anos. Quinze dentro de um táxi.

– Você deve conhecer muita gente.

– É verdade.

– Meu nome é Vitório e o seu?

– Ronaldo.

– É um prazer conhecê-lo. Talvez possa me ajudar.

– Em quê?

– Estou precisando contratar um bom detetive. E quero o melhor.

Ronaldo balançou a cabeça pensativo e perguntou:

– É coisa de mulher?

– Como assim?

– De traição, de adultério. Porque se for, eu não vou me meter. Certa vez entrei nessa e acabou sobrando para mim. Jurei que nunca mais faria isso.

– Não é nada disso. Minha mãe desapareceu e preciso descobrir onde ela está. Se você me indicar alguém, não mencionarei seu nome, fique sossegado.

– Bem, eu até conheço um muito bom. Mas não sei se devo indicá-lo. Ele é namorado de minha irmã e eu não gosto de envolver minha família nisso.

– Ele é bom mesmo?

– Não há caso que ele não desenrole. É formado em Direito, mas sempre foi fascinado pela investigação.

– Nesse caso, vou procurá-lo.

– Hum... não sei...

– Será um grande favor que você estará me fazendo. Além do que lhe darei uma boa gratificação.

– Isso eu não posso aceitar. Mas se me prometer que me deixará fora disso, talvez...

– Claro. Vou procurá-lo e não direi que foi você quem o indicou. Aconteça o que acontecer, não envolverei sua família.

Ronaldo estava hesitante e Vitório tentava convencê-lo. Quando o carro parou diante do hotel, finalmente ele concordou:

– Está bem. Vou dar-lhe o número do telefone dele.

– Muito obrigado. Disponha de mim se precisar de alguma coisa.

Vitório apanhou um cartão seu e deu-o a Ronaldo que por sua vez escreveu um nome e alguns números em um pedaço de papel e entregou-o a ele. Vitório pagou a corrida e despediu-se, agradecendo mais uma vez.

Entrou no hotel, abriu o papel e leu o nome: Paulo. Decidiu ligar imediatamente. Subiu para o quarto e ligou para o número indicado.

Uma voz de mulher atendeu:

– Escritório de advocacia.

– Quero falar com o dr. Paulo.

– O nome completo, por favor.

– Não sei. Um amigo me indicou e não me deu o sobrenome.

– Temos dois com esse nome no escritório.

– Estou precisando dos serviços dele, mas ainda não o conheço pessoalmente. Só sei que ele é especializado em investigações.

– Então deve ser o dr. Paulo Rodrigues Maciel. Vou passar a ligação.

Pouco depois uma voz de homem atendeu e Vitório disse:

– Estou precisando dos seus serviços profissionais. Gostaria de ir até seu escritório para conversarmos.

– Estou muito ocupado. Nesta semana não será possível atendê-lo.

– Eu não posso esperar. O caso é muito sério. Gostaria pelo menos de falar com você e saber se pode me ajudar. Caso contrário terei de procurar outra pessoa. Tenho urgência. Meu nome é Vitório Borges de Azevedo.

Paulo fez silêncio por alguns instantes, após perguntou:

– Você quer falar comigo sobre o assassinato de Teresa Borges de Azevedo? Ela é sua parenta?

– É. Mas não posso falar por telefone.

– Nesse caso pode vir. Vou ver o que posso fazer.

Vitório pediu o endereço, desligou e tornou a sair. Meia hora depois estava entrando no prédio e notou que lá havia muitos escritórios, a maioria de advogados.

Encontrou o que procurava, entrou, deu o nome à recepcionista e foi conduzido a uma sala onde Paulo imediatamente levantou-se para recebê-lo.

Era um homem alto, forte, moreno, cabelos revoltos, que ele tentava em vão manter penteados, testa larga, olhos castanhos, nariz reto, boca bem delineada e barba que apesar de bem-feita deixava em seu rosto uma sombra levemente escura. Aparentava cerca de trinta e cinco anos.

Vitório olhou-o nos olhos querendo sentir as energias do advogado e depois sorriu levemente dizendo:

– Eu liguei meia hora atrás.

– Estava a sua espera. Eu não tinha tempo hoje, mas quando ouvi seu nome, senti que não podia deixar de atendê-lo. Seu caso estava em todos os jornais dias atrás e a polícia não tem pistas. Sente-se, por favor. Vamos conversar.

Paulo indicou um sofá e sentou-se ao lado dele. Mostrou interesse e, apesar de Vitório o estar fixando firmemente, não desviou o olhar nem uma vez. Vitório sentiu que podia confiar nele. Contou tudo minuciosamente e, à medida que falava, Paulo fazia anotações. Até que ele finalizou:

– Foi isso. O corpo daquela mulher não é de minha mãe, é só isso que eu sei. O resto são indagações sem resposta. Sequer sei por onde começar. Mas como minha mãe desapareceu e seus documentos estavam no local do crime, estou aflito, imaginando onde estará e como.

– Tem certeza de que não está enganado? Afinal, outras pessoas de sua família reconheceram o corpo.

– Mas Dinda também não o reconheceu. Aliás, naquele corpo não havia o sinal de nascença que minha mãe tinha nas costas.

– É. Isso faz crer que vocês estão certos.

– Agora que lhe contei tudo, quero saber, você pode me ajudar a descobrir onde está minha mãe? Não sei por onde começar, mas estou disposto a insistir até saber toda a verdade.

Paulo ficou pensativo por alguns instantes, depois disse:

– Este caso me atraiu desde o começo. Você está mesmo decidido a ficar em São Paulo enquanto durar as investigações?

– Estou. Meu pai e Dinda vão ficar comigo.

– Nesse caso é bom saber que essa investigação

pode demorar. De minha parte vou fazer tudo para que consiga encontrá-la o mais rápido possível, porém isso não depende apenas de mim. Tenho algumas pessoas que trabalham comigo e vão nos ajudar, mas o aconselho a tentar se acalmar, porquanto a ansiedade atrapalha muito. Nós vamos precisar que todos vocês se recordem dos acontecimentos dos últimos tempos. Você disse que sua mãe estava deprimida e decidiu viajar para a Europa. Sabe a causa dessa depressão?

– Não. Ela dizia apenas que estava cansada, sem vontade de viver. Eu era, além de Dinda, a única pessoa com a qual ela se abria, contava coisas da sua juventude etc. Quanto a essa depressão, cansei de indagá-la sobre o motivo pelo qual ela sentia-se tão infeliz e desanimada, porém ela desviava o assunto.

– É evidente que tinha algum motivo. Você disse que ela se relacionava bem com seu pai e era mais firme com seu irmão. Ela não se dava bem com ele?

– Isso aconteceu porque desde muito pequeno eu ficava muito agitado, via coisas, ouvia vozes e ela achava que eu estava doente e precisava de mais aconchego.

– Você tem mediunidade?

– Sou hipersensível.

– Pode falar abertamente sobre o assunto. Sou um estudioso do espiritualismo.

– Sinto-me aliviado. Minha mãe me levava ao psiquiatra, eu tomava remédios fortes que me deixavam mal. Então, com medo de ficar pior, nunca mais contei a ninguém o que acontecia comigo.

– Infelizmente, ainda há pessoas que se recusam a perceber essa realidade. Você pode utilizar essa capacidade para evocar os espíritos do bem, para que o ajudem a ficar mais calmo. Assim, talvez, possa lembrar-se de algum fato que nos ajude a encontrar o fio da meada.

– Estou feliz de encontrar alguém que conhece essa

realidade. Eu tenho uma amiga espiritual, chama-se Analú. Ela tem me ajudado sempre. Entretanto, neste caso, ela apenas me diz para confiar e esperar.

– Certamente ela não pode dizer o que você quer saber. Nem sempre os espíritos têm permissão para intervir em nossa vida. Só o fazem aqueles que ainda não tem esclarecimento.

Eles ficaram conversando durante mais de uma hora até que Vitório levantou-se:

– Desculpe ter tomado tanto o seu tempo. Você é ocupado e eu estou abusando.

– Não se preocupe. Meu pessoal está fazendo o que é preciso. Mas quero que você volte aqui amanhã cedo para começarmos a trabalhar no caso. Esta noite farei um roteiro para iniciarmos as investigações.

Satisfeito, Vitório despediu-se querendo já pagar pela consulta, o que Paulo não aceitou.

– Não precisa pagar nada. Vamos precisar de algum dinheiro para as primeiras despesas, mas só saberei quanto, depois de programar tudo.

Vitório deixou o escritório satisfeito. Além de um detetive que lhe passava segurança e firmeza tinha encontrado um amigo.

Estava muito bom para um primeiro dia. Foi para o hotel. Sentiu que estava com fome, mas queria tomar um banho primeiro.

Foi para o quarto, tomou um banho rápido, enxugou-se e estendeu-se na cama para relaxar um pouco.

De repente, sentiu um arrepio desagradável pelo corpo e uma leve tontura. Percebeu que tinha alguém no quarto. Apagou a luz e sentou-se, procurando livrar-se daquela energia ruim que o envolvia.

Concentrou-se e pediu ajuda espiritual. Foi quando viu em um canto do quarto dois vultos escuros. Fechou os olhos e fixou-os melhor. Divisou um casal. Ele, olhos esbugalhados; ela, olhos raivosos que expeliam chispas de energias escuras em direção de sua testa.

Vitório notou que ela trazia as mãos e o pescoço sangrando, enquanto ele, o peito cheio de cortes, sangue e um corte na face.

Ele percebeu que tinha diante de si o casal assassinado. Procurou reagir ao mal-estar que o incomodava e esforçou-se para fazer as perguntas que castigavam seu cérebro.

Foi quando ela, olhando-o com raiva, disse com voz rouca e entrecortada:

– Vocês vão me pagar por tudo. Caí na armadilha. Mas vou me vingar.

– Vocês não perdem por esperar! – ameaçou ele.

Fazendo um esforço enorme, Vitório perguntou para a mulher:

– Quem são vocês? Onde está minha mãe? Onde arranjaram os documentos dela?

Eles não responderam e antes que Vitório pudesse dizer mais alguma coisa, desapareceram, deixando uma nuvem de poeira escura no lugar onde estavam.

Vitório conseguiu reagir e vencer o torpor desagradável que envolvia sua cabeça, ficando apenas com um ligeiro enjôo.

Novas perguntas continuavam martelando seu cérebro. Por que eles estavam com raiva da família? Que ligações teriam com sua mãe? Por que juraram vingança? Ele precisava descobrir.

Foi ao banheiro, lavou o rosto, os pulsos, enxugou-os e sentiu certa fraqueza. Resolveu vestir-se e descer para jantar. Precisava comer o quanto antes para repor as energias.

Foi ao quarto do pai e soube que ele pedira um lanche no quarto. Então, convidou Dinda para jantar com ele.

Ambos desceram para o restaurante do hotel. Assim que se sentaram à mesa, ela comentou:

– Você está com uma cara de quem viu fantasmas! Pálido, onde andou o dia inteiro?

– Eu vi fantasmas mesmo. Para você posso contar. Em poucas palavras ele contou tudo, inclusive a presença dos dois espíritos em seu quarto desejando vingar-se.

Dinda ouviu com interesse. Depois comentou:

– Você precisa rezar muito, meu filho. Essas almas estão revoltadas.

– Estão com ódio de nossa família. Você sabe me dizer por quê?

– Eu não! Por que deveria saber?

– Porque mamãe lhe contava seus segredos. Deve ter acontecido alguma coisa para que eles nos odeiem tanto.

– Não sei de nada. Você precisa descansar. Está imaginando demais. Tem de se alimentar bem e ir descansar. Amanhã é outro dia.

– É, amanhã é outro dia.

Ele não disse mais nada. Tratou de comer e depois subiu para o quarto. Mas em sua cabeça continuavam os questionamentos em torno dos acontecimentos.

8

Três dias depois, Vitório, acompanhado de Paulo, tocou a campainha da casa de Marília. Assim que Dorita abriu a porta ele disse:

– Espero não ter vindo atrapalhar de novo.

– Seria bom que fosse verdade, mas hoje estamos com uma pequena encomenda que já foi entregue. Entrem, vou chamar Marília.

Levou-os para sala e Marília apareceu em seguida, acompanhada de Altair. Vitório fez as apresentações:

– Marília, Paulo advogado que está disposto a nos ajudar. Você, penso que seja Altair.

– Muito prazer dr. Paulo. Altair, cumprimente o Vitório e o dr. Paulo.

O menino estendeu a mão e cumprimentou os dois. Era um menino bonito, parecido com a mãe, porém estava um pouco abatido. Marília tornou:

– Altair não foi à escola hoje. Está resfriado. Mas sentem-se, por favor. Já conhecem minha amiga Dorita...

Ela acenou com a cabeça e retirou-se discretamente, levando Altair pela mão.

– Você pretendia arranjar um detetive particular. Mudou de idéia?

– Não, o dr. Paulo é um advogado que se especializou em investigações. Naquele dia em que estive aqui, pedi a uma pessoa que me indicasse um detetive, e ela me indicou o dr. Paulo. Ele atendeu-me no mesmo dia e concordou em nos ajudar. Na manhã seguinte, apresentou-me um plano para começar seu trabalho. Eu queria naquele mesmo dia vir até aqui, porém apareceu um apartamento mobiliado para alugar e meu pai quis mudar logo. Estava cansado de viver em um quarto de hotel. Ele está muito abatido, não se conforma com o que aconteceu. Não se alimenta direito. Fez uma lista de nossas coisas que ele queria que nos mandassem e o caminhão da nossa empresa trouxe. Eu precisei auxiliar na arrumação e só hoje pude vir.

– Você conseguiu tudo muito depressa – comentou Marília. Voltando-se para Paulo continuou: – Já iniciaram as investigações?

– Sim. Primeiro fui à delegacia conversar com Monteiro, que conheço há anos. Informei-me sobre os laudos e as impressões dele sobre o caso.

– Ele me parece um tanto devagar – comentou Marília –, até agora não conseguiu descobrir nada.

– A senhora está enganada. Monteiro é um homem sagaz, inteligente. Mas as pistas são poucas.

– Não me chame de senhora. Faz me sentir velha. O que foi que o delegado lhe disse?

– Ele ficou contente por eu ter entrado no caso. Já trabalhamos juntos outras vezes. Eu pude ver as fotos do crime, os laudos da perícia, as declarações contraditórias dos familiares.

– Qual a sua conclusão?

– É cedo para isso. Vim conhecê-la.

– Vai interrogar-me e dizer que sou suspeita de haver cometido o crime?

A voz de Marília tinha um leve tom irônico que não passou despercebido a Paulo, que respondeu:

– Não. Você nunca teria como cometer o crime, mas poderia ter sido a mandante.

Marília não gostou e retrucou irritada:

– Poderia se eu amasse meu marido.

Paulo baixou o olhar para que ela não percebesse o brilho satisfeito que apareceu em seus olhos. Baixou o tom de voz e tornou:

– Você não se casou por amor?

Ela arrependeu-se de suas palavras e tentou corrigir-se:

– Eu tinha dezoito anos quando me casei. Depois de dez anos de vida em comum a rotina acaba com todas as ilusões.

– A rotina e as coisas desagradáveis do relacionamento – comentou Paulo, desta vez olhando fixamente nos olhos dela como querendo ler seus pensamentos íntimos.

Marília baixou os olhos. Não gostava que invadissem sua intimidade e disse com voz triste:

– A dura realidade da vida acaba com todas as nossas ilusões.

– Pois eu não vejo assim. As ilusões é que nos levam à dor. A verdade é sempre melhor. Você tem uma crença equivocada. Acredita que a vida seja responsável pelos seus sofrimentos. Isso é mentira.

Marília tentou controlar a indignação ao responder com certa ironia:

– Você acha que quando uma jovem se casa ela sabe o que está fazendo? Conhece como vai ser sua vida conjugal e seu relacionamento com o marido? O casamento é sempre uma aventura onde algumas têm sorte, outras não.

– Você acha que não teve muita sorte, não é?

Talvez pelas emoções dos últimos dias, pela insegurança do futuro, a falta de dinheiro, ela não conteve as emoções:

– Você acha que é bom uma jovem ingênua casar-se com um homem frio, calculista, que faz de seu trabalho um mistério contínuo, que nunca conversa sobre o que pensa, que dá pouco dinheiro para a mulher, não a deixa sair de casa nem a leva a nenhum lugar? Que olha o filho como se fosse um desconhecido, não brinca com ele nem lhe dá carinho? Que quando ela quer se colocar, conversar sobre o relacionamento ele torna-se violento e a espanca?

Vitório a olhava admirado. Vira em Marília uma doce e delicada mulher, não imaginava o que ela guardava no coração.

As lágrimas corriam pelas suas faces e ela continuou com voz entrecortada:

– Pode imaginar o que eu senti ao receber a carta anônima e acreditar que finalmente iria descobrir onde meu marido passava as noites? Quando a porta daquela casa que estava às escuras se abriu a um leve toque e a curiosidade fez-me entrar, e, mesmo tendo visto os objetos revirados, a luz acesa do abajur no quarto me fez caminhar até lá e ver aquela cena horripilante que quando eu fecho os olhos continuo vendo como da primeira vez? Pode imaginar o medo que senti, a vontade de fugir quando acendi a luz do quarto e reconheci meu marido com o rosto pálido, cheio de sangue, deitado naquela cama? Sai correndo, os trovões reboavam sobre minha cabeça tanto quanto meu coração aterrorizado, fazendo meu corpo tremer, enquanto a tempestade molhava-me e um frio imenso me invadia. Eu queria chegar em casa de qualquer jeito. Nem sei como consegui.

Marília se levantara, tremia e soluçava convulsivamente. Paulo aproximou-se dela e abraçou-a com carinho:

– Ponha para fora toda sua mágoa, sua revolta, sua dor. Chore, você tem motivos.

Descansando a cabeça no peito dele, Marília soluçou por alguns minutos, depois, aos poucos, foi se acalmando e parou de chorar.

Paulo tirou um lenço e colocou-o na mão dela que enxugou o rosto, separando-se dele e dizendo envergonhada:

– Desculpe. Eu não queria fazer isso.

– Você precisava desabafar. Deve estar se sentindo aliviada – disse Paulo sério.

Marília suspirou e respondeu:

– Estou aliviada, mas envergonhada também. Não costumo fazer cenas como esta.

– Eu a provoquei um pouco – disse Paulo. – Quem lhe pede desculpas sou eu. Mas eu precisava conhecê-la melhor.

Vitório estava admirado e desejou ser solidário com ela:

– Não se preocupe, Marília. Eu sou assim. Outro dia chorei aqui diante de você e Dorita. Não me envergonho mais. Sou muito sensível e às vezes não dá para controlar.

Marília entendeu a intenção dele e procurou sorrir.

– Vocês vão me dar licença. Vou lavar o rosto. Não quero que Altair me veja assim. Vou subir e já volto.

Pouco depois, Dorita entrou com uma bandeja onde havia café e um prato com salgadinhos.

– Marília os deixou sozinhos?

– Ela subiu , mas vai voltar logo – respondeu Paulo.

Dorita serviu o café, colocou o pratinho sobre a mesinha e Paulo perguntou:

– Há quanto tempo você está com Marília?

– Mais ou menos nove anos.

– Deve ter acompanhado o relacionamento do casal.

Dorita olhou-o séria. Ela não iria falar nada do que se passara naquela casa. Paulo continuou:

– Marília nos contou suas desilusões tendo se casado tão jovem com um homem violento e ignorante que nem ligava para o filho.

– Ela contou?

– Toda a verdade. Emocionou-se, chorou muito e subiu

para lavar o rosto. Não quer que o menino a veja de olhos vermelhos.

– É de admirar. Ela não gosta de falar nisso. Nunca contou a ninguém. Mas eu sei o quanto ela sofreu com esse marido. Para dizer a verdade, ninguém merece morrer daquele jeito, mas eu fiquei contente por ele não estar mais aqui.

– Você não gostava dele?

– Nem um pouco. Um homem que fez o que ele fez com uma mulher sincera, boa, carinhosa como Marília, merece ser castigado.

– Eles brigavam muito?

– No começo, sim. Ela não se conformava com a maneira dele de não falar aonde ia, o que fazia e perguntava. Então, era a hora que ele ficava violento e até a agredia. Uma vez ela ficou com o braço roxo por muitos dias porque ele bateu nela com um cinto de couro. Aí, ela deixou de questioná-lo. Mal se falavam. Só as coisas de casa.

– Eles dormiam no mesmo quarto? Relacionavam-se intimamente?

– Isso eu não sei. Quando ele estava em casa dormiam juntos na cama. O que eu sei é que ela tinha horror de dormir com ele. Muitas vezes dizia que Altair estava doente e ia dormir na cama dele.

Marília desceu as escadas. Havia se esforçado para disfarçar, mas seus olhos ainda estavam um pouco avermelhados.

– Eu estava fazendo companhia às visitas – explicou Dorita, sorrindo, fazendo menção de retirar-se.

Marília disse:

– Fique, Dorita. Para você não tenho segredos. Onde está Altair?

– Na copa, fazendo a lição.

– Então ele melhorou.

– Melhorou sim. Comeu um bom lanche.

– Que bom. Estou aliviada.

Os dois tomaram café, comeram os salgadinhos, depois Paulo levantou-se:

– Agora temos de ir. O café estava delicioso e os salgados fizeram-me lembrar de vovó. Ela faz umas empadas tão boas quanto as suas.

– Coisas de avó têm sabor diferente – disse Dorita. – Quando tiverem vontade, venham experimentar nossos quitutes.

– Viremos – respondeu Vitório.

– Vou acompanhá-los até a porta – disse Marília.

– Voltaremos quando tivermos alguma notícia sobre o caso – prometeu Paulo.

– Não precisam esperar, venham quando quiserem. Você disse que estou enganada quanto à dureza da vida. Gostaria que me explicasse por quê.

Os olhos de Paulo brilharam alegres, e ele respondeu:

– Você não se esqueceu... Qualquer dia destes voltarei para lhe explicar melhor.

– Desculpe por eu ter ensopado seu lenço. Quando voltar eu o devolverei devidamente lavado e passado. Obrigada por vocês terem suportado meu desabafo.

Eles despediram-se com beijinhos na face. Depois daquele encontro Marília sentia que havia encontrado verdadeiros amigos.

Uma vez no carro, Vitório tornou:

– Outro dia quando estive aqui pensei que Marília tivesse superado o assassinato do marido. Mas hoje...

– Quando chegamos, notei logo que ela é uma pessoa bastante fechada e que não gosta de falar sobre seus sentimentos.

– No começo me pareceu que você estava sendo muito duro com ela.

– Eu a estava provocando para que se abrisse.

– Não sei como uma mulher tão delicada como ela pôde suportar tantos anos de convivência com aquele marido.

– O fato é que ela não se separou e se ele ainda estivesse vivo, continuariam juntos. Isso me intriga. Mas ainda saberemos por quê.

– Agora vamos falar com papai. Ele está um pouco melhor e concordou em conversar com você.

– Ontem, quando fui ao apartamento, já que seu pai preferiu deixar para falar comigo hoje, quis conversar com Dinda. Mas ela esquivou-se, dizendo que precisava cuidar do sr. Alberto. Talvez saiba mais do que contou ao delegado.

– Não creio. Se soubesse de algo mais teria me dito. Ela é assim mesmo, muito dedicada. Está preocupada com ele porque desde que veio para cá tem estado calado, triste, inconformado e sentindo-se fraco, cansado. O médico veio, examinou-o e disse que ele está com depressão. Receitou um medicamento e estimulou-o a reagir, pediu-lhe que fosse andar pela manhã e procurasse alimentar-se bem.

Uma vez no apartamento com Vitório, Dinda disse que Alberto continuava na mesma. Não fora andar pela manhã conforme a recomendação do médico, se alimentara mal e continuava deitado, muito abatido.

Vitório foi falar com ele. Bateu levemente na porta e entrou. Alberto estava deitado, abriu os olhos e, vendo-o, fechou-os novamente.

– Pai, Dinda disse que você não fez o que o médico pediu.

– Estou muito cansado. Não consegui levantar.

– Você precisa reagir. Não pode entregar-se ao desânimo. Desse jeito vai acabar doente de verdade.

Alberto não respondeu. Vitório sentou-se na poltrona que estava na cabeceira da cama e disse:

– Pai, o dr. Paulo veio comigo e está esperando para conversar com você.

– Resolva isso. Não tenho vontade de conversar com ninguém. O que eu sabia já contei ao delegado.

– Nós precisamos descobrir onde mamãe está. Não podemos perder tempo.

– Às vezes penso que você está enganado e que aquele corpo é dela. É impossível existir alguém tão parecida e ainda estar com os documentos dela.

– Eu não penso assim e contratei o dr. Paulo para investigar. Não vou descansar enquanto não descobrir o que realmente aconteceu.

– Fale com ele. Toda vez que eu falo sobre o assunto me sinto mal. É muito difícil para mim.

– Faça um esforço, pai. É preciso. Não vai demorar. Não precisa se levantar. Sente-se e eu vou colocar alguns travesseiros nas suas costas. Estou lhe pedindo!

Alberto suspirou desanimado, mas concordou:

– Está bem.

Depois de ajudá-lo a sentar-se e acomodá-lo, Vitório chamou Paulo, que entrou em seguida.

Após os cumprimentos, Vitório pediu que Paulo se sentasse na poltrona ao lado da cama e disse:

– Vou deixá-los à vontade.

– Eu prefiro que você fique – pediu Alberto.

Mas Paulo interveio:

– É melhor ele sair.

Quando se viu sozinho com Alberto, Paulo disse:

– O senhor também tem certeza de que aquele corpo não é de sua esposa?

– Tenho minhas dúvidas. Há momentos em que penso que seja dela. São muito parecidas. Seria difícil existir duas pessoas tão iguais.

– Se o senhor está tão deprimido é porque, apesar do

que afirmam Vitório e Dinda, no fundo está certo de que sua esposa está mesmo morta.

– Se ela estivesse viva, já teria nos procurado, a não ser...

– A não ser...

– Nada. Desde que isso tudo começou não tenho tido um momento de paz. Muitas idéias surgem em minha cabeça e não sei no que acreditar.

Paulo olhou firme nos olhos de Alberto e perguntou:

– Sua mulher tinha algum motivo para não querer voltar para casa?

Alberto hesitou um pouco, depois respondeu:

– Nos últimos tempos, Teresa andava deprimida. Não tinha motivação para nada. E, de vez em quando, dizia que sentia vontade de desaparecer, sumir.

– Teresa não era feliz?

Alberto estremeceu:

– Não acredito nisso. Eu sempre fiz tudo por ela. Cerquei-a de luxo, carinho, bem-estar. Ela não tinha motivo nenhum para ser infeliz.

– A que o senhor atribui a depressão dela?

– Não sei. O médico disse que poderia ser da idade.

– Como se conheceram?

– Faz muito tempo e isso não deve interessar ao caso.

– Interessa muito. Eu desejo conhecer a personalidade de Teresa, compreender por que ela se sentia infeliz.

Alberto remexeu-se na cama um pouco irritado:

– Eu já disse: ela não se sentia infeliz.

– Mesmo assim, quero saber como se conheceram.

– Em uma festa, na casa de amigos. Foi amor à primeira vista. Ela era alegre, bonita, cheia de vida. Passei a cortejá-la e ela, a princípio, não queria nada, mas depois acabou se interessando por mim e nos casamos.

– Quando foi que ela começou a mudar?

– Bem, desde que nos casamos ela foi mudando um

pouco. É natural, antes era solteira e não tinha uma família para cuidar. Eu sempre procurei fazer de tudo para que ela não tivesse de se preocupar com nada, cerquei-a de empregados e Dinda sempre fez tudo para que ela fosse feliz.

– Mas mesmo assim, ela sentiu-se deprimida, angustiada nos últimos tempos. Ela não lhe contou os motivos?

– Não. Mas penso que não havia nada. Ela adoeceu. Eu queria viajar com ela, mas Teresa não quis. Ela me disse que queria ficar longe de tudo, que só assim iria se refazer. Embora triste, eu respeitei sua vontade. Como não queria que ela fosse sozinha, Teresa apresentou-me Elvira. Elas viajaram juntas.

– O senhor as acompanhou ao embarque?

– Sim. Levei-as ao aeroporto e deixei-as no salão de embarque.

– Quem mais as acompanhou ao embarque?

– Ninguém. Elvira disse que era do interior e sua família não veio com ela para o Rio de Janeiro.

– Como era Elvira?

– Uma mulher muito fina, elegante, bem vestida, com várias malas.

– Como era fisicamente?

– Alta, loura, esguia, olhos castanhos, não aparentava ter a mesma idade de Teresa. Era mais conservada.

– É importante que se recorde dela. Essa mulher pode ter todas as respostas do que aconteceu.

– Eu me arrependo de haver confiado nela, sem querer saber seu endereço, conhecer sua família. É que ela pareceu-me tão fina, tão educada que não tive coragem de perguntar nada. Nunca poderia imaginar que fosse acontecer alguma coisa ruim. Depois, Teresa conversava com ela com alegria e eu até pensei que sua companhia poderia ajudá-la a se recuperar.

Paulo colocou a mão no braço de Alberto e disse, olhando firme em seus olhos:

– Eu prometo que vou descobrir toda a verdade. Quero que me ajude. Para isso precisa reagir, sair dessa cama, porque só quando estiver melhor é que poderá se recordar de mais algum detalhe. Tenha em mente que qualquer coisa que se lembre, por mais insignificante que lhe pareça, pode ser o fio da meada que procuramos.

– E você, o que pensa de tudo isso? Acredita que Teresa esteja morta?

– Ainda não tenho uma opinião definida. Estou começando a investigar. O que sei é que o homem que foi morto naquela cama, além de violento, levava vida suspeita.

– Isso me atormenta. Como Teresa poderia envolver-se com um homem daqueles?

– Não se atormente. Ainda não temos certeza de nada. Pode ser que Teresa nunca o tenha conhecido.

– Mas e os documentos?

– Podem ter sido furtados. O que mais me intriga é a semelhança. Mas se não for Teresa, vamos descobrir quem é essa mulher. Não se deixe abater antes da hora. Levante-se e cuide da sua saúde. O senhor deve confiar que dias melhores virão.

– Obrigado pelo conforto. Vou me levantar, tomar um banho para ver se me sinto melhor.

– Enquanto isso, vou conversar com Dinda, mas ficarei esperando para tomarmos um café juntos.

Paulo saiu do quarto e Vitório o estava esperando do lado de fora:

– E então?

– Ele vai se levantar, tomar um banho e depois tomaremos um café juntos. Agora, quero falar com Dinda.

Ela estava na sala, ouviu a conversa e respondeu:

– Agora eu não posso. Vou preparar um bom lanche para o sr. Alberto e um café reforçado.

Paulo sorriu e respondeu:
– Conversaremos depois do café.
Dinda apressou-se a ir para cozinha.

nove

Osmar chegou ao escritório da empresa nervoso. Refugiou-se em sua sala, sentou-se diante da mesa e manuseou a correspondência que chegara durante os dias em que estivera ausente.

Nenhuma notícia importante. O que ele temia não tinha se concretizado.

Talvez seus adversários tivessem se dado por satisfeitos com o que fizeram e dali para a frente não o incomodassem mais.

Apesar do golpe sofrido, ele podia dar-se por feliz com o resultado alcançado. Pagara um alto preço para alcançar seus objetivos, mas reconhecia que tudo terminara de modo favorável.

Podia tocar a vida para a frente, sem que ninguém desconfiasse. Seu pai estava adoentado, deprimido, não se interessava mais em controlar a empresa. Ele poderia fazer tudo o que sempre sonhara.

Quando entrasse mais dinheiro, ele poderia pagar o que devia e assim, limpar o caminho para continuar seus negócios. Quando vendesse aquela mercadoria estaria rico. Muito rico.

Não haveria limites para ele. Em pouco tempo triplicaria o capital. Com a mãe morta, o pai ausente, e um irmão que não tinha tino comercial nem se interessava pelos negócios da família, ele teria o controle de tudo.

Se Vitório o incomodasse, o internaria em uma casa de saúde de onde não o deixaria mais sair.

Ele não notou que alguns vultos escuros o abraçaram, dizendo-lhe:

– Você merece! É o mais inteligente, o mais lúcido o único que sabe mandar.

– Com dinheiro, você será tudo o que desejar ser. O dinheiro manda no mundo!

– Família só serve para atrapalhar. Você não precisa dela...

Embora Osmar não ouvisse as palavras, pensava:

"Não preciso de ninguém. Vou ser muito rico e então terei o mundo a meus pés. Quero ver se Aurélia continuará indiferente depois que eu me tornar rico e poderoso! É ela quem virá arrastar-se a meus pés, implorar pelo meu amor.

Nessa divagação, Osmar a imaginava em seus braços, louca de amor, desejando seus beijos, submetendo-se à sua vontade.

A esse pensamento sorria enlevado. Para obter isso, faria qualquer coisa. Tiraria do seu caminho qualquer um que dificultasse seus planos.

Ele era um vencedor. Nenhuma mulher poderia rejeitá-lo como Aurélia fizera. Há dois anos, quando ele se declarara e a pedira em casamento, ela rira da sua emoção, tripudiara sobre seus sentimentos.

Rejeitado e vingativo, ele jurara conquistá-la de qualquer forma. Era questão de honra. Essa mulher tão requestada, admirada em sociedade, ainda se atiraria em seus braços.

Desde essa época, planejara que o primeiro passo seria

tornar-se muito rico e poderoso. Reconheceu que dentro da normalidade, seria difícil conseguir o que pretendia.

Ele não queria esperar. Tinha pressa, muita pressa. Então, resolveu entrar na marginalidade. Depois de pesquisar, decidiu entrar no comércio de drogas.

Às escondidas, relacionou-se com viciados, fingindo-se ser um deles e conheceu alguns traficantes. Procurou os maiores. Assim que se sentiu bem informado, começou a desviar dinheiro da empresa para negociar drogas.

Foi devagar. Fazia pequenos negócios. O pai era muito ativo, vigilante, assinava os cheques, participava de tudo e ele não tinha como fazer o que planejara rapidamente.

Mas com o tempo, tendo conseguido aumentar os negócios da empresa de maneira regular, captou a confiança de Alberto, que dividia com ele tarefas mais importantes. Osmar sempre fora o filho preferido dele, que sonhara deixar a empresa para os dois filhos. Vitório não se interessava e, além disso, por ser hipersensível, acreditava que o filho fosse doente.

O interesse do pai pelo trabalho irritava Osmar, desejoso de levar seus planos adiante.

Cada vez que ele via Aurélia assediada por outros homens, alguns dos quais mais importantes financeiramente do que ele, sofria crises de ciúmes. Como não podia manifestar o que sentia, recolhia-se em casa e repassava seus planos como forma de enfrentar sua raiva.

Aurélia, linda, indiferente ao assédio masculino, moça culta e rica, só pensava em divertir-se, aproveitar sua mocidade. Não desejava amarrar-se em um casamento que tiraria sua liberdade. O casamento dos pais e a convivência com a vida formal, ausente de amor que eles levavam e que ela odiava, fizeram-na fugir desse tipo de compromisso.

Gostava de ir às praias, cantar, dançar, freqüentar festas

e lugares da moda, viajar. Filha única de pais condescendentes, fazia sempre o que queria, sem se preocupar com nada que não fosse seu prazer de viver.

Mesmo assim, pela sua beleza, sua alegria e espontaneidade, era amada por todos e sempre bem recebida onde aparecia; sua reputação era muito boa.

Osmar sonhava em tê-la só para si. Em ser exclusivo na vida dela. Era possessivo e não se conformava com a vida que ela levava. Imaginava que quando se casassem, (ele não duvidava que conseguiria isso) ela teria de fazer tudo como ele queria.

O telefone tocou e ele atendeu:

– É você? Por que está ligando para cá? Eu lhe disse para nunca fazer isso.

– É que precisamos conversar. Surgiu um problema.

– Eu lhe pago para evitar problemas. Aqui não quero tratar do assunto.

– Tenho urgência em conversar com você.

– Está bem. Hoje mesmo vou ter com você.

– O quanto antes. Estarei esperando.

– Não ligue mais para cá.

Osmar desligou o telefone irritado. Um problema agora seria perigoso.

Alguém bateu e ele lembrou-se de que não havia destravado a porta. Foi abrir.

– O senhor desculpe, mas está aqui o dr. Nunes para tratar do caso do Anselmo.

Era uma causa trabalhista e Nunes era o advogado da empresa.

– Eu tenho um compromisso importante e preciso sair.

– O dr. Nunes disse que tem urgência. A audiência é amanhã e o risco de a empresa perder é grande.

– Ele pode entrar, mas que seja breve.

O advogado entrou e embora Osmar desejasse sair

logo, o caso era complicado e ele precisou ficar mais tempo do que pretendia.

Só conseguiu deixar a empresa uma hora e meia mais tarde. Apanhou o carro, deixando-o no posto para lavagem. Disse ao atendente:

– Capriche. Tenho um compromisso, volto daqui a uma hora.

– Sim senhor.

Osmar parou um táxi, deu o endereço e foi rumo ao subúrbio. Quando o carro parou diante da casa modesta, ele desceu dizendo:

– Pode esperar. Não vou demorar.

Osmar deu três batidas, a porta abriu e ele entrou. Um rapaz moreno, franzino, cabelos revoltos, gestos nervosos disse logo:

– Puxa, como você demorou!

– Não estou à sua disposição, sou um homem ocupado. O que é tão urgente que me fez largar tudo e correr até aqui? Sabe que não gosto que nos vejam juntos.

– Hoje era dia de visitas e eu fui até o sanatório. Mas os médicos me chamaram e disseram que ela não pode mais ficar lá. Está dando muito trabalho e eles querem que ela vá para outro lugar.

– Isso é absurdo. Eles que coloquem uma camisa-de-força.

– É melhor ir falar com o dr. Ernesto. Eles se negam a fazer isso. Estou precisando de dinheiro. O que você deu acabou, o Jair está reclamando.

Osmar pegou a carteira e deu algumas notas dizendo:

– Agora só tenho isso. Amanhã mesmo deposito mais naquela conta.

– Está bem.

Osmar saiu, entrou no táxi, foi pegar o carro no posto de gasolina e voltou para a empresa.

Assim que ele chegou, ligou para o pai. Precisava

saber como estava a investigação sobre o crime. Dinda atendeu:

– Quero falar com papai.

– É melhor ligar mais tarde. Ele está conversando com o advogado e não pode ser interrompido.

– Advogado? Para quê? Nós já temos um.

Vitório apanhou o telefone:

– Sou eu, Osmar. Papai está ocupado.

– Que história é essa de advogado? Nós já temos um.

– Ele é o investigador que contratei para descobrir onde mamãe está.

– Você continua com essa maluquice? Mande-o embora. Não há nada para investigar. Quero falar com papai agora mesmo.

– O assunto é importante e não vou interromper. Papai não está bem de saúde e não vou deixar que você perturbe ainda mais a cabeça dele. Se quiser falar com ele ligue daqui a uma hora.

Vitório desligou o telefone e Osmar ficou com muita raiva. Ele precisava ter controle de tudo e não podia permitir que Vitório continuasse investigando.

Respirou fundo e procurou controlar a irritação. Precisava de serenidade para decidir os próximos passos.

A secretária entrou e entregou-lhe alguns recados anotados durante sua ausência.

Ele passou os olhos rapidamente e deteve-se em um que dizia: “Aniversário de casamento do coronel Vilela às vinte horas”.

– Preciso me preparar. Não posso perder essa festa. Aurélia com certeza estará lá.

Chamou a secretária e indagou se o presente do casal Vilela havia sido enviado. Havia escolhido uma dúzia de rosas em um lindo arranjo e colocara dentro uma caixa de veludo com uma jóia para a esposa do coronel.

Sabia que agradando a esposa, teria as atenções do

coronel. Ele não escondia a paixão que sentia por ela. Recebendo a informação de que tudo fora feito conforme pedira, Osmar tratou de fazer o que era urgente e depois foi para casa. Queria descansar e preparar-se com esmero para ir à festa.

Faltavam alguns minutos para as vinte e uma horas quando Osmar parou o carro diante dos portões da casa do coronel Vilela e, imediatamente, um empregado abriu os portões. Ele, então, entrou na alameda principal que conduzia à entrada da casa.

Assim que parou diante da porta aberta que dava para o saguão, um rapaz elegante, vestindo um terno preto, abriu a porta do carro dizendo:

– Boa noite, doutor. Pode entrar, eu cuido do carro.

– Obrigado.

Osmar entrou no saguão finamente mobiliado; havia muitas flores e podia se ouvir a música que vinha do salão de festas.

O coronel Vilela e Ester, sua esposa, estavam no saguão e apressaram-se a dar-lhe as boas-vindas. Ele era alto; forte; moreno; olhos, cabelos e bigodes castanhos; aparentava cinqüenta anos e vestia-se com sua farda de gala. No peito algumas medalhas. Ela era alta, magra, elegante e loura, demonstrava uma postura altiva, dentro de um vestido azul-noite. Portava algumas jóias de brilhantes que ressaltavam mais a beleza do seu vestido.

Osmar cumprimentou-os, desejando felicidades pelos vinte e cinco anos de casamento. Trocaram algumas palavras rápidas, pois vários convidados estavam chegando e desejavam cumprimentar o casal.

Osmar entrou no salão olhando em volta e sorriu satisfeito. Estava diante da melhor sociedade do Rio de Janeiro. Alguns políticos, mas Aurélia não estava.

Ele sabia que ela costumava chegar sempre depois das onze, quando a festa estava no auge da animação. Osmar cumprimentou alguns casais amigos e depois se deteve ao lado de Mércia, a filha mais velha do casal Vilela:

– Você está linda como sempre. Fica-lhe muito bem esse vestido cor de prata.

– Obrigada. Você sabe se Vitório virá?

Ela sabia que os dois irmãos não saíam juntos.

– Não. Ele viajou com papai.

Mércia ficou silenciosa por alguns segundos. Havia lido os jornais, mas por delicadeza evitou comentar o assunto.

– Eu não esperava que você viesse... isto é... eu pensei que você estivesse fora do Rio.

Osmar assumiu um olhar triste, baixou a cabeça e respondeu:

– Eu vim porque não poderia deixar de cumprimentar seus pais neste dia tão importante para eles, e também para tentar esfriar um pouco a cabeça e sair da angústia que tem me consumido. De nada adiantaria eu ficar em casa sofrendo, sem poder fazer nada para solucionar o problema.

– O momento não é próprio e não quero ser indelicada, mas tanto eu como minha família, sentimos muito o que lhes aconteceu. Eu li que a polícia não tem certeza da identidade da mulher que foi morta.

– De fato, esse é um problema difícil e a causa de nossa angústia. Mas mudemos de assunto, não quero entristecê-la em uma noite que deve ser de alegria e prazer.

Algumas pessoas se aproximaram e Osmar afastou-se. Desde sua chegada notara que alguns não disfarçavam a curiosidade, olhando-o de forma diferente.

Se não fosse pela vontade de ver Aurélia e a esperança de que o notasse um pouco mais, ele não teria ido.

Pensando melhor, decidiu adotar o ar de vítima, fingindo estar abalado com os acontecimentos. Em vez de fingir que nada acontecera, o melhor seria falar no assunto, mas de forma que as pessoas sofressem com sua desgraça e o vissem como um filho vivendo a perda não apenas da mãe, mas também da honra.

Os artigos dos jornais exibindo os corpos mortos, meio desnudos sobre a cama, não deixavam dúvida quanto ao relacionamento dos dois.

Osmar era inteligente o bastante para entender que de nada valeria negar o fato. Mas se ele assumisse o choque, a dor terrível daquele acontecimento, iria se tornar uma vítima, as pessoas iriam aconchegá-lo, tentando minimizar seu sofrimento.

Tendo decidido isso, Osmar adotou um ar melancólico, isolou-se e percebeu que alguns que antes o olhavam com curiosidade, passaram a vê-lo com simpatia. Alguns conhecidos até passaram por ele, dando-lhe palmadinhas nas costas, sem dizer nada, mas querendo demonstrar que entendiam sua dor e estavam solidários.

Osmar observava a tudo, rindo por dentro, pensando em como as pessoas se iludem facilmente.

Aurélia chegou dentro de um vestido cor de mel. Seus olhos verdes contrastavam com o dourado de seus cabelos e combinavam com o colar e os brincos de esmeraldas que ela usava com distinção.

Ela entrou no salão ignorando o burburinho que se fez com sua chegada. Olhando em volta, dirigiu-se a Mércia e abraçou-a com carinho:

– Você está linda!

– Não tanto como você.

As duas se conheceram na infância. Suas famílias se visitavam e desde aqueles tempos elas tornaram-se amigas.

Osmar aproximou-se, olhando para Aurélia com admiração.

– Como vai Aurélia? – indagou ele, com voz triste.

– Bem. Não pensei vê-lo aqui esta noite.

Osmar suspirou triste e respondeu:

– Há momentos na vida em que é preciso superar a dor e reagir.

Aurélia não se comoveu com o tom dele:

– Quando a pessoa não está bem, é melhor ficar em casa para não incomodar a alegria dos outros.

– Pois eu vim buscar um pouco da sua alegria para tentar sobreviver.

– Não conte comigo para isso. Eu me sinto muito alegre nesta noite e não divido esse estado com ninguém. Com licença, vou cumprimentar alguns amigos.

Ela afastou-se e Osmar mordeu os lábios com raiva. Era intolerável a maneira como Aurélia o tratava. Mércia tentou suavizar:

– Aurélia gosta de brincar. Não leve a sério o que ela disse. Eu estou muito contente por você ter vindo.

– Obrigado pelo carinho.

– Estes dias tenho pensado muito em Vitório. Quisera poder fazer alguma coisa para consolá-lo.

– Ele faz muito drama e sofre mais por esse motivo.

– O que aconteceu não foi um drama para você?

Osmar retomou o ar triste que esquecera por alguns instantes:

– Foi um drama para toda nossa família. Mas enquanto eu reajo, tento disfarçar a dor que estou sentindo, ele exagera porque foi sempre muito mimado.

– Cada um tem uma forma de encarar os fatos.

Algumas pessoas chegaram para cumprimentar Mércia e Osmar afastou-se. Sua atenção estava sobre Aurélia.

Quem era aquele desconhecido com o qual ela conversava animadamente? Um rapaz alto, louro, corpo atlético, elegantemente vestido, cujos olhos azuis a olhavam com admiração? Ele precisava descobrir. Aurélia não costumava dar tanta atenção a um rapaz.

Pouco depois, antes que ele pudesse satisfazer sua

curiosidade, viu o casal dançando, um olhando nos olhos do outro, e a custo controlou o ciúmes. Teve vontade de ir lá e arrancar Aurélia dos braços dele.

Aproximou-se da dona da casa, dizendo:

– Parabéns pela linda festa!

– Obrigada. Sinto muito o que aconteceu com sua família. Fico-lhe muito grata por ter vindo nos cumprimentar, apesar dos momentos difíceis que estão passando.

Osmar baixou o olhar, fingindo tristeza.

– Eu não poderia deixar de vir cumprimentá-los em nome da nossa família. Meu pai e meu irmão estão em São Paulo esperando a solução do caso. Depois, aqui todos são nossos amigos e eu me sinto mais aconchegado junto a vocês. Só não conheço aquele rapaz que está dançando com Aurélia.

Ela olhou o casal dançando e respondeu:

– Aquele é o doutor Augusto Mendonça, médico. O pai dele é muito amigo de meu marido.

– Eu nunca o tinha visto.

– Nem poderia. Ele morava nos Estados Unidos até a semana passada. Voltou ao Brasil para dedicar-se a pesquisas científicas patrocinadas por uma universidade americana.

– Nota-se que é um moço fino e bem-nascido.

– De fato. Além de lindo ele é tudo isso e muito mais.

Osmar tentou ocultar a raiva, baixando os olhos. A partir daquele momento, ele não teve mais paz.

O casal continuava dançando e conversando. Aurélia parecia estar muito bem ao lado dele, tratava-o muito diferente do que costumava tratar seus admiradores.

Quanto mais Osmar os via juntos, mais pensava que precisava ultimar seus projetos para que não viessem a fracassar.

No dia seguinte tomaria novas providências a fim de conseguir o que desejava. Não seria por causa de um intruso que ele iria perder Aurélia. Seria muito bom que esse doutorzinho não se metesse no seu caminho, porque ele estava disposto a afastar todos os obstáculos.

10

Depois do café, Dinda não saía da cozinha e Vitório foi buscá-la:

– O dr. Paulo está esperando.

– Tenho que lavar esta louça. Agora não posso.

Ele puxou-a pelo braço:

– Pode sim. A louça pode esperar.

Dinda lançou-lhe um olhar irritado, mas não teve como resistir pois ele continuava segurando seu braço e olhando-a sério.

– Vai indo que eu já vou.

– Não. Só saio daqui com você.

– Está bem. Eu vou.

Ela lavou as mãos, enxugou-as, tirou o avental e acompanhou Vitório até a sala.

– Vou deixá-los a sós para que possam conversar à vontade.

– Sente-se, Dinda.

Ela obedeceu de cara fechada.

Paulo acendeu um cigarro com calma, deu algumas baforadas, depois disse com voz suave:

– Você me parece nervosa. Não tenha receio. Estou aqui como amigo. Não sou policial.

– Não tenho medo da polícia.

– Notei que estava fugindo de mim.

– Não estava fugindo. É que sou muito ocupada. Estou sozinha para dar conta de todo o serviço e ainda cuidar do sr. Alberto. Não posso perder tempo com conversa.

– Não vou demorar. Só quero fazer-lhe algumas perguntas.

– Tudo o que eu podia dizer, já disse ao delegado. Eu acho que Vitório está exagerando. É a polícia que tem de investigar quem matou aqueles dois.

– Também acha que o corpo da mulher assassinada não é de Teresa?

– Tenho certeza.

– E como explica o desaparecimento dela?

– Eu penso que qualquer dia desses ela vai telefonar ou escrever dizendo onde está.

– Não acredita que ela possa estar em perigo?

– Não. Quando ela saiu para viajar estava cansada e deprimida. Disse-me que queria muito ficar só, sem ver ou falar com ninguém. É isso que deve estar acontecendo e o povo todo fazendo tanto barulho.

– Você a conhecia bem, sabe por que ela estava tão triste e desanimada?

– Isso não sei. Não costumo me envolver na vida íntima dos meus patrões.

– Vitório disse que você era íntima dela e que Teresa lhe fazia confidências.

– Só sobre os problemas dos meninos ou da casa.

– Ele disse também que vocês se davam muito bem.

– Eu gosto muito de d. Teresa e esta família é como se fosse a minha.

– Onde está sua família?

– Meu pai morreu quando eu era menina e minha mãe

me deu para os pais dela. Eu tinha treze anos, a mesma idade de d. Teresa.

– Vocês foram criadas juntas. Duas adolescentes, é natural que entre vocês tenha se desenvolvido uma grande amizade. Você faria qualquer sacrifício para que sua amiga fosse feliz?

– Isso é verdade. Eu gostei dela desde o primeiro dia. Ela sempre me tratou bem, deixava-me brincar com seus brinquedos, dividia comigo tudo o que comia, dava-me vestidos novos, sapatos e me ensinava a falar direito. Foi ela quem insistiu para que eu freqüentasse a mesma escola que ela.

– Então você tinha mesmo que gostar de Teresa.

– Eu gosto muito dela e aprendi a gostar dos meninos que ajudei a criar.

Paulo ficou calado por alguns instantes, tirando baforadas do cigarro, depois disse com a voz calma:

– É natural que você guarde os segredos que ela lhe contou e não queira contar nada a ninguém.

Dinda fez um gesto e ia retrucar, mas Paulo não lhe deu tempo e continuou:

– Mas eu gostaria que você soubesse que eu, pelas informações que colhi na polícia, e por tudo que conversei com a família de Teresa, acredito seriamente que ela esteja correndo perigo. Acredito também que você sabe mais do que quer contar e compreendo que pense estar sendo fiel a sua amiga e protegendo-a, guardando seu segredo. Mas eu temo que, fazendo isso, você a esteja prejudicando. Se ela estiver precisando de ajuda, e você não nos contar o que sabe, pode acontecer algo muito grave a ela e você será responsável.

As palavras de Paulo a assustaram, ela não conseguia encobrir a inquietação e torcia as mãos nervosamente.

– Deus me livre, doutor. Não posso imaginar uma coisa dessas.

– Não desejo assustá-la, mas é bom se lembrar de que estamos lidando com um assassino cruel que matou aquele casal de maneira feroz e, embora você não reconheça o corpo como sendo de Teresa, os documentos dela estavam lá. Como pode ter acontecido isso?

– Não sei... – balbuciou ela, continuando a torcer as mãos.

– Há uma ligação direta de Teresa com esse crime. Você não pode ignorar esse detalhe. Além do que o homem assassinado era ligado a traficantes perigosos. Essa gente mata por qualquer motivo.

A essa altura, Dinda já estava chorando aflita:

– O senhor acha mesmo que d. Teresa pode estar em perigo?

– Pode. Não há como negar. Por esse motivo é que Vitório me contratou porque eu, embora não seja da polícia, sou advogado e gosto de investigar casos complicados.

– Acha que vai conseguir descobrir onde d. Teresa está e saber se ela está bem?

– As pistas são poucas e a situação é difícil. Por esse motivo é que estou lhe pedindo. Se você sabe de alguma coisa, é hora de contar pelo menos para mim, que serei discreto e se possível guardarei o segredo, desde que não atrapalhe a solução do caso.

– Se o senhor descobrir onde ela está e ela estiver bem, sem correr nenhum perigo, promete que não vai contar para a família?

– Você acha justo isso? O sr. Alberto doente, Vitório aflito, Osmar nervoso. Eles amam Teresa.

– Nem todos. O sr. Alberto deve estar doente de remorso e Osmar nervoso porque ainda não pôde por a mão na herança da mãe.

Os olhos de Paulo brilharam satisfeitos. Aos poucos ele estava fazendo Dinda falar. Fingiu aceitar suas palavras com naturalidade.

– Os problemas de família são sempre os mesmos.

– Eu não devia ter falado isso. Mas em casa, eu e Vitório somos os únicos que compreendemos e amamos Teresa.

– Eu admiro você porque apesar de saber tudo isso, tem se dedicado a tratar do sr. Alberto com carinho.

– Quero dormir em paz. Não sou capaz de maltratar nem um gatinho.

– É por esse motivo que Vitório gosta tanto de você.

– E eu dele.

– Ainda não conheci Osmar. Vitório me disse que ele tem gênio difícil.

– Quando quer uma coisa, não descansa enquanto não consegue e para isso não se importa de machucar os outros.

– Você gosta mais de Vitório, não é?

– É verdade, eu deveria gostar dos dois igualmente, pois ajudei a criá-los desde que nasceram. Mas como Vitório é amoroso e cordato, bom de lidar, tanto eu como Teresa o tratamos melhor. Osmar é muito ciumento e odeia o irmão, diz que nós duas estragamos o Vitório. Mas não dá para sermos bons com Osmar, ele é mentiroso, maldoso, irritado, mal-humorado, teimoso. Não podemos tratá-los do mesmo modo.

– Eu concordo. Gostaria que você soubesse que eu estou aqui para ajudá-los não apenas a encontrar Teresa e trazê-la de volta sã e salva, mas também para que a família possa se entender melhor. Certamente, depois do susto que todos passaram, se ela voltar para casa, eles vão ser diferentes. O sr. Alberto terá chance de consertar o que fez de errado e Osmar de tratar melhor o irmão e a família.

– Ah! Isso é o que eu mais desejo. Pobre da minha Teresa! Ela não suportava mais a vida aqui em casa! Eram tantos os desentendimentos...

Paulo notou que Dinda não se referia mais a Teresa chamando-a de senhora, revelando o tanto de intimidade que usufruía ao lado dela. Fingiu que não percebeu e continuou:

– Mas para fazer o que eu desejo, tenho que encontrar o assassino e ter a certeza de que ninguém mais desta casa corre perigo.

– Como assim? O senhor acredita que todos nós estamos correndo perigo?

– Não posso descartar essa hipótese por causa da ligação com o criminoso. A mulher morta é muito parecida com Teresa e o assassino pode ter confundido as duas.

– Teresa não tinha inimigos. Já o sr. Alberto...

– Tinha algum desafeto?

– Eu não quis dizer isso.

– Já que começou, acabe. Você sugeriu que ele não se dava muito bem com as pessoas.

– Coisas de negócios. Não entendo disso. Mas algumas vezes um homem ligava ameaçando ele.

– Ameaçando de quê?

– Não sei. Mas o sr. Alberto ficava muito irritado. Uma vez, logo depois de um telefonema desses, eu o vi limpando a arma que estava guardada no armário do quarto.

– Ele costumava andar armado?

– Não. Isso não. Por esse motivo eu estranhei quando naquele dia ele passou a tarde limpando e lustrando aquele revólver.

– O revólver continua guardado no mesmo lugar?

– Um dia eu vi que ele estava guardado lá, do mesmo jeito.

– Como era o gênio do sr. Alberto? Como se relacionava com a família?

– Sempre gostou mais do Osmar porque ele se interessou pela empresa. Vitório é diferente.

– Em quê?

– É mais amoroso e gosta de estudar as coisas da vida.

Não quis seguir os negócios do pai. Formou-se em letras. Dá aulas na faculdade.

– Ele me disse que está de licença e só volta a trabalhar depois que tudo estiver esclarecido.

– É, ele não se conforma com o que aconteceu. Quando vi que aquele corpo não era de Teresa, fiquei calma, mas agora, depois do que o senhor disse, estou angustiada.

– Teresa dava-se bem com o marido?

– Ela não se casou por amor. Depois que o pai dela morreu e deixou muitas dívidas, a mãe dela, d. Mary, ficou em uma situação difícil. Por esse motivo fez de tudo para que ela aceitasse o pedido de casamento do sr. Alberto, rapaz rico e bem posicionado. Teresa não queria se casar, mas a mãe adoeceu e elas não tinham dinheiro para fazer o tratamento. Ele fez tudo para que d. Mary ficasse boa, colocou à disposição os melhores especialistas, pagou todas as despesas, até que ela se curou.

Dinda fez ligeira pausa, olhos perdidos no passado, e continuou:

– Muitas coisas aconteceram naqueles dias. Teresa estava apaixonada por um jovem estudante de medicina, mas um dia, desiludida do seu amor, acabou aceitando casar-se com o sr. Alberto para a alegria de sua mãe. Quando voltaram da viagem de lua-de-mel, eles foram morar em uma linda casa e eu fui com eles.

– Por que ela de desiludiu do estudante de medicina?

– Eles se encontravam as escondidas porque d. Mary não queria o namoro. Dizia que ele era pobre e demoraria anos para se formar. Que ela precisava se casar com um homem rico que pudesse dar-lhes uma vida boa. Ela saía escondido e eu encobria porque ela ficava muito feliz quando o encontrava. Eles trocavam juras de amor e juravam unir-se para sempre. Mas uma noite ela voltou chorando muito e disse que ele não era sincero, pois o surpreendeu namorando outra.

– Por esse motivo ela desistiu dele?

– Sim. Ele tentou de todas as formas reatar, disse que podia explicar tudo, mas ela não o ouviu. Cheia de mágoa, marcou o casamento, casou-se e mudou de cidade. Nem sei por que estou lhe contando tudo isso. Esse passado está morto e enterrado.

– Alberto sabia que ela se casou estando apaixonada por outro?

– Sabia. Teresa sempre foi sincera. Contou tudo a ele que não se importou e casou-se assim mesmo.

Dinda levantou-se.

– Estamos aqui conversando sobre coisas que nada tem a ver com o seu assunto. Eu tenho de ver se o sr. Alberto está precisando de alguma coisa.

– Responda-me apenas mais uma pergunta. Como era o relacionamento dela com o marido?

Dinda sentou-se novamente:

– Apesar de casar sem amor, ela tornou-se uma ótima esposa, dedicada, atenciosa, mãe extremosa.

– Mas você disse que ele deveria estar doente de remorso. Por quê?

– Eu falei demais.

– Apesar de amar muito Teresa, Alberto não foi feliz com ela. Uma pessoa feliz não comete atos dos quais venha a se arrepender.

– Ela sempre foi muito boa, tolerava as implicâncias dele com Vitório e suas escapadas com outras mulheres.

– Ele tinha outras mulheres?

Dinda levantou-se de novo:

– Eu fui longe demais. Não vou dizer mais nada. Não estou aqui para falar mal dos meus patrões. Não costumo fazer isso. Espero que se esqueça de tudo o que eu lhe disse. Sou uma pessoa ignorante, mas de boa fé. Não deve confiar em minhas palavras.

Paulo levantou-se, sorriu, segurou a mão de Dinda e beijou-a com respeito:

– Você é uma mulher maravilhosa. Gostaria de levá-la para minha casa. Pena que não posso. Vou à cozinha tomar mais um café.

– Eu trago para o senhor.

– Nada disso. O gostoso é ir tomar na cozinha. Você ainda tem um pedaço daquele bolo de milho?

Os lábios de Dinda abriram-se em alegre sorriso:

– Tenho sim.

Ele acompanhou-a até a cozinha e Vitório apareceu na hora em que ele saboreava o café e uma generosa fatia de bolo.

– Já vi que Dinda conquistou você.

– Completamente.

– O doutor é um homem sedutor. Com esse ar de bom menino consegue tudo o que quer.

– Quase tudo, Dinda, quase tudo.

Eles riram. Ela ficou séria. As palavras de Paulo sobre os riscos que não só Teresa e toda a família poderiam estar correndo a deixaram angustiada.

Quando Teresa planejava viajar para a Europa com a amiga, ela sabia que antes iriam para outro lugar e depois é que viajariam para a Itália. Mas aquele crime, a mulher tão parecida com Teresa, complicara tudo.

Paulo agradeceu o café e despediu-se dela. Vitório pediu-lhe que o acompanhasse até seu quarto. Estava ansioso para saber se ele conseguira alguma informação nova.

Assim que se viram no quarto, Vitório fechou a porta e indagou:

– E então? Conseguiu alguma coisa?

– Nada de novo. Notei que ela sabe de alguma coisa mais, contudo não quer contar para não trair a confiança de sua mãe. Por esse motivo, não a apertei muito, prefiro primeiro ganhar sua confiança. Conseguido isso, estou certo de que ela me contará tudo o que sabe.

– Você é esperto. Dinda é assim mesmo. Fiel, e adora mamãe.

– Ela me falou das diferenças entre você e seu irmão.

– Ele não gosta de mim.

– Ela mencionou apenas que vocês pensam de maneira diferente.

– É verdade. Enquanto ele é materialista, eu prefiro ser humanista. Mas somos pessoas educadas, convivemos normalmente, procurando evitar problemas.

Paulo notou que a voz de Vitório tremia um pouco ao falar do irmão. Olhando com naturalidade perguntou:

– Como seu pai vê essa diferença entre vocês dois?

– Ele fica do lado do Osmar. Tem orgulho dele por ser o filho mais velho e por assumir a direção da empresa quando ele precisa ausentar-se, como agora.

– Seu pai está muito deprimido. Ele não tem certeza de que aquele corpo não seja de Teresa.

– Ele sabe que não é. Mas mesmo antes de acontecer tudo isso, ele já andava meio deprimido. Havia perdido o gosto de sair com os amigos como antigamente.

– Como estão os negócios da empresa?

– Que eu saiba, estão bem. Naquele tempo, talvez papai já estivesse começando a ficar doente e os problemas que estamos enfrentando o fizeram piorar.

– Em depoimento ao delegado, seu pai disse que seu relacionamento com Teresa sempre foi muito bom. Mas se isso fosse verdade eles não teriam entrado em depressão. Se estivessem bem, teriam viajado juntos.

– Isso também me espanta. Mas o que sei é que sempre se deram bem. Nunca os vi brigar.

Paulo ficou pensativo por alguns segundos, após disse:

– Eram duas pessoas educadas, não demonstravam o que sentiam.

– De fato, meus pais condenavam qualquer manifestação de contrariedade, afirmando que era preciso não deixar transparecer nossos sentimentos. Diziam que os outros não precisam carregar nossos infortúnios. Confesso que eu nunca soube fazer isso. Sou emotivo, não consigo esconder minhas mágoas ou alegrias. Isso foi causa de muitos castigos durante a infância.

– Alguns pais acreditam que educar os filhos seja conter suas expansões emocionais. É um grande erro, porque o indivíduo acaba colocando uma máscara diante dos outros, mas por dentro existe um vulcão que pode estourar a qualquer minuto.

– O pior é que eu sempre estouro. Osmar se controla muito bem. Será por isso que ele tornou-se tão vingativo e maldoso?

– Talvez. Controlar o que se sente para manter a aparência pode fazer muito mal. De alguma forma, as energias, tanto da alegria quanto da dor, precisam expressar-se. Em vez de contê-las, é melhor tentar compreender e expressá-las de maneira que não nos machuquem.

– Não acredito que algum desentendimento grave tenha ocorrido entre meus pais. Eles eram casados há muitos anos e a rotina pode ter desgastado o relacionamento, conduzindo-os à depressão.

– É, pode ser. Mas o desgaste natural de um relacionamento de tantos anos não deixa ninguém doente. Seu pai me parece estar angustiado, inquieto e isso sempre decorre de algum motivo em que o medo aparece.

– Isso eu também notei. Ele não tem dormido bem, está inquieto, sempre com dores de cabeça, e os remédios não têm dado nenhum resultado. Mas o medo dele pode ser pelo desaparecimento de mamãe. Eu mesmo tenho tido pesadelos, pensando no que poderia estar acontecendo com ela.

– Que tipo de pesadelos?

– Eu sonhei que estava em um lugar escuro e triste e lá havia duas pessoas, parecidas com os dois que foram assassinados. A mulher gritava que ia se vingar de tudo quanto fizemos a eles.

– Lembra-se das palavras deles?

– Ela gritou: "Vocês vão me pagar por tudo. Caí na armadilha. Mas vou me vingar". E ele reforçou: "Vocês não perdem por esperar". Então, eu perguntei: "Quem são vocês? Onde está minha mãe? Onde arranjaram os documentos dela?". Eles não responderam e desapareceram.

– Você acha que esteve com os espíritos dos assassinados?

– Sim. Mas não entendi o que disseram. Que armadilha teria sido essa? Quem a teria armado?

– Teremos de procurar as respostas. Mas é bom que você fique alerta.

– Eu pedi ajuda de Analú. A única coisa que ouvi foi "Ore e confie". Ela afirmou que estaria sempre ao meu lado. Por que será que ela não vem para me contar o que aconteceu?

– Se ela não vem é porque não pode falar sobre o assunto. Os espíritos evoluídos não interferem diretamente nos assuntos das pessoas, a não ser que tenham permissão.

– Por que não? Tudo seria mais simples se eles pudessem nos contar o que desejamos saber.

– A vida tem seus próprios meios para resolver os problemas humanos, sempre visando a aprendizagem. Todos os desafios aparecem para ensinar alguma coisa que os envolvidos precisam aprender. Vir e contar tudo seria impedir a aprendizagem e atropelar os acontecimentos. As pessoas tem livre-arbítrio e precisam utilizá-lo.

Vitório suspirou dizendo:

– Entendo. Nesse caso, ela poderia pelo menos inspirar-me boas idéias.

Paulo sorriu e seus olhos brilharam alegres:

– Sua esperteza não convencerá Analú a fazer isso. Somos nós que precisamos pensar, investigar, descobrir a verdade. Estou certo de que quando chegar a hora, tudo será esclarecido.

Onze

Na manhã seguinte à festa da casa dos Vilela, Osmar chegou ao escritório indisposto. O fato de ver Aurélia toda amável com o "tal" doutor o irritara muito. Fora difícil controlar o desejo de arrancá-la do lado dele. Agüentou a insatisfação e só foi embora depois que Aurélia saiu, acompanhada pelo médico.

Chegou em casa cansado, deitou-se, mas não conseguiu dormir logo. Revirou-se na cama, remoendo os momentos desagradáveis da festa. Quando adormeceu, sonhou que Aurélia e o médico estavam trocando beijos apaixonados.

Apesar de haver dormido tarde, depois daquele pesadelo acordou cedo e não conseguiu mais dormir.

Para tentar esquecer a noite desagradável, apanhou o jornal e percorreu os olhos pelas manchetes. Ao abrir uma das páginas, na coluna social, viu uma foto do casal Vilela e outra de Aurélia ao lado do médico. Embaixo, leu: "A bela Aurélia abrilhantou a festa acompanhada pelo dr. Augusto Mendonça, famoso médico recém-chegado dos Estados Unidos".

Ambos sorriam e Osmar amassou o jornal nervoso. Isso

não podia ficar assim. Precisava tomar algumas providências. Enquanto ela não se interessava por ninguém, ele sentia-se calmo, imaginando que teria tempo de conquistá-la.

Mas agora aparecera esse rival famoso e dava para notar que Aurélia se sentira atraída por ele.

Apanhou a lista telefônica, procurou um número e ligou, assim que atenderam disse:

– Quero falar com Norberto. – Esperou alguns instantes depois continuou: – Aqui é Osmar, como vai? Estou precisando dos seus serviços.

– Quer que eu vá encontrá-lo?

– Não. Passarei aí para falar com você logo mais, no fim da tarde.

– Hoje tenho um compromisso. Pode ser amanhã?

– Tem que ser hoje. É urgente.

– Nesse caso darei um jeito. Pode vir. Vou esperá-lo.

Osmar desligou. Ele gostaria de ir imediatamente, mas havia uma reunião importante na empresa, a qual ele não poderia faltar.

A secretária entrou:

– Está tudo pronto para a reunião. Todos já chegaram e estão esperando pelo senhor.

Com um suspiro resignado, Osmar levantou-se:

– Está bem.

A partir desse momento, Osmar mergulhou no trabalho, o que o fez esquecer um pouco o aborrecimento. Ele gostava de chefiar as pessoas no lugar do pai. Sentia-se à vontade, gostava de mandar e decidir sobre o futuro da empresa.

Seu pai doente e desanimado, depois dos últimos acontecimentos, com certeza não voltaria mais a ocupar a chefia. Ele se sentia dono absoluto da empresa, julgava-se mais inteligente e esperto do que o pai e estava certo de que sob sua orientação eles iriam se tornar mais ricos.

Passava das cinco horas quando Osmar parou o carro

diante de um prédio em um bairro popular da cidade. Desceu e entrou no hall do prédio, esperou o elevador e se dirigiu ao sexto andar.

Era um prédio antigo, cheio de pequenos escritórios. Ele saiu do elevador e parou diante de uma porta onde se lia: “Norberto Simões – detetive particular”.

Ele bateu levemente e entrou. Um homem baixo, magro, meio-calvo, aparentando cerca de quarenta anos, levantou-se da poltrona atrás da escrivaninha, caminhou até a porta sorrindo, de mão estendida, e disse:

– Como vai, Osmar? Que honra recebê-lo em meu humilde teto.

– Bem, e você?

Norberto fez ligeira mesura e respondeu:

– Melhor depois que você chegou. Sente-se.

Ele indicou uma cadeira em frente à escrivaninha e voltou a sentar-se em sua poltrona.

– Em que posso servi-lo?

– Preciso de informações sobre um sujeito.

– Trouxe os dados dele?

– Só tenho alguns. Ele estava morando fora do Brasil, chegou há pouco tempo.

– Passe-me o que você tem e eu descobrirei o resto. O que quer saber?

– Tudo que puder. Tenho pressa. Como sempre pagarei bem. Você sabe.

– Claro.

Osmar contou o que sabia sobre o médico, descreveu como ele era fisicamente e mostrou a foto que cortara do jornal. Estava amassada, mas dava para ter uma idéia.

– Começarei hoje mesmo.

Osmar pegou a carteira, escolheu algumas notas e colocou-as sobre a mesa:

– Estas são para as primeiras despesas. Assim que descobrir alguma coisa, ligue-me.

– Deixe comigo.

Osmar despediu-se e saiu. Estava mais calmo. Norberto era muito bom não só para investigar pessoas como para tirá-las do caminho quando era preciso.

Em casa, Osmar sentiu-se cansado. Tomou um banho e mandou Nora servir o jantar.

O telefone tocou e a criada o procurou:

– Tem na linha um advogado chamado Paulo, disse que é da parte do Vitório.

– O que ele quer de mim?

– Ele disse que deseja conversar com o senhor.

– Peça para ligar outro dia. Estou cansado e com fome. Não vou atendê-lo agora.

Nora se foi, depois voltou dizendo:

– Agora é o Vitório. Ele quer falar com o senhor.

– Não disse a ele que estou jantando?

– Disse que o senhor ia sentar-se para começar a jantar. Vitório disse para atendê-lo que não vai se demorar.

Resmungando, Osmar apanhou o telefone de má vontade e disse:

– O que é tão importante para que você atrapalhe o meu jantar? Trabalhei o dia inteiro, estou cansado e com fome. Não sou folgado como você que fica o dia inteiro sem fazer nada.

– Você não ligou mais para nós. Não deseja saber como papai está?

– Sei que ele também está descansando, como você. Foi para dizer isso que me incomodou?

– Não. Você não atendeu o dr. Paulo, nosso advogado que está investigando o paradeiro de mamãe. Ele ia conversar com você por telefone, mas como você não o atendeu, pensei melhor e ele vai até aí procurá-lo.

– O que ele quer de mim? Sou um homem ocupado, não tenho tempo a perder. Estou sozinho administrando uma empresa. Acha que tenho tempo para conversar?

– Ele vai procurá-lo e papai está dizendo que quer que você o atenda e lhe preste todas as informações.

– Não posso passar informações sobre os nossos negócios a um desconhecido. Não farei isso.

– Se não fizer terá de se entender com papai. Aliás, ele está dizendo que se você não fizer o que ele está pedindo, vai até aí com o dr. Paulo.

– Pelo jeito ele não está tão mal como vocês dizem.

– Ele deseja resolver este caso o mais rápido possível e saber onde mamãe está.

– Por que insistem nessa história? Mamãe está morta e o caso deveria ser encerrado. Compete à polícia descobrir o assassino.

– Você vai ou não fazer o que papai está mandando?

– Está bem. Pode mandar esse advogado metido a investigador. Mas diga-lhe que seja breve. Não tenho tempo a perder.

Osmar desligou o telefone irritado. Além de todos os problemas que tinha ainda teria de aturar um metido que pretendia investigar a vida da família.

No apartamento de Vitório, assim que ele desligou o telefone, Paulo perguntou:

– Seu irmão é sempre assim intratável?

– Diante dos outros ele é mais manso. Comigo ele é sempre assim. Mas com papai ele não pode.

– Estou curioso para conhecê-lo, visitar a casa onde Teresa vivia, tentar descobrir mais sobre ela.

– Entendo sua curiosidade, mas, para ser sincero, não creio que isso possa ajudá-lo a descobrir o que nos interessa. O passado nós já sabemos, queremos saber onde ela está.

– Infelizmente, não temos nenhuma pista nesse sentido. Estou tentando descobrir alguma coisa que possa nos dar essa pista. Vocês dizem uma coisa, mas os fatos revelam que a verdade pode ser bem diferente.

– Como assim?

– Vocês afirmam que seus pais se relacionavam bem, porém por que ambos estavam tão depressivos nos últimos tempos?

– Você acredita que essa depressão pode ser fruto de alguma coisa ruim que teria acontecido entre eles?

– É uma hipótese. Eles tinham diante da família uma atitude discreta e não falavam sobre seus sentimentos. Se aconteceu alguma coisa séria entre eles, fariam tudo para escondê-la de vocês.

– Mas mesmo que isso tivesse acontecido, em que poderia esclarecer esse crime e suas implicações com minha mãe?

Paulo ficou pensativo durante alguns segundos. Depois disse sério:

– Eu tenho visto muitas coisas neste mundo e sei o quanto certas paixões podem transformar uma pessoa. A violência extrema com que esse crime foi praticado, demonstra que o criminoso estava com muita raiva e isso ocorre quando as paixões obscurecem qualquer raciocínio.

– Eu já me perguntei isso inúmeras vezes. Mas estou certo de que ninguém de minha família seria capaz de tanto. Do jeito que você fala dá impressão de que está questionando se meu pai teria sido o autor do crime. Eu não acredito nisso. Ele nunca foi um homem violento ou vingativo.

– Não estou sugerindo nada disso. O que desejo é conhecer como eram os sentimentos dos envolvidos nesta situação.

– Você está achando muito difícil descobrir o paradeiro de minha mãe?

– Não se trata disso. Em investigação, não se pode desprezar nenhum detalhe. O fio da meada pode estar onde menos se espera e surgir de repente, conduzindo-nos aos fatos. Não se preocupe se estou investigando os sentimentos de sua família. Sou discreto, isso ficará entre nós, aconteça o que acontecer.

Eles continuaram conversando e, aos poucos, Vitório foi se acalmando. Quando pensava na mãe sentia o peito oprimido como se ela estivesse em perigo, sofrendo, querendo comunicar-se com ele sem conseguir.

Ficou combinado que na manhã seguinte Paulo viajaria para o Rio de Janeiro e procuraria por Osmar.

No dia seguinte, faltando poucos minutos para às onze horas, Paulo foi introduzido na sala de Osmar.

Depois dos cumprimentos, ele disse logo:

– Seja breve, por favor. Não disponho de muito tempo.

– Seu pai me contratou para descobrir o paradeiro de sua mãe.

– De novo essa história. Eles gostam de sofrer. Minha mãe está morta e eles não querem se conformar.

– Você acredita mesmo que aquele corpo seja dela?

– Claro. De quem mais poderia ser? É a cópia perfeita de minha mãe e que eu saiba não havia ninguém tão parecida com ela. Não bastasse isso, há os documentos. Que maior prova poderia haver?

– Você pode até estar certo, mas para a Justiça o corpo não foi reconhecido por toda a família. Isso fez com que ela continue investigando e não libere o corpo.

Osmar impacientou-se:

– E isso faz com que todos nós estejamos sofrendo uma situação angustiante, continuando a procurar por uma pessoa que não pode aparecer porque já está morta e que precisa ser enterrada o quanto antes para dar sossego a toda a família.

– Você está muito seguro do que afirma.

– Estou. Você está fazendo seu trabalho e com certeza deseja valorizar sua atividade, mas neste caso ela é inútil, porque jamais vai conseguir desvendar qualquer coisa. Vitório não aceita a perda de mamãe e fica criando uma série de problemas, Dinda a vida inteira o apoiou. Só faz o que ele quer e mais uma vez ficou do lado dele.

– Mas e seu pai? Ele tem muitas dúvidas.

– Meu pai está na hora de aposentar-se. Tem andado doente, e acredito que sua cabeça já não esteja funcionando bem.

– Seu pai ainda não tem sessenta anos. Está deprimido, doente, mas continua lúcido.

– Não estamos aqui para conversar sobre os problemas de meu pai. Vitório garante que você é bom como investigador, embora não seja essa sua profissão. Mas por melhor que você seja, duvido que consiga descobrir alguma coisa mais do que a polícia.

Paulo sorriu levemente e respondeu:

– Não subestime quem você não conhece nem se apresse a dizer que esse caso está resolvido. – Fez ligeira pausa e perguntou: – Qual e a especialidade desta empresa?

– Construção Civil. Estamos no mercado há mais de vinte e cinco anos. Já construímos muitos prédios nesta cidade e prestamos serviços ao governo federal.

– Seu pai aprecia seu interesse em ajudá-lo nos negócios da família. Confia em sua capacidade.

Osmar ergueu ligeiramente a cabeça, satisfeito. Nada o agradava mais do que ser reconhecido como um homem inteligente e capaz.

– Se eu não me esforçasse para cuidar desta empresa, nosso patrimônio se perderia. Como eu disse, meu pai está doente e depois da morte de minha mãe certamente não vai ter mais ânimo para cuidar de mais nada.

– E Vitório?

Os olhos de Osmar brilharam maliciosos quando respondeu:

– Está fora de cogitação. Não se interessa pelos negócios, o que é uma sorte porque não tem capacidade.

– Por que não? Ele me parece um rapaz inteligente.

– Mas não é. Está sempre fora da realidade, pensando em coisas ilusórias e sem finalidade.

– Você acredita mesmo que seu pai vai se afastar e permitir que você assuma a responsabilidade pela empresa?

– Ele não tem outro remédio. Conheço esta empresa desde criança e sei como fazer com que ela progrida cada vez mais. Quanto a ele, do jeito que está, vai acabar incapaz para qualquer coisa.

Paulo fixou-o nos olhos e disse sério:

– Ainda bem que você está seguro e preparado.

Paulo estava tocando no ponto em que Osmar mais gostava e por esse motivo ele começou a responder com prazer. Havia esquecido completamente a animosidade com que recebera sua visita.

– Estou certo de que em pouco tempo aumentaremos nosso capital e ampliaremos nossos negócios.

– Sua mãe decidiu viajar porque estava deprimida. Você sabe por quê?

Osmar deu de ombros:

– Nada importante. Ela não tinha motivos para estar deprimida. Era uma mulher rica, freqüentava a mais alta sociedade do Rio de Janeiro, tinha uma família respeitada e um marido atencioso que lhe fazia todas as vontades. Esse deve ter sido um pretexto para viajar sem a companhia de meu pai.

– Por que ela faria isso se os dois tinham um bom relacionamento?

Os olhos de Osmar brilharam rancorosos quando respondeu:

– Talvez ela tenha se metido em uma aventura perigosa e acabado morta naquela cama.

– Você acredita que sua mãe tenha sido amante daquele homem?

Osmar olhou-o com raiva e respondeu, com voz um tanto rouca pela emoção:

– O que mais se poderia pensar vendo-os juntos, desnudos, naquela cama?

– Se aquele corpo é dela, não há o que duvidar.

Osmar levantou-se nervoso:

– Este assunto está me fazendo mal. Não sei por que aceitei conversar com você. Acho que nós não temos mais nada para falar.

Paulo continuou sentado e respondeu calmamente:

– Sei como você deve estar se sentindo. O orgulho ferido dói muito. Como era sua mãe em casa, no dia-a-dia?

– Preferia encerrar aqui nossa conversa. Não há motivo para esticarmos este penoso assunto. Depois, tenho muito trabalho, não posso perder tempo.

– Por favor. Responda o que perguntei. – Olhou-o firme nos olhos e continuou: – Você é a única pessoa da família que está lúcido o bastante para dar-me uma resposta confiável. Tenho de fazer meu trabalho e peço-lhe que não me negue este favor.

Osmar endireitou-se altivo e sentou-se novamente:

– Você está certo. Eu sou a única pessoa lúcida nesta família. Embora acredite que você não vai descobrir nada porque não há nenhum mistério a ser descoberto, para que não diga que estou de má vontade, vou responder.

– Muito obrigado.

Osmar pensou um pouco depois disse:

– Minha mãe era uma mulher educada, desde cedo nos ensinou a nos comportarmos bem diante dos outros. Exigente nas regras de etiqueta e cumpridora dos seus deveres de mãe de família e de dama de sociedade.

– Como era sua maneira de ver a vida? Do que ela gostava? Costumava falar dos seus sentimentos?

Osmar olhou-o surpreendido:

– Não. Ela era perfeita. Nunca demonstrava insatisfação, controlava-se perfeitamente, como convém a uma senhora de sociedade. Não costumava falar de seus sentimentos.

– O delegado me disse que ela era mais apegada a Vitório. É verdade?

– Ela o estragou é o que quer dizer. Por causa das atitudes chorosas dele, fazia-lhe todas as vontades.

– Não fazia o mesmo com você?

– Não. Eu nunca precisei disso. Sempre fui equilibrado e firme. Ela era mais dura comigo, mas hoje sei que ela fazia isso porque sabia que eu era capaz e não precisava me pendurar nela.

– Nesse caso você não guarda ressentimento por ela ter se chegado mais a ele.

O brilho de raiva reapareceu nos olhos dele. Mas respondeu com voz calma:

– Não. Por outro lado, meu pai sempre me apoiou mais do que a Vitório. Ele desejava que ambos ficássemos trabalhando na empresa. Mas meu irmão nunca quis, o que foi muito bom porque ele só me causaria problemas.

Paulo levantou-se sorrindo:

– Obrigado, dr. Osmar, por haver dividido seu precioso tempo comigo e me ajudado a entender melhor os fatos.

– Espero que tenha esclarecido o que eu podia. Por que não desiste do caso? Não percebe que está perdendo seu tempo e que não obterá sucesso? Não se preocupa com seu desempenho? Ouvi dizer que é famoso pelo sucesso que tem obtido em suas investigações. Não tem medo de que um fracasso possa ser uma mancha em sua folha de serviços prestados?

– Talvez tenha razão. Vou pensar no que me disse.

Osmar sorriu satisfeito. Afastar aquele investigador inconveniente seria um alívio, principalmente naquele momento em que se emprenhava em grandes negócios que precisava ocultar.

Paulo deixou o escritório de Osmar satisfeito. Havia

conseguido mais do que esperava. Assim que o viu notou o quanto ele era vaidoso e percebeu como poderia conseguir alguma coisa dele.

Não lhe passou despercebido a raiva com que ele se referia à mãe e ao fato de ela ter tido um amante. Era o único na família que aceitara isso sem questionar. Todos os outros, inclusive Dinda, haviam frisado que essa atitude não se coadunava com o perfil de Teresa.

Osmar pareceu-lhe um homem vaidoso, prepotente, disposto a conseguir o que queria. Não duvidava também que ele faria qualquer negócio para isso.

Havia qualquer coisa em Osmar que o fez decidir colocar dois homens seus para segui-lo durante alguns dias e verificar como ele levava a vida.

Seu instinto lhe dizia que deveria começar por ali. Pensando nisso, tratou logo de planejar os próximos passos.

12

Marília acordou cedo e animada. Apesar da tragédia que presenciara, esforçava-se para não pensar mais em Otávio.

Sentia-se livre, bem-disposta, alegre. Pela primeira vez, depois de muitos anos, sentia-se dona de si, confiante no futuro. O fato de perceber que poderia ganhar o suficiente para manter a casa com os quitutes que ela e Dorita faziam, deram-lhe a certeza de que dali para a frente tudo em sua vida correria bem.

De fato, a freguesia tinha aumentado e elas estavam até pensando em contratar uma auxiliar para cuidar dos afazeres domésticos, porquanto ambas ficavam o dia inteiro trabalhando na cozinha, sem tempo para mais nada.

Pensando nisso ela foi ao quarto de Altair acordá-lo para o colégio.

Aproximou-se dele:

– Acorde, meu filho. Está quase na hora de ir para a escola.

O menino remexeu-se na cama resmungando:

– Não quero ir. Estou cansado.

Marília colocou a mão na testa dele e notou que estava com febre. Preocupada tornou:

– Você está doente. O que está sentindo?

– A garganta está doendo e estou com frio.

– Não precisa se levantar. Vou buscar um remédio para baixar sua febre e ligar para o dr. Davi.

– Não quero tomar injeção!

– Ninguém ainda falou em injeção. Só vai tomar se for preciso.

Ela deixou o quarto e voltou pouco depois com um cálice e o remédio.

– Sente-se, Altair, tome o remédio.

– Não gosto de remédio. Vai doer minha garganta.

– Você precisa agüentar. Ele pode evitar uma injeção. Beba que eu trouxe um "tira-gosto".

Resmungando, o menino sentou-se, segurou o cálice em uma mão e o gomo de laranja na outra. Engoliu o remédio, fez uma careta e chupou o "tira-gosto".

– Agora se deite e descanse. Daqui a pouco volto para saber como se sente. Quer tomar seu café com leite?

– Não. Vai doer.

– É melhor pensar bem e fazer um esforço porque se não comer nada vai demorar mais tempo para ficar bom.

– Daqui a pouco eu tomo o café com leite.

– Assim está melhor. Estou certa de que logo vai mandar embora essa dor de garganta. Você é um menino valente e muito forte.

Os olhos de Altair brilharam quando respondeu:

– Sou mesmo, mãe. Vou ficar bom. Eu quero sarar logo porque está doendo e estou com frio. Mas gostaria de continuar doente só um pouquinho para não ir à escola amanhã também.

Marília sentou-se na beira da cama, segurou a mão do menino e disse:

– Por que isso? Você sempre gostou de ir à escola. Aconteceu alguma coisa que você prefere não ir?

– Não, mãe. Eu gosto da escola. Mas eu queria ficar mais tempo em casa com você.

Marília alisou a cabeça do filho com carinho, deu-lhe um beijo na testa e respondeu:

– Eu também gostaria de ficar o dia inteiro com você. Mas agora estamos só nos três e se eu não trabalhar não vamos ter dinheiro para manter a casa.

– Antes, quando eu chegava da escola você ficava comigo, contava histórias, brincava. Agora está sempre ocupada.

Marília pensou um pouco, depois disse:

– Eu tenho uma forma de resolver isso. Seu pai não está mais aqui e você é o homem da casa, portanto, pode ficar sócio da nossa empresa e trabalhar quando chegar da escola. Vai ser muito divertido e, além disso, vai começar a ganhar dinheiro porque, é claro, quem trabalha merece ser recompensado.

O menino que havia se deitado, sentou-se de novo:

– Puxa, mãe, vai ser demais! Nenhum amigo meu trabalha e ganha seu dinheiro. Posso começar agora?

– Sua garganta está doendo e você está cansado.

– Só dói um pouquinho quando eu engulo.

– Vamos fazer assim: depois que sua febre passar você começa. Está bem?

– Está. Não vejo a hora que essa febre passe.

Marília sorriu e respondeu:

– Vejo que você vai ser um menino trabalhador. Mas para isso terá de estar bem e não deixar de fazer as lições de casa. Nós estamos abrindo uma empresa e você será nosso sócio. Um empresário tem de ser instruído, saber fazer contas, ler e escrever muito bem.

– Eu ainda são sei fazer muitas contas, mas ler e escrever eu já sei.

– Você tem de ir à escola para aprender tudo o que precisa para ser um bom trabalhador.

– Eu vou estudar muito e logo saberei até conta de dividir. Meu amigo que está no terceiro ano já sabe fazer essas contas.

– Não tenha pressa. Você é mais novo do que ele, mas estou certa de que quando chegar no terceiro ano, vai fazer tudo o que ele faz. Agora se deite e descanse. Se precisar de alguma coisa, chame. Daqui a pouco trarei seu café.

Marília desceu e foi à cozinha. Dorita já havia preparado o café e disposto tudo quanto deveriam fazer naquele dia.

Elas estavam contentes porque, além do pão de queijo, as empadinhas eram muito procuradas. O que as animara foi que duas lanchonetes muito boas, onde Dorita levara algumas amostras, haviam feito encomendas grandes e a cada dia a procura estava sendo maior.

Por tudo isso planejavam abrir uma empresa e juntar algum dinheiro para um dia poderem expandir o próprio negócio.

Marília conversou com Dorita sobre Altair e finalizou:

– Ele está sentindo falta da nossa companhia. Nós não temos tido tempo de brincar com ele.

– Gostei da idéia de trazê-lo para "trabalhar" conosco. É bom que ele se interesse logo cedo e entenda sua responsabilidade diante da vida. Vamos fazer isso de uma forma tão prazerosa que ele vai amar "trabalhar" aqui.

Elas riram e ficaram trocando idéias de como torná-lo um auxiliar na cozinha.

Quando Marília foi levar o café, Altair sentou-se na cama dizendo:

– Mãe, estou sem febre. Já posso descer e trabalhar?

– Vou medir sua temperatura. Depois veremos. Tome o café com leite e vamos ver como está sua garganta.

Altair segurou a caneca e tomou um gole.

– Já melhorou – disse contente.

Marília mediu a temperatura e, enquanto ela conferia, ele indagou inquieto:

– E então?

– A febre baixou, mas você ainda está febril. E sua garganta ainda deve estar doendo um pouco, não é?

– É, só um pouquinho. Mas vai passar logo.

– Meu filho, hoje é melhor você ficar na cama descansando e se preparando para começar amanhã.

– E a escola?

– Amanhã você também ficará em casa. Depois voltará à escola.

– Oba! Então eu posso trabalhar amanhã.

– Pode. Estamos precisando muito de ajuda. Temos muitos pedidos. Vai ser ótimo contar com você.

Os olhos de Altair brilharam de prazer:

– Eu sou muito forte e disposto a ajudar mesmo.

– Isso mesmo. Coma o pão com manteiga e deite-se novamente. Hoje você precisa descansar.

Marília desceu as escadas sorrindo. Faria tudo para ensinar Altair a trabalhar com dignidade e honradez. Eles teriam de viver do próprio trabalho e isso o ajudaria a enfrentar os desafios da vida.

Havia o dinheiro no exterior que Otávio deixara, mas não contava com ele. A origem desse dinheiro era duvidosa e ela estava certa de que ele seria confiscado. Imaginava que seu marido havia se envolvido com criminosos e, por esse motivo, acabara morto.

Com satisfação ela entregou-se ao trabalho. No fim da tarde as encomendas estavam prontas. Felizmente, o empregado da lanchonete viria buscá-las, facilitando as coisas. Eles tinham uma perua e enquanto elas acomodavam as caixas com o material no veículo, Marília imaginava como seria bom que pudessem ter um veículo para fazer entregas.

Assim que eles se foram, Dorita disse contente:

– Foi bom terem vindo buscar. Em uma viagem eu não conseguiria levar tudo.

Marília enfiou o braço no de Dorita dizendo:

– No futuro nós também teremos um carro para fazer nossas entregas.

Dorita olhou-a admirada:

– Um carro, mesmo usado, custa muito caro.

– Teremos um carro novo e muito bom. Estou certa de que vamos conseguir.

– Como?

– Pense bem, nós trabalhamos bem, fazemos coisas de qualidade com muita higiene e alegria. O dinheiro que ganhamos é honesto e merecido. Por tudo isso ele vai se multiplicar, nosso negócio vai continuar crescendo e logo teremos tudo o que precisamos.

– Antes eu era mais otimista, mas agora você está passando na minha frente. Eu nunca pensei em chegar a tanto.

– Por que não? Nós fazemos um produto bom. As pessoas saboreiam com prazer, elogiam, a cada dia compram mais... Se os pedidos aumentarem não vamos dar conta. Vou começar a procurar uma pessoa para nos ajudar.

– Acha que teremos como pagar o salário dela? O que estamos ganhando dá apenas para nossas despesas, isso porque estamos economizando.

– Com uma pessoa que nos ajude, estou certa de que poderemos produzir muito mais e não só pagaremos o salário dela como aumentaremos nossos lucros.

De volta à cozinha, Dorita disse contente:

– Você tem razão. Podemos tentar. Hoje à noite vou falar com d. Ana. Ela tem uma filha que gostaria de trabalhar. Falou comigo ontem, perguntou se eu sabia de algum lugar que estivesse precisando. Respondi que não, mas pensando bem, talvez ela fosse boa para nós.

– Quantos anos tem?

– Não sei, mas é bem-disposta, alegre. Poderemos experimentar.

– Está bem. Vá conversar com d. Ana.

Elas começaram a dar uma ordem na cozinha.

– Vou fazer uma boa sopa de feijão com macarrão para ver se Altair come. Ele não almoçou muito bem. Ele adora essa sopa.

Disposta, Marília colocou a panela no fogo e ia começar a preparar a sopa quando Altair desceu as escadas dizendo:

– Mãe, mãe, eu achei um esconderijo!

– Esconderijo? Do que está falando?

Altair entrou na cozinha e parou diante dela:

– Eu levantei um pouco, estava cansado de ficar na cama, fui ao quartinho onde você guarda coisas para procurar meu carrinho amarelo. Eu tropecei, escorreguei e bati as costas na parede. Caí sentado no chão. Então ela virou e abriu uma porta. É um lugar apertadinho, mas está cheio de coisas.

Marília olhou para Dorita admirada:

– Você sabia que existia esse lugar aqui em casa?

Ela meneou a cabeça negativamente.

– Não. Altair, você não está inventando essa história?

– Não. Acho que descobri o tesouro.

– Vamos lá ver isso – disse Marília.

As duas acompanharam Altair escada acima até o local e entraram no quartinho que por ser um tanto apertado, Otávio determinou que ele serviria apenas de despejo.

Lá havia coisas que eles não utilizavam, mas não queriam se desfazer. Marília raramente entrava lá, e Dorita de vez em quando abria para deixar entrar um ar e fazer ligeira limpeza.

Surpreendidas, elas viram que Altair dissera a verdade. Havia uma abertura na parede suficiente para passar uma pessoa. Aproximaram-se e viram que dentro havia uma pequena prateleira com algumas caixas.

O lugar cheirava a mofo, mas Marília susteve a respiração, entrou e apanhou uma das caixas. Estava pesada, porém ela esforçou-se para tirá-la de lá.

– Será que foi Otávio quem colocou isso aí? – questionou Marília.

– Se não foi ele pode ter sido alguém antes de vocês virem para cá.

– É. Está pesada. Vamos ver o que contém.

Colocaram a caixa sobre uma mesa e abriram a tampa. Dentro havia algumas pastas e documentos.

– Vamos ver as outras – sugeriu Dorita.

Elas tiraram as seis caixas de papelão que havia e uma menor de madeira que elas abriram primeiro. Dentro, encontraram um caderno e algumas chaves.

Marília apanhou o caderno e abriu:

– São coisas de Otávio. Veja, a letra é dele.

Folheando esse caderno, Marília continuou:

– São anotações de nomes de pessoas, endereços e até telefones.

– Por que será que ele os escondia aqui?

– Certamente eram negócios fora da lei que não podiam aparecer.

Elas abriram as caixas e nelas havia anotações, algumas em inglês, outras em espanhol.

– Aqui pode estar registrado que tipo de negócio Otávio tinha. Para a polícia pode ser a chave do crime – considerou Marília, pensativa.

– Você vai avisar o delegado?

– Ainda não sei. Acho melhor falar antes com o dr. Paulo ou com Vitório. Eles podem examinar tudo isso e nos ajudar a decidir o que fazer. Pode ser também que não seja nada importante.

– É pode, mas os dois saberão nos aconselhar.

– Mãe, pensei que fosse um tesouro. Não tem dinheiro dentro das caixas?

– Não, filho. Mas papéis podem ser mais importantes do que dinheiro. Vamos investigar.

Eles desceram, Marília procurou o número do telefone de Paulo e ligou:

– Doutor Paulo? Estou ligando porque aconteceu uma coisa que pode ser importante.

– O que foi?

– Altair por acaso encontrou um compartimento secreto em que Otávio guardava caixas com documentos. Eu e Dorita não sabíamos que havia esse lugar aqui. Gostaria de mostrá-los a você e Vitório. Alguns deles são em inglês e espanhol.

– Irei imediatamente.

Ela agradeceu e desligou.

– Ainda bem que temos em quem confiar para nos ajudar – comentou com Dorita.

– Tanto ele quanto Vitório parecem gente boa.

– É verdade. Volte para o quarto, Altair.

– Eu já melhorei.

– Mas se não descansar poderá piorar. Talvez seja melhor voltar para a cama.

– Ah! Mãe!... eu não quero ficar na cama. Já estou bom. Eu quero ver o que eles vão falar do meu achado. Ainda penso que pode haver um tesouro lá.

– Não se preocupe Altair – ajuntou Dorita –, se tiver alguma coisa de valor, daremos a você. Afinal, foi você quem descobriu o lugar.

Ele obedeceu. Meia hora depois, Paulo chegou com Vitório. Depois dos cumprimentos, acompanharam as duas até o local. Altair, vendo-os subir, os acompanhou, olhos brilhantes de curiosidade e prazer.

Assim que apanhou o caderno, Paulo sorriu satisfeito:

– Isto parece uma anotação que os traficantes costumam fazer dos clientes aos quais fornecem drogas. Deve haver um outro com anotações dos fornecedores. Temos que verificar.

– Quer dizer que Otávio era traficante de drogas?

– Tudo indica que sim.

– Apesar de desconfiar que havia alguma coisa errada, não pensei que se tratasse de drogas.

Num gesto instintivo de proteção, ela abraçou o filho. Estava chocada. Tinha verdadeiro horror desse tipo de profissão.

– Vamos levar essas caixas para um lugar onde possamos verificar tudo – disse Paulo.

– Eu ajudo – concordou Vitório. – Pode ser que aqui esteja o fio da meada que procurávamos.

Marília sugeriu que eles levassem tudo para a mesa da sala de jantar para procederem a verificação.

Depois de transportarem todas as caixas e de verificar se não havia mais nada no local em que elas estavam escondidas, abriram a primeira e depois de examinar alguns documentos Paulo considerou:

– Isso vai levar tempo e requer peritagem.

– Acha que deveremos conversar com o delegado? – indagou Marília.

– Com certeza. A polícia terá condições de periciar todos esses documentos melhor do que nós. Mas antes eu gostaria de analisá-los em primeira mão para recolher algumas pistas e continuar nossa investigação.

– Você acredita que poderemos encontrar alguma pista sobre o desaparecimento de minha mãe? É difícil para eu acreditar que ela pudesse estar ligada a essa gente.

– Não sei o que vamos encontrar, mas de qualquer forma o nome de sua mãe está ligado a esse crime e a Otávio, seja ele traficante como parece ser ou não.

– Esse mistério continua me atormentando. Não consigo entender.

– Seria melhor que você procurasse não se atormentar criando hipóteses em sua cabeça e sofrendo com elas. Assim, poderia ligar-se aos amigos espirituais que o auxiliam e talvez obter um resultado melhor – aconselhou Paulo.

Vitório suspirou e respondeu:

– Você tem razão. Preciso encontrar a serenidade. Eu sei que só quando estamos serenos e confiantes é que conseguimos ouvir o que nossos mentores espirituais dizem. O desespero só atrapalha.

– Sei que não é fácil conseguir isso neste momento, porém você é uma pessoa de fé, já teve provas de que a ajuda espiritual está presente em nossa vida. Pense um pouco. A descoberta desses documentos foi a maneira que eles encontraram de nos ajudar. Altair escorregou e a parede se abriu. Não acha que os amigos espirituais nos deram esse empurrãozinho?

– Paulo, sinto-me envergonhado. Eu que pensava ser um espiritualista convicto, estou falhando diante dos desafios a que estou sendo submetido pela vida. Vou reagir. Pode estar certo. De agora em diante vou pensar no melhor e manter a serenidade. Depois do que aconteceu hoje, só me resta confiar e acreditar que tudo será resolvido.

– Isso mesmo. Agora se sente e vamos analisar o que temos aqui – disse Paulo. Depois, voltando-se para Marília, continuou:

– Vai demandar tempo.

– Eu sei. Gostaria de poder ajudá-los – respondeu ela.

– Já ajudou muito nos chamando aqui. Vamos ao trabalho. Vocês duas continuem seus afazeres. Não quero atrapalhá-las.

– Já terminamos por hoje – respondeu Marília. – Se tiver alguma coisa que eu possa fazer, é só falar. Vamos Altair, para a cozinha.

– Eu queria ver se eles vão encontrar o tesouro.

– Se encontrarmos alguma coisa diferente, avisaremos você – disse Paulo.

As duas e o menino foram para a cozinha e os dois mergulharam nos papéis, procurando a ponta do mistério que envolvia aquelas famílias.

13

O despertador tocou e Osmar acordou sobressaltado. A noite fora difícil, demorara para pegar no sono e quando conseguiu sonhou com pessoas maltrapilhas e feias, cobrando-lhe contas de seus atos, ameaçando agredi-lo. Ele tentara fugir, mas elas o seguiram por toda a parte e quando estavam para apanhá-lo, ele acordou suando frio, angustiado e aflito.

"Foi apenas um pesadelo", pensou, tentando minimizar o fato. Mas depois disso não conseguiu mais dormir com medo de rever as pessoas.

Sentia o peito angustiado, oprimido, como se alguma coisa terrível fosse acontecer.

Levantou-se, apanhou o telefone e ligou para Nelsinho. Quando ele atendeu, disse irritado:

– Onde você estava que demorou tanto para atender o telefone?

– Estava dormindo. Assim que ouvi, vim atender.

– Tem alguma novidade?

– Tudo continua na mesma. O carregamento chegou bem e eles estão conferindo a mercadoria.

– Diga a eles que ainda não depositaram o dinheiro. Tenho pressa.

– Eles disseram que fariam isso hoje. É melhor esperar. O chefe deles não gosta que duvidem de sua palavra.

– Preciso falar com você sobre outro assunto. Não saia que dentro de meia hora estarei aí.

Osmar desligou e foi se arrumar para sair. Em seu peito a angústia continuava e ele apressou-se. Precisava ter certeza de que tudo continuava bem.

Desceu, engoliu uma xícara de café puro e saiu. Apanhou o carro e rumou para o subúrbio. Parou diante da casa de Nelsinho, desceu e bateu várias vezes na porta.

Pouco depois, Nelsinho abriu, disfarçando a cara de sono e o desconforto por ter de levantar tão cedo. Ele estivera ocupado até quase a madrugada e adorava dormir até tarde.

Depois do bom-dia resmungado de parte a parte, Nelsinho tornou:

– O que o trouxe aqui tão cedo?

– Estou preocupado com a mulher no sanatório. Você tem ido lá saber como ela está?

– Fui naquele dia que liguei para o seu escritório.

– Como ela estava?

– Do jeito que você pediu. Eles continuam fazendo tudo direitinho.

– Mas você disse que ela estava dando trabalho.

– Estava porque o remédio não fazia mais tanto efeito. Mas eles disseram que iam aumentar a dose e acho que fizeram porque não se queixaram mais.

Osmar pensou um pouco, depois disse:

– Vamos até lá. Quero ver isso de perto. Não podemos facilitar. Já chega aquela cochilada que está nos custando caro.

– Eu não tive culpa. Eles desconfiaram de nós e não cumpriram o prometido.

– E agora ficamos nas mãos deles. Já pensou o que pode acontecer se ela falar o que sabe?

– Do jeito que ela está, não conseguirá lembrar-se de nada, que dirá falar.

Conversando, foram para o carro, entraram e Osmar deu a partida.

Passava das dez horas quando pararam diante de um prédio em que se lia a inscrição: "*Sanatório da Paz*".

Desceram do carro e entraram. No saguão, Nelsinho procurou a atendente:

– Preciso falar com o dr. Ernesto.

– Um momento. Vou ver se ele pode atender.

Pegou o telefone, conversou, depois disse:

– Podem entrar. Primeira porta à esquerda.

Os dois caminharam pelo corredor até encontrar a porta; bateram levemente.

– Entre.

Vendo-os entrar, o médico levantou-se com a mão estendida:

– Como vai, dr. Osmar?

– Preocupado, Ernesto.

– Sentem-se. Não há motivo para preocupação. Tudo está sob controle.

– Não sei. Sinto que alguma coisa está para acontecer. Como está ela?

– Dormindo. Como sabe, fomos forçados a aumentar a dose da medicação; depois disso, ela não nos incomodou mais.

– Leve-me até lá. Quero vê-la.

– Não confia em minha palavra?

– Não se trata disso, Ernesto. Vendo-a, saberei que tudo está bem.

– Antes, desejo fazer-lhe uma pergunta: "Até quando pretende mantê-la aqui?".

– Até quando meus problemas estiverem solucionados.

– Concordei em atendê-lo, mas não posso ficar com ela indefinidamente. Isso pode me causar problemas.

– Pensei que a quantia de dinheiro que lhe paguei e a que envio de vez em quando cobrisse todos os seus medos.

– Você tem sido muito generoso. Se não fosse aquele crime, ela poderia ficar aqui o quanto quisesse.

– Já lhe disse que não tive nada a ver com aquele crime. Jamais teria feito negócios com aquela gente se soubesse que iriam chegar a tanto. Você sabe que sou homem de palavra. Eles duvidaram disso.

Ernesto coçou a cabeça, indeciso. Aquele dinheiro fora muito bem-vindo, mas a morte de duas pessoas o assustava demais. Embora Osmar afirmasse que não tivera nada a ver, ele não conseguia acreditar.

Sabia que Osmar mantinha negócios com o homem que foi assassinado, só não entendia como a mãe de Osmar fora morta com ele.

– Você acha que fui culpado daquele crime? Acha que eu seria capaz de mandar matar minha mãe?

– Você está certo de que o corpo encontrado é mesmo o dela?

– Claro que estou. Eu mesmo fui reconhecê-lo.

– É que as demais pessoas de sua família disseram o contrário.

– Estão iludidos. De tanto desejar que não fosse verdade, viram coisas que não existem.

– Seja como for, essa mulher chegou aqui num dia próximo àquele crime. Ela deve ter alguma coisa a ver com esse fato.

– Você está enganado. Ela é uma mulher que sabe demais sobre meus negócios e eu a trouxe aqui para ver se ela esquece o que sabe. Só isso.

– Quando passar o efeito dos remédios, ela poderá dar

com a língua nos dentes. É isso que me preocupa. Não desejo ver o nome do hospital metido nisso.

– Ela se esquecer de tudo depende de você. Deve haver drogas que a façam não se lembrar mais do passado.

Pelos olhos do médico passou um brilho diferente, mas ele disse apenas:

– Eu sei que tem. Mas não posso aplicar nela. Seria contra a medicina.

– Lembre-se de que posso fazer valer a pena. Dentro em breve vou receber uma boa quantia e certamente saberei reconhecer seus serviços.

– Vou pensar.

– Agora desejo vê-la.

Doutor Ernesto levantou-se:

– Venham comigo.

Os três caminharam pelos corredores, subiram um lance de escada até que o médico parou diante de uma das portas. Abriu e convidou:

– Vamos entrar.

O quarto era pequeno e a veneziana da janela estava fechada. Havia uma cama hospitalar, uma mesa de cabeceira e um suporte de soro.

Deitada de costas havia uma mulher magra, de cabelos castanho-claros sobre os ombros, branca, pele delicada, um tanto pálida, olhos fechados, os braços estendidos para fora da coberta. Aparentava mais de cinqüenta anos.

– Está vendo? – disse Ernesto. – Ela dorme tranqüila.

– Espero que ela continue assim – respondeu Osmar.

– Vai continuar. Vamos sair.

Eles saíram e poucos minutos depois deixaram o hospital. Osmar estava satisfeito. Aquela mulher nunca poderia contar como descobrira tudo.

Depois de deixar Nelsinho em casa, Osmar foi para a empresa.

Sentou-se diante de sua mesa, mas não estava em

condições de trabalhar. A angústia continuava e ele fechou os olhos inquieto.

As lembranças o incomodavam e o medo roubava toda sua calma.

Havia conhecido Otávio desde que se interessara em negociar drogas. Ele queria enriquecer logo, não desejava esperar o progresso lento da empresa do pai. Tinha pressa em conquistar poder e em seu entender o dinheiro farto lhe proporcionaria tudo, inclusive o amor de Aurélia.

Conhecia Nelsinho desde a adolescência. Ele vendia drogas aos alunos do colégio em que estudava. Nunca desejara experimentar nenhuma delas. Mas cedo percebera o quanto poderia lucrar nesse negócio.

Já adulto e formado, quando decidiu entrar no negócio, procurou Nelsinho e por meio dele fez os primeiros contatos com alguns traficantes. Inteligente e determinado, aos poucos conseguiu seu lugar entre eles, mostrando capacidade, respeitando suas regras e negociando com cada um o espaço de atuação.

Há dois anos conhecera Otávio, um intermediário de dois grandes exportadores. Era o que ele queria. Seu capital não era grande, mas, nesse ramo, ele estava se multiplicando rapidamente. Tudo corria bem.

Certa tarde recebeu o recado de que Otávio iria ao Rio de Janeiro e o estaria esperando na casa de Nelsinho.

Nesse encontro, Otávio lhe dissera que tinha em mãos um negócio espetacular.

– Ninguém sabe. Trouxe para você em primeira mão.

– Do que se trata?

– É um negócio grande, rendoso, é pegar ou largar. Mas é preciso resolver rápido. Hoje de manhã fui procurado pelo companheiro do Argola. Ele foi preso esta madrugada. Não vai sair tão cedo.

– E daí?

– Bem, o Arlindo procurou-me e disse que o Argola

comprou uma mercadoria barata e de boa qualidade. Arlindo recebeu tudo, guardou em sua casa, e o Argola ia buscar esta noite, mas como ele foi preso; o Arlindo está com medo. Quer livrar-se da mercadoria o quanto antes. Faz por qualquer preço. Eu não tenho como retirar tudo. Sei que você tem.

– Tem certeza de que é de boa qualidade?

– Tenho. Ele me deu uma amostra.

– Tem certeza de que a polícia não sabe nada sobre ela?

– Tenho. A polícia está mais preocupada com um carregamento que apreenderam há um mês. Sobre essa, eles não sabem de nada.

– Nesse caso, vou mandar retirá-la e levar para nosso depósito.

– Mas antes quero cinqüenta por cento do lucro.

– Só se você pagar a metade.

– Não tenho capital. Afinal, essa informação vale muito. Eu poderia ter procurado outros.

Eles discutiram os detalhes e finalmente acertaram o negócio. Osmar mandou buscar a mercadoria e ficou de mandar o dinheiro depois de conferir a remessa.

Otávio foi embora e Osmar fez o que haviam combinado. Naquela noite, ao chegar em casa, encontrou a mãe atarefada, fazendo as malas. Ficou sabendo que ela partiria no dia seguinte para a Europa em companhia de uma amiga.

Estranhou. Procurou o pai.

– É verdade que mamãe vai para a Europa sem você?

– É. Ela está precisando descansar. Tem andado deprimida, cansada. Acho que é a idade.

– Mas por que você não a acompanha como sempre?

– Não quero deixar os negócios.

– Eu posso tomar conta de tudo. Aproveite, vá com ela.

– Não. Ela quer ir com uma amiga dos tempos de faculdade. Concordei. Afinal, não tenho vontade de viajar neste momento.

Ele tentou convencer o pai que ele deveria ir também. Para ele convinha muito que o pai se afastasse durante algum tempo. Assim ele estaria mais livre para fazer o que desejava.

Na manhã seguinte, ele foi ter com a mãe:

– Quando você vai?

– Amanhã à noite.

– Desejo-lhe uma boa viagem, mas ainda acho que deveria levar o papai. Ele tem andado desanimado, penso que uma viagem lhe faria bem.

– Se ele desejar viajar, que vá sozinho. Eu, nesta viagem, desejo me recuperar. Ficar só comigo mesma.

– Mas você vai com uma amiga...

– Vou. Faz muitos anos que nós não nos encontrávamos. Vai ser bom revivermos nossos tempos de juventude. Eu preciso de alegria. Elvira vai me ajudar a reencontrar o prazer de viver.

Foi quando Vitório apareceu e, vendo-a na arrumação, disse triste:

– Mãe... eu preferia que não fizesse essa viagem.

Teresa sorriu levemente:

– Eu preciso ir. Você vai ficar bem.

Vitório segurou a mão dela e respondeu:

– Estou com um mau pressentimento. Algo me diz que você não deve viajar agora.

– Lá vem você com suas idiotices – interveio Osmar. – Não dê ouvidos a ele.

– Eu sinto que você não deve ir. Por favor, desista dessa viagem. Fique perto de nós.

Ao rever essa cena, Osmar pensou:

“Dessa vez Vitório estava certo. Teria sido melhor mesmo que ela não tivesse ido”.

Mas Teresa estava irredutível. Na hora combinada, Alberto acompanhou-a até o embarque e Vitório, angustiado, recolheu-se ao quarto.

Para Osmar teria sido mesmo melhor que o pai tivesse ido viajar. Talvez assim tivesse podido evitar o que aconteceu.

Mais tarde, Osmar encontrou-se com Nelsinho e foram até o depósito conferir a qualidade da mercadoria. Ficou satisfeito. A compra fora mesmo muito boa.

Ele contava poder tirar dinheiro da empresa para juntar ao que já possuía e pagar a dívida. Mas quando chegou na empresa, no dia seguinte, soube que o pai tinha comprado uma quantidade enorme de material e havia pagado metade à vista.

Inconformado, foi conversar com ele:

– Pai, você não podia ter feito esse negócio. Ficamos sem nenhuma reserva.

– Sei o que estou fazendo. Era um ótimo negócio, preço muito bom e eu não podia perder. Dentro de pouco tempo teremos recebido o dobro ou mais.

– Mas nós temos compromissos, contas a pagar. O que faremos sem dinheiro em caixa?

– Você está reclamando sem razão. Antes de fechar eu verifiquei tudo o que temos de pagar neste mês. Vai dar e sobrar.

Osmar ficou nervoso. Ele contava com esse dinheiro para acertar o negócio que fizera. Sabia que como de praxe, eles só faziam negócios à vista. Era receber, ver a qualidade e pagar.

Pela primeira vez desde que se metera nesse negócio sentiu medo. Sabia que eles não eram de brincadeira. Por muito menos eram capazes de matar.

Sua cabeça doía, e ele tentava encontrar uma saída. Naquele mesmo dia recebeu um recado marcando um encontro para pagar o dinheiro.

Desesperado saiu da empresa, procurou um telefone público e ligou para Otávio.

– Preciso conversar com você.

– Recebeu meu recado?

– Recebi, mas estou com um problema. Não tenho toda a quantia.

– Como você fez um negócio desses sem ter o dinheiro? Sabe o que isso significa?

– Sei. Por esse motivo estou ligando para você. Quero que diga ao Arlindo que hoje vou mandar uma parte e que logo mandarei o restante.

– Não posso dizer isso a ele! Vai pensar que o estou enganando.

– Mas é verdade!

– Você está dizendo, mas eu não sei se é mesmo. Pode ser que você esteja me passando a perna.

– Eu nunca faria isso. Sou de palavra. Só preciso de mais alguns dias.

– Faça um empréstimo, faça qualquer coisa, mas não me diga que não vai pagar.

– Ele quer receber ainda hoje, porém não tenho todo o dinheiro.

– Você me colocou em uma grande enrascada. Isso não vai prestar. Se eu soubesse não teria confiado em você.

– Você não pode me emprestar o que falta? Eu devolverei logo.

– O quê? Meu dinheiro está todo aplicado. Não posso tirar de uma hora para outra. Você vai ter de dar um jeito.

Osmar remexeu-se na cadeira inquieto. Recordar esses momentos aumentavam sua angústia.

Naquele dia ele procurara solução sem conseguir. O jeito era dar o que tinha e pedir tempo para pagar o restante. Não havia saída.

Resignado, procurou Arlindo levando o dinheiro que possuía. Ele o esperava ansioso e assim que o viu disse:

– Eu vou me mandar, só estava esperando você chegar. Preciso sair daqui o quanto antes. Soube que o Argola está sendo pressionado e pode dar com a língua nos dentes. Manda logo a bolada que eu tiro minha parte e entrego o restante ao fornecedor.

Osmar entregou o envelope com o dinheiro. Arlindo abriu, contou depois disse:

– E o restante?

– Eu tinha todo o dinheiro na empresa, mas meu pai fez uma compra grande e o retirou.

Arlindo fechou a fisionomia e Osmar continuou sem dar-lhe tempo para dizer nada:

– Não se preocupe. Tenho dinheiro para receber, dentro de um ou dois dias pagarei o restante.

– O que você pensa que eu sou? Algum idiota? Não quero pôr em risco minha pele. Se eu aparecer lá sem todo o dinheiro eles vão pensar que eu estou mentindo. Além do mais preciso viajar urgente, conto com minha parte. Não. De forma alguma, não posso aceitar isso. Você precisa dar um jeito.

– Não tenho como. Quando Otávio me procurou, eu fechei negócio porque contava em tirar a diferença da empresa. Não esperava que meu pai fosse fazer o que fez.

– Isso é problema seu. Eu não tenho tempo para esperar. Vou embora ainda hoje. Se não puder dar o que falta terá de entender-se com eles.

– Você precisa me ajudar. É por pouco tempo.

– Não posso. Dei minha palavra de que o negócio era quente, sempre fui confiável.

Osmar empalideceu. Sabia que os fornecedores daquela mercadoria eram grandes traficantes, cujas regras eram duras e era muito perigoso desrespeitá-las.

– Nesse caso, é melhor eu devolver a mercadoria.

– O quê? Você quer me complicar com a polícia? De forma alguma posso aceitar recebê-la de volta. Depois, nós somos pessoas honestas, não crianças que podem ser enganadas com facilidade. Você não sabe com quem está metido.

– O pior é que eu sei. Estou sendo o mais honesto possível. Se vocês não podem esperar mais alguns dias para receber o restante, é melhor levarem a mercadoria de volta.

– Vamos fazer o seguinte: espero até amanhã. É só o que consigo fazer. Se você não trouxer o restante do dinheiro, terei de contar a verdade aos fornecedores.

– É muito pouco tempo! Não vai dar para arrumar todo o dinheiro.

– Eu vou sair daqui agora, ficar na casa de um amigo. Mas amanhã, nesta mesma hora, virei até aqui esperar pelo dinheiro. Se não trouxer, terei de contar a verdade.

Osmar deixou a casa de Arlindo muito assustado. Em tão pouco tempo como poderia conseguir tanto dinheiro?

Voltou para casa tentando encontrar uma solução sem conseguir.

Naquela noite não conseguiu dormir. Revirou-se na cama angustiado, mas quando pegou no sono viu-se perseguido por vultos negros que o queriam agredir.

Enquanto recordava esses fatos, Osmar tentava descobrir de onde vinha essa sensação de medo e de mau pressentimento.

quatorze

Pressionado pelas lembranças, Osmar continuava tentando colocar as idéias em ordem para poder programar os próximos passos.

Depois daquele encontro com Arlindo, os acontecimentos se precipitaram. Ele foi preso naquela mesma noite e Osmar sentiu-se acuado. Certamente, Otávio informaria os fornecedores que ele não cumprira o prometido, o que era falta grave.

Ele havia recebido o dinheiro da última partida de mercadoria que negociara, mas seu montante não era suficiente para pagar tudo o que devia.

Tentou falar com Otávio, mas ele não atendia o telefone. Foi quando começou a receber telefonemas anônimos com ameaças, chamando-o de traidor, de desonesto, de sem palavra.

Assustado, ele sabia de onde vinham esses telefonemas, mas ainda não tinha conseguido todo o dinheiro e, para seu desespero, Otávio não atendia seus chamados.

Mesmo sem ter o restante do dinheiro, na noite seguinte Osmar foi ao encontro de Nelsinho. Ele precisava fazer alguma coisa.

Contou-lhe o que estava acontecendo e finalizou:

– Estamos encrencados. Temos de encontrar uma saída com urgência.

– Foi você quem fez o negócio. Eu não tenho nada com isso. Só ajudo na distribuição.

– Você acha que eles vão querer só a mim? Como é ingênuo! Está metido nisso tanto quanto eu.

– Nesse caso, vou me mandar. Não vou esperar a bomba estourar.

– Você não vai me deixar sozinho nisso. Depois, não adianta fugir. Eles têm esquema perfeito e a essa altura já devem saber tudo a nosso respeito.

– Nisso pode estar na mão do Nivaldo. Ele morre de inveja de nós porque não consegue nos vencer.

– Ele é café pequeno. Esqueça isso. Temos coisa mais importante para pensar.

Juntos, tentaram encontrar uma saída, porém a única que resolveria seria arranjar o dinheiro imediatamente, o que não era possível.

– Vou procurar me esconder durante alguns dias – disse Nelsinho.

– Eu não tenho como.

O telefone tocou e os dois se sobressaltaram. Nelsinho atendeu:

– Alô. Sim, sou eu.

– Quero falar com o vagabundo que está com você.

– Quem?

– Eu sei que ele está aí. Passa logo o fone para ele.

Nelsinho estendeu o aparelho para Osmar:

– É para você.

Osmar sentiu o coração bater mais forte. Nervoso, atendeu:

– Alô. Quem está falando?

– Não interessa. Você está marcado. Ninguém pode brincar com o Gil.

Gil Duarte era o nome do chefe dos traficantes, dono da mercadoria que ele comprara. Osmar respirou fundo e respondeu:

– Não estou brincando. Sou homem sério. Se é por causa do dinheiro daquela mercadoria, não precisa se preocupar. Dentro de um ou dois dias levarei para vocês.

– Você não está falando sério. Não podemos correr o risco de esperar esse tempo. Depois, você sabia as condições do negócio. Se fechou, tem de pagar do jeito combinado.

– Eu vou pagar. Só que preciso de mais alguns dias.

– O máximo que podemos esperar é até amanhã ao meio-dia. Vou ligar para lhe dizer onde deve levar o dinheiro.

Osmar desligou suando frio. Ele sabia que não conseguiria ter o dinheiro até o horário previsto.

Deixou Nelsinho e foi para casa. Sua cabeça doía e ele não conseguia encontrar uma solução. Passava da meia-noite quando o telefone do seu quarto tocou.

– Alô. Sou eu.

– Nós temos aqui duas pessoas que você conhece muito. Teresa e Elvira. Se não arranjar o dinheiro, vamos acabar com elas.

Osmar deu um pulo assustado.

– É mentira. Minha mãe está na Europa. Você está querendo me pressionar.

– Eu posso provar.

– Como?

– Vá até o endereço que vou lhe dar e encontrará as provas de que precisa.

– Diga para eu anotar.

O homem passou o endereço, depois desligou. Osmar passou as mãos nos cabelos, tentando se acalmar. Isso não podia ser verdade. Sua mãe em poder daqueles bandidos o deixava aterrorizado.

Procurar a polícia seria como denunciar sua ligação

com os traficantes. Precisava saber se eles realmente tinham Teresa em seu poder.

Isso poderia ser apenas uma maneira de atraí-lo para uma cilada. Mas e se Teresa estivesse mesmo com eles, não ir seria deixá-la à mercê deles e, o que o incomodava mais, tornaria clara sua participação nos negócios com os traficantes.

Vencendo o medo, Osmar decidiu verificar. Foi. O endereço ficava na periferia de um subúrbio. O lugar estava deserto àquela hora da noite. Ele parou o carro diante da casa modesta, olhando em volta receoso.

A casa estava às escuras e não havia sinal de vida. Osmar não desceu do carro, estava pronto para fugir se fosse preciso. Esperou alguns minutos, mas vendo que não aparecia ninguém, ligou o carro disposto a ir embora.

Então, a porta da casa se abriu e uma mulher saiu quase correndo. A porta fechou-se novamente. Osmar não a conhecia, mas ela aproximou-se dizendo agitada:

– Por favor! Ajude-me!

Vendo que ela não carregava bolsa nem arma, Osmar abriu o vidro do carro e perguntou:

– Quem é a senhora?

– Sou Elvira. A amiga de Teresa.

Osmar abriu a porta e disse nervoso:

– Elvira? Entre, conte-me o que está acontecendo? Onde está minha mãe?

Ela entrou no carro dizendo aflita:

– Vamos embora. Vou contar-lhe tudo.

– Minha mãe não está com você?

– Não. Eles me trouxeram aqui sozinha. Ela ficou em outro lugar.

Osmar ligou o carro e saíram. Depois de alguns minutos ele perguntou:

– Quem estava com você naquela casa?

– Dois homens. Eles nos prenderam dias atrás.

– Meu pai as levou para o aeroporto e viu vocês embarcarem. Como pode ser isso?

– Nós não embarcamos. Seu pai se despediu quando entramos na área de embarque, nós esperamos um pouco e saímos.

– Não estou entendendo. Vocês não iam para a Itália?

– Não. Ela fingiu isso, mas sua idéia era outra.

– Como assim? Por que ela não disse a verdade?

– Esse é um assunto dela e não estou autorizada a lhe contar.

– Você vai ter de contar. A vida dela está ameaçada.

– Eu também acho. Nós temos de ir à polícia.

– Nada de polícia. Isso pode colocar a vida dela em risco. Mas fale, por que vocês desistiram da viagem?

– Nós não desistimos de viajar. Apenas programamos ir para outro lugar.

– Por que tanto segredo? Por que mamãe não disse para onde iriam?

– Esse é um assunto dela. Depois você pergunte a ela. Eu não posso entrar nisso. Ela tinha programado ir para São Paulo e foi o que fizemos. Lá, quando saímos do aeroporto com nossas bagagens à procura de um táxi, fomos seguidas por dois homens que em determinado momento se aproximaram, apontaram-nos suas armas e nos obrigaram a entrar no carro.

– Você conhecia esses homens?

– Não. Um era mal encarado, o outro tinha uma aparência melhor. Eles nos ameaçaram e nos levaram para uma casa em um bairro afastado. Lá nos amarraram e havia um outro que parecia ser o chefe, ele nos disse que ficaríamos presas até que você pagasse o que lhe devia.

– Eu?

– É. Ele quis nos assustar e disse que você traficava drogas, estava devendo e não queria pagar. Se você não trouxesse o dinheiro, eles nos matariam. Teresa ficou indignada, disse que isso não era verdade, mas eles responderam que ela não sabia o que você fazia na empresa da família.

– Eles estavam mentindo. Ela acreditou?

– Teresa chorou muito, mas ele insistiu tanto, que nós duas acabamos por acreditar. Teresa não se conformava por você ter entrado nesse caminho. Não parava de chorar.

Ela fez ligeira pausa e depois continuou:

– Esta noite, eles me colocaram no carro e me levaram para aquela casa. No caminho me disseram que era para lhe contar o que estava acontecendo e que se não arranjasse o dinheiro até amanhã ao meio-dia, eles matariam sua mãe.

Elvira soluçava aflita e Osmar não sabia o que fazer.

– Apesar de tudo eu ainda acho que nós deveríamos procurar a polícia e tentar salvar a vida de Teresa.

– Procurar a polícia seria o mesmo que matá-la. Temos de pensar em outro jeito.

– Você pode pedir o dinheiro a seu pai. Ele não vai se negar a dar.

– Papai não pode saber o que está acontecendo. Temos de arranjar uma solução sem a polícia.

– O tempo passa depressa. Logo o dia estará amanhecendo e chegará a hora de levar o dinheiro.

Osmar mal ouvia o que Elvira estava dizendo. Em sua cabeça estava o receio de que ela viesse a contar o que descobrira sobre suas atividades. Não podia levá-la para sua casa, nem para um hotel. Temia que ela fosse à polícia pedir ajuda.

Tinha de levá-la para um lugar onde ela ficasse escondida e não pudesse dar com a língua nos dentes. Lembrou-se do dr. Ernesto que tinha um sanatório de doentes mentais. Havia prestado a ele alguns favores e agora chegara o momento de cobrar sua dívida.

Quando estavam chegando ao sanatório, Osmar disse:

– Estou preocupado, você não parece bem, está nervosa, agitada. Você conhece alguém nesta cidade?

– Não sei nem onde estou.

– No Rio de Janeiro.

– Pensei que ainda estivesse em São Paulo. Não conheço ninguém aqui a não ser seu pai.

– Você vive com sua família?

– Não. Meu marido morreu e não tive filhos. Moro sozinha e não tenho outros parentes. Encontrei sua mãe e ela convidou-me para ser sua dama de companhia. Aceitei.

– Depois do que passou, você está precisando de cuidados médicos. Por isso eu a trouxe a este hospital, que é de um amigo meu. Ele vai ajudá-la a se acalmar.

– Eu não quero ficar em um hospital. Estou preocupada com Teresa. Eu não sei onde ela está. Eles vedaram nossos olhos e eu nem sabia que estava vindo para o Rio de Janeiro.

– Você não vai ficar no hospital. Só fazer um exame, verificar se está tudo bem e descansar. O dia está amanhecendo e eu preciso ir para ver se consigo o dinheiro. Você pode ficar aqui e, amanhã, depois que eu resolver tudo, voltarei para buscá-la e veremos o que fazer.

Osmar parecia mais calmo e Elvira aceitou fazer o que ele queria. O dr. Ernesto não se encontrava no local, mas seu assistente atendeu Osmar.

– Aí fora está uma mulher muito desequilibrada, não fala coisa com coisa. Não dá para entender, diz que foi seqüestrada, perseguida, está com mania de perseguição. Não dorme à noite, por esse motivo eu a trouxe aqui. Gostaria que você a atendesse e lhe desse algum remédio para dormir. Pela manhã, falarei com o dr. Ernesto e pedirei que a examine. Ela precisa descansar e a família dela também.

– Deixe comigo, dr. Osmar. Vou tratá-la com carinho. Ela vai dormir como um anjo.

Osmar despediu-se de Elvira e saiu. Dela estava livre, pelo menos por alguns dias. O que aconteceria se ele não arranjasse o dinheiro?

Nem queria pensar nisso, mas, por outro lado, se conseguisse esse dinheiro, teria dado um golpe de mestre. Ganharia muito mais e poderia fazer sua independência. O problema era que isso seria impossível em tão pouco tempo.

O dia havia amanhecido e ele foi para casa. Tomou um banho, vestiu-se e mesmo sem apetite tomou um reforçado café da manhã e foi para a empresa.

Uma vez lá, mergulhou nos extratos bancários, nas aplicações, consultou o fluxo de caixa, mas esses documentos lhe mostraram que não havia mais o que extrair da empresa.

Seu pai tinha raspado o fundo do tacho para fazer aquela desastrada compra que ocasionara todo o seu drama.

Uma onda de raiva o acometeu e ele teve vontade de brigar com o pai. Tentou acalmar-se e não demonstrar seu nervosismo.

Alberto mostrava-se radiante com aquele negócio que tinha feito, calculando os ganhos que teriam, o que proporcionaria à empresa maiores possibilidades de investimentos e mais folga com relação aos pagamentos futuros.

Osmar não tinha como falar no assunto e precisou engolir sua raiva, seu desespero e sua insatisfação.

Apesar de seu esforço, Alberto notou que ele não estava bem e perguntou:

– O que você tem? Parece nervoso. Aconteceu alguma coisa?

– Não aconteceu nada. Eu estou muito bem.

– Será por causa da notícia que saiu no jornal de ontem?

– Que notícia?

– Aurélia em boa companhia. Você não viu?

– Não.

Alberto apanhou o jornal, encontrou o que procurava e mostrou a ele dizendo:

– Ela está namorando firme. Falam até em casamento.

Osmar apanhou o jornal irritado. A foto mostrava Aurélia e um moço, abraçados e sorridentes. Ele leu a legenda: "A linda e charmosa Aurélia Saldanha e seu namorado na festa dos Alves de Mello. O casal não se larga. Tudo indica que esse namoro é para valer".

– O melhor que você tem a fazer é esquecer de vez essa mulher, uma vez que ela não corresponde ao que você sente por ela.

Osmar teve vontade de bater no pai, jogar toda sua raiva sobre ele, a custo conteve-se. Engolindo a raiva respondeu com a voz trêmula:

– É isso que eu vou fazer.

Alberto sorriu satisfeito. Achava o filho um rapaz bonito, bom e de futuro. Não entendia como uma mulher pudesse rejeitá-lo.

Osmar respirou fundo e tentou colocar a atenção no trabalho, mas não conseguiu. Ele não pretendia desistir de Aurélia, mas o caso dela precisava esperar.

As horas estavam passando sem que ele encontrasse uma solução para o seu problema.

Eram onze horas quando o telefone tocou e Osmar atendeu:

– Alô, sim, sou eu.

– Você tem apenas mais uma hora para entregar o dinheiro. Anote o lugar e a maneira de fazer isso.

– Eu ainda não consegui arranjar tudo. Vou levar o que tenho.

– Se não conseguir, ela vai pagar. O problema é seu.

– Minha mãe não sabe dos meus negócios e não pode pagar por mim. Por favor, não faça nada a ela. Dê-me a indicação de como fazer que vou ver se consigo.

O homem passou os detalhes e Osmar anotou tudo. Suas mãos tremiam e, naquele momento, ele se arrependeu amargamente de ter entrado nesse negócio. Mas era tarde demais. Não tinha como recuar.

Apesar de tudo, estava decidido a fazer uma última tentativa. Seu dinheiro não estava em banco. Ele o guardava em um esconderijo, em casa mesmo. Tinha parte em dólares e em moeda nacional, mas como era dinheiro ilícito, não podia aparecer oficialmente.

Depois, os negócios eram feitos em dinheiro vivo e ele podia precisar valer-se dele de uma hora para outra.

Apanhou uma pasta, colocou o dinheiro, tendo conferido o montante e, mais uma vez, percebeu que ainda faltava uma quarta parte do que precisava.

Cinco minutos antes da hora marcada, ele parou o carro no local combinado. Tratava-se de uma praça e ele percebeu logo o homem sentado em um dos bancos lendo um jornal.

Reconheceu um dos homens de Otávio. Era a ele que deveria entregar a pasta com o dinheiro sem dizer nada e ir embora. Depois de conferir, eles libertariam Teresa.

Osmar cumpriu tudo conforme o combinado, mas suas pernas tremiam. Havia escrito uma carta e colocado junto com o dinheiro, pedindo que esperassem mais alguns dias, que libertassem sua mãe, jurando pagar tudo.

Depois ele foi para a empresa. Seu estômago estava embrulhado, não conseguiu almoçar. Tomou um uísque para relaxar e tentou se acalmar.

Sabia que teria uma resposta. Se eles aceitassem esperar um pouco mais, não fariam nada contra Teresa, porém continuariam mantendo-a presa, caso contrário, talvez até acabassem com ela.

A esse pensamento Osmar estremecia nervoso. Era possível até que não se dessem por satisfeitos apenas com isso e atentassem também contra a vida dele.

Se eles a matassem, certamente o caso estaria nas mãos da polícia. O que ele faria para escapar de uma investigação dessas? Sua participação nos acontecimentos viria à tona. Isso para ele seria pior até do que a morte.

Aquela tarde custou a passar e Osmar não conseguia pensar em outra coisa. Fingiu estar trabalhando, até tentou, mas sua cabeça estava confusa e perturbada.

A noite chegou e ele não teve nenhuma notícia. Não saber o que estava acontecendo, deixava-o inquieto, irritado e nervoso.

Durante o jantar, resolveu comer alguma coisa. Seu estômago doía e ele estava se sentindo enfraquecido.

Procurou reagir e comeu um pouco de tudo. Alberto estava alegre e conversador naquela noite e Osmar fez o possível para não demonstrar seu desespero.

Em certo momento, Alberto fixou-o, dizendo:

– Noto que você está se esforçando para parecer bem. Mas não está.

– Confesso que aquela foto de Aurélia me tirou do sério.

– Eu sei, meu filho. Mesmo reagindo, você não consegue esquecer. Uma desilusão amorosa é muito penosa, mesmo. Mas tudo passa. Estou certo de que logo esquecerá, encontrará outra mulher que o valorize e acabará rindo quando se recordar desses momentos.

– É o que desejo, pai.

Dinda apareceu e Alberto perguntou:

– Vitório não vai mesmo jantar?

– Não, senhor. Ele anda muito triste pela falta de d. Teresa. Quase não tem se alimentado.

– Esse menino não pode ficar sem comer. Precisa deixar essas manias de meditação e de ficar fechado naquele quarto falando com as paredes – respondeu Alberto.

– Eu vivo falando isso. Você precisa usar sua autoridade para que ele procure outro trabalho e deixe essas manias – rebateu Osmar.

– Qualquer dia vou obrigá-lo a ir trabalhar na empresa. Assim ficará sob nossos olhos.

– De modo algum – protestou Osmar, irritado. – Ele só iria nos dar trabalho. Não gosta de nada. Ficaria lá, fechado na sala, meditando, e nada o faria interessar-se pelo trabalho.

– Do jeito que vocês falam até parece que Vitório é preguiçoso – interveio Dinda. – Vitório é muito trabalhador, mas gosta de outras coisas. Cada um é como é, as pessoas não são iguais.

– Você e mamãe gostam de ficar mimando Vitório. Por esse motivo ele é tão folgado.

Osmar precisava jogar sua raiva, sua impotência diante dos fatos sobre alguém e o irmão sempre foi para ele motivo de rancor.

– Vamos mudar de assunto – disse Alberto. – Vamos jantar em paz.

Osmar concordou, mas, para ele, naquela noite não havia nenhuma possibilidade de ficar em paz.

15

Osmar continuou se recordando. Lembrou-se de que três dias depois, quando entrou na empresa, apanhou o jornal que a secretária como de costume colocara sobre a mesa e começou a folheá-lo. Até aquele dia não obtivera nenhuma notícia sobre o dinheiro pago aos traficantes, o que o enchia de esperança de que os seqüestradores de Teresa houvessem aceitado esperar pelo restante do dinheiro.

Continuando a folhear o jornal estremeceu assustado. Um crime havia sido cometido em São Paulo. Um casal fora assassinado na cama em condições misteriosas. O homem morto era Otávio de Oliveira cuja foto estava estampada na matéria.

Osmar sentiu uma tontura, levantou-se, apanhou um copo d'água e tomou, tentando acalmar-se. Respirou fundo e leu a matéria.

A mulher morta era de identidade desconhecida e tinha a idade de Teresa, o que o fez pensar que, de fato, ela havia sido assassinada.

A custo conseguiu controlar-se. O terror tomou conta dele. Tentou reagir. A mulher morta que estava na cama com Otávio certamente seria sua amante e não podia ser Teresa.

Otávio havia sido o intermediário do seu negócio e fora punido por não ter levado o dinheiro. Se essa hipótese se confirmasse eles poderiam ter feito o mesmo com sua mãe e, talvez, a essa hora já estivessem à procura dele.

Como saber a verdade? Otávio tinha vários negócios e poderia ter sido assassinado por outros motivos. Aflito, Osmar não tinha como encontrar a resposta.

O telefone tocou, ele atendeu, era Nelsinho:

– Já leu os jornais de hoje?

– Já. Eu disse para você não ligar para empresa.

– Se for o que estou pensando, estamos correndo sério risco.

– Depois passarei em sua casa e conversaremos. Pelo telefone, não.

– Estou nervoso. Desligue o telefone e venha até aqui agora.

– Não posso sair agora. Irei no fim da tarde.

– Pode ser muito tarde.

Osmar sentiu medo, mas controlou-se.

– Irei assim que meu pai chegar na empresa. Estamos esperando uma entrega de mercadoria e não posso sair pelo menos até ele chegar.

Ele também tinha urgência em conversar com Nelsinho, talvez ele conhecesse alguém que pudesse colher informações. Pensou em recorrer a Norberto, mas ao mesmo tempo não queria que ele soubesse detalhes dos seus negócios.

Geralmente o contratava para alguns serviços, mas achava perigoso que ele soubesse muito sobre sua vida.

Assim que desligou o telefone, chamou a secretária e disse:

– Meu pai já deveria ter chegado. Eu tenho um negócio urgente para resolver, mas não posso deixar a empresa enquanto ele não chegar. Ligue para casa e pergunte se ele vai demorar.

– Não será preciso. O dr. Alberto recebeu um chamado de São Paulo, pediu que eu reservasse uma passagem e a essa hora já deve ter chegado lá.

– Para São Paulo? O que ele foi fazer lá?

– Ele não disse.

– Sabe quando volta?

– Não. Penso que ele não saiba, porque ficou de ligar assim que tivesse uma posição.

Osmar procurou controlar a contrariedade. Por que seu pai teimava em continuar dirigindo a empresa? Era hora de ele aposentar-se e deixar tudo em suas mãos.

A presença dele estava atrapalhando seus negócios. Quando ele voltasse, trataria de convencê-lo a afastar-se definitivamente da empresa.

Passava das duas horas da tarde quando ele conseguiu sair e procurar Nelsinho no novo endereço. Encontrou-o fechando uma mala e perguntou nervoso:

– Aonde você vai?

– Vou me mandar. A qualquer hora eles podem pintar aqui e eu pretendo estar muito longe.

– De novo? Você está se precipitando. Pode ser que esse crime não tenha nada a ver com nossos negócios.

– Não quero esperar para descobrir. Minha intuição está me dizendo para sumir.

– Onde você pensa ir? Acha que não irão a seu encontro onde estiver?

– Sei me esconder e não vou ficar esperando eles me encontrarem. Quer saber? Aconselho você a fazer o mesmo. Com esse povo não dá para brincar. Por muito menos já vi um deles acabar com o Juvenal. Lembra-se dele?

– Aquele cara que tinha o rosto cheio de marcas?

– Esse mesmo. O apelido dele era Juvenal Bexiguento. Um tiro certeiro na cabeça e ele já era. Não disse um ai. Eu escapei porque estava escondido, só observando. Ainda quer esperar?

Osmar passou as mãos nos cabelos e disse aflito:

– O pior é que não temos como nos informar. Eles não me ligaram mais, as ameaças pararam, cheguei a pensar que tivessem aceitado minha proposta.

– A morte de Otávio é uma boa resposta. Não há o que duvidar. Otávio trabalhava com eles há algum tempo. Haviam feito vários negócios juntos.

– Essa gente não confia em ninguém. Hoje o estão paparicando porque você está sendo útil, amanhã o estarão tirando do caminho por achar que você não serve mais.

– Você não deveria ter dado todo aquele dinheiro a eles. Agora ficamos sem recursos para fugir. Eu tenho algumas economias, mas vou ter de batalhar para conseguir viver. Talvez você possa me arranjar mais algum.

Osmar meneou a cabeça negativamente.

– Eu dei tudo o que tinha na esperança de que eles aceitassem.

Nelsinho fechou a mala e tornou:

– Vou desaparecer. Você não pode fazer nada, não vou esperar.

Osmar insistiu para que ele não fosse embora, mas foi inútil. Nelsinho estava decidido. Apanhou a mala, fechou a casa e despediu-se de Osmar.

– Como vou saber de você? Não tenho onde ligar.

– Pode deixar que eu ligo para você. Não sei ainda onde vou ficar.

– Não ligue para a empresa.

– Vou ligar para sua casa, à noite. Adeus.

Ele se foi e Osmar entrou no carro e voltou para a empresa. Por que tudo estava dando errado para ele?

Aurélia se comprometendo com aquele rapaz, seu pai viajando para São Paulo sem lhe dizer para quê... Nelsinho o abandonando na hora em que mais precisava de apoio.

Uma onda de angústia o acometeu ao pensar que sua mãe poderia estar morta ou correndo risco de morte, sem que ele pudesse fazer nada.

Sua cabeça doía e ele tentava acalmar-se em vão. Alguns vultos escuros o envolviam e Osmar sentia arrepios percorrer-lhe o corpo.

Um deles aproximou-se dizendo em seu ouvido:

– Não tenha medo. Nós o estamos protegendo. Eles não vão lhe fazer mal.

Outro se aproximou e disse:

– Enquanto você fizer o que nós queremos, nada de mau vai lhe acontecer. Não se preocupe, nós tiraremos do seu caminho todos os que desejarem prejudicá-lo.

Osmar não registrou as palavras, mas reagiu pensando:

"Eu sou forte. Ninguém vai me fazer mal. Nunca tive medo de nada. Não sou um covarde".

Os vultos o abraçaram satisfeitos:

– Isso mesmo. Você é forte e nós estamos juntos.

Aos poucos, Osmar foi se acalmando. Ele estava se fazendo de fraco. Era forte, sempre havia conseguido tudo o que queria.

Pensou em conversar com Norberto e contratar dois ou três homens que cuidassem de sua segurança. Afinal, ele tinha como se defender e enfrentar fosse quem fosse.

Não ia se esconder como Nelsinho. Não seria um covarde.

Esses pensamentos o acalmaram e ele voltou à empresa. Finalmente conseguiu trabalhar. No fim da tarde, porém, recebeu um telefonema de Alberto, contando o que fora fazer em São Paulo e dando a notícia de que Teresa havia sido assassinada.

Ela era a mulher encontrada na cama, morta ao lado de Otávio. A custo, Osmar conseguiu controlar seu desespero e fingir que não sabia de nada.

Além de ter de ir a São Paulo reconhecer o corpo,

ainda teria de dar a notícia a Vitório. Desligou o telefone e foi para casa.

O que aconteceu depois passou pela sua mente como um filme. Os traficantes não o procuraram mais, dando-se por satisfeitos com a morte de Otávio e de Teresa.

Norberto investigara a vida do dr. Augusto Mendonça e o que descobrira deixou Osmar com mais raiva. O médico era de ótima família, rico e muito estimado por onde passava.

Além de tudo, era um homem simples, alegre e como se isso não bastasse, prestava serviço como voluntário em um hospital pobre da periferia.

Osmar desejava armar uma cilada para desmoralizá-lo de alguma forma, a fim de que Aurélia o desprezasse e o abandonasse.

Mas estava difícil. Osmar sabia que precisava programar muito bem o golpe para que não fracassasse.

Teria de ser alguma coisa muito forte, algo que destruísse aquela auréola de herói que o médico possuía.

Para conseguir o que desejava, contratou Norberto para observá-lo, conhecer seus hábitos e poder programar como afastá-lo de Aurélia.

Enquanto Osmar mergulhava nas lembranças do passado, naquele momento em São Paulo, Paulo, em seu escritório esperava a chegada de Wagner, seu auxiliar, a quem mandara investigar a vida de Osmar.

Na véspera, Wagner tinha lhe telefonado dizendo:

– Estou voltando esta noite. Tenho notícias muito importantes para você.

– Vou esperá-lo amanhã cedo. É melhor conversarmos pessoalmente.

Paulo e Vitório tinham examinado os documentos encontrados na casa de Marília e chegado à conclusão de que eram reveladores. Por esse motivo, Paulo os entregara ao delegado, que ficou radiante com a descoberta.

Finalmente uma boa pista. Certamente haveria nomes, ainda que incompletos, que poderiam conduzi-lo ao encontro do assassino.

A opinião dos peritos estava dividida. Havia quem achasse que fora apenas uma pessoa que cometera o crime, enquanto outros não descartavam a possibilidade de terem sido duas ou até três.

Para Paulo, o que estava claro pela brutalidade e violência com que fora feito, é que mesmo que o motivo fosse por questões de dinheiro e poder, uma vez que havia traficantes de drogas envolvidos, havia muito ódio no assassino. Paulo suspeitava que fosse um caso de vingança.

Ao ouvir algumas batidas na porta, Paulo foi abrir. Wagner entrou e, depois dos cumprimentos, sentaram-se um diante do outro. Paulo perguntou:

– O que tem para me dizer?

Wagner tirou da pasta alguns papéis e respondeu:

– Aqui estão os relatórios minuciosos dos dias em que o seguimos.

Paulo apanhou os relatórios.

– Vou ler depois. Você disse que tinha notícias importantes. Relate-me o que descobriu.

– No primeiro dia em que o segui, ele foi até o subúrbio conversar com um "tal" de Nelsinho. Descobrimos que ele é um traficante conhecido por operar em pequenos negócios. Mas tem lastro com pessoas importantes desse meio, o que faz crer que nos últimos tempos ele tenha se relacionado com gente mais importante.

– Continue.

– Nesse dia, os dois saíram juntos e foram até um hospital de doentes mentais. Mandei Mário entrar e tentar descobrir o que os dois foram fazer lá... Com jeito, ele conseguiu saber por uma auxiliar de enfermagem que Osmar tem uma paciente internada lá.

– Descobriu quem é?

– Não. O importante é que essa paciente está sob a orientação direta do dono do hospital e que apenas uma enfermeira pode cuidar dela. Mandei o Mário ver se descobria mais alguma coisa sobre essa mulher. Você sabe que ele é sempre muito bem-visto pelas mulheres e tem um jeito especial para lidar com elas. Conseguiu um encontro com a assistente fora do hospital, mas nem assim pôde saber mais alguma coisa.

– Temos de investigar esse hospital. Tenho a sensação de que é para ir por aí.

– Foi o que pensei. Tanto que deixei o Mário lá para ficar de olho. O nome do hospital, do médico, ao qual ele pertence consta no relatório.

– Bom, porque vou pedir para o dr. Monteiro investigar. Qual a sua impressão sobre o dr. Osmar?

– Você acertou na mosca quando pensou em investigar a vida dele. É um empresário, goza de uma boa posição social e financeira, seu pai, o dr. Alberto, é muito respeitado no mercado onde atua. Mas Osmar, embora seja um homem de gosto requintado, freqüente a alta sociedade do Rio de Janeiro, tem um lado marginal, uma vez que é ligado a pessoas suspeitas.

– Como Nelsinho?

– Sim. Ele foi procurar um detetive particular chamado Norberto e segundo descobrimos, trata-se de pessoa que aceita negócios duvidosos e não merece confiança. Isso mostra que Osmar anda metido em assuntos pouco convencionais para sua posição social.

– Vamos continuar investigando.

Paulo apanhou os relatórios e leu-os, enquanto Wagner esperava calado. Quando terminou, comentou:

– Bom trabalho.

– Vai precisar de mim por hoje? Tem uma pessoa que eu gostaria de visitar.

Paulo sorriu:

– Não. Descanse hoje. Vou pensar nos próximos passos. Assim que eu tiver decidido algo, falo com você.

Wagner saiu e Paulo ficou pensativo. Seria melhor não contar nada para Vitório. Ele era muito sensível e talvez não conseguisse esconder essa história do pai.

Por enquanto, preferia manter sigilo para não atrapalhar as investigações.

O telefone tocou e ele atendeu:

– Paulo, é Monteiro.

– Como vai?

– Bem. Estou ligando para dizer que você estava certo em relação àqueles documentos encontrados na casa de Otávio. Trata-se mesmo de tráfico de drogas. Otávio era mesmo traficante.

– Havia alguns nomes nesses papéis?

– Sim. Apesar de não mencionarem os sobrenomes, conseguimos identificar alguns. Finalmente temos o motivo do crime. Desentendimentos e vingança.

– Sim, tudo isso e algo mais.

– Como assim?

– Suspeito que há também alguma coisa emocional, vingança sim, mas não apenas pela questão das drogas.

Monteiro ficou calado durante alguns segundos, depois respondeu:

– Em que se baseia para chegar a essa conclusão?

– É apenas uma suspeita. Vou analisar melhor os fatos e quando tiver algo mais sólido vou trocar idéias com você.

– Estarei esperando. Enquanto isso, meu pessoal está investigando.

Paulo desligou e leu novamente os relatórios que Wagner trouxera. Quanto mais lia, mais acreditava que Osmar, de alguma forma, estava envolvido naquele crime.

A secretária avisou que Vitório havia chegado e queria falar com ele.

– Mande-o entrar.

Pouco depois, Vitório entrou e, depois dos cumprimentos, disse:

– Marília me telefonou dizendo que recebeu outra carta anônima e está com medo. Pediu que fôssemos até lá.

– Claro. Vamos.

Meia hora depois, eles chegaram na casa de Marília e a encontraram muito assustada. A carta havia sido colocada debaixo da porta como a anterior.

Paulo tirou do bolso uma pequena pinça e explicou:

– Não vamos tocar nela. Pode ter impressões digitais.

– Eu a peguei e abri – confessou Marília, preocupada.

– Eu também a segurei – disse Dorita.

– Se acontecer novamente, não toquem em nada e me avisem.

Ainda segurando a carta com a pinça ele leu:

"Você não devia ter entregado aqueles papéis à polícia. Isso vai lhe custar muito caro".

Não estava assinada.

– Eu fiz mal em entregar aquelas caixas. Estou sendo ameaçada por causa disso – queixou-se Marília.

– Não tenha medo. Nós saberemos defendê-la. Não vai acontecer nada. – Respondeu Paulo, continuando: – Eu preciso de um saco plástico para colocar o documento.

Dorita correu até a cozinha e voltou trazendo o que ele pediu. Paulo colocou cuidadosamente a carta dentro dele, fechou e colocou-o no bolso. Depois, aproximou-se de Marília, que estava pálida, segurou sua mão e disse:

– Você é uma mulher corajosa e vai superar isso.

– É a mesma pessoa que escreveu a outra carta. Tenho certeza. Se soubesse como me arrependo de ter ido àquela casa... – Fez ligeira pausa e continuou: – Nós somos duas mulheres e uma criança nesta casa. Não temos como nos defender. Se eu tivesse dinheiro me mudaria para longe, onde pudéssemos esquecer tudo isso e ninguém pudesse nos fazer mal.

Olhos marejados, Marília esforçava-se para conter as lágrimas que, teimosas, despontavam e começavam a descer pelas suas faces.

Paulo abraçou-a delicadamente:

– Tenha calma. Nós a protegeremos. Falarei com Monteiro, coloraremos vigilância vinte e quatro horas.

– Eu não deixei Altair ir à escola. Tive medo. Ele é minha única riqueza. Temo por ele.

Em sua mente a trágica cena do crime que presenciara estava presente, fazendo-a estremecer.

Altair entrara na sala e Marília esforçou-se para controlar-se.

– Mãe, o que aconteceu? Está chorando por causa daquela carta?

Marília tentou sorrir:

– Não, meu filho. Não há perigo. Estamos protegidos. O dr. Paulo e o dr. Monteiro vão nos proteger. Nada vai nos acontecer.

– Isso mesmo Altair – interveio Paulo, que tirara os braços que colocara em volta de Marília. – Não tenha medo.

O ambiente estava tenso e Dorita tentou fazer alguma coisa:

– Vamos todos tomar um lanche? Está na hora. Vou fazer um chá e temos um bolo delicioso que Marília fez hoje. Uma receita nova, está maravilhoso.

– Isso mesmo – tornou Marília. – Vamos tomar um chá com bolo, assim vocês me dirão se ele está bom mesmo.

Eles foram para a copa, Dorita arrumou a mesa e dentro de alguns minutos eles estavam sentados tomando chá e experimentando o bolo.

Marília esforçava-se para parecer calma, mas Paulo sentia o quanto ela estava apavorada. Naquele instante sentiu um calor no peito e uma vontade muito forte de abraçá-la e protegê-la contra todos os perigos.

16

Depois que deixaram a casa de Marília, Vitório foi para a casa e Paulo decidiu passar na delegacia.

Com o delegado, Paulo examinou melhor a carta. Resolveram entregá-la a um departamento para exame pericial.

Sentado diante de Monteiro, Paulo indagou:

– O que você pensa dessa carta?

– Pode ser um boa pista, acredito que tenha sido escrita pelo assassino. Mas por outro lado duvido que ele tenha deixado algum rastro. Deve ter se prevenido.

– É o que penso. Mas, também, sabemos que o mais precavido dos assassinos pode ter um deslize.

– Contamos com isso – disse Monteiro sorrindo.

Ele estava satisfeito por ter a ajuda de Paulo. Respeitava-o por sua inteligência e pela folha de serviços prestados à polícia.

Pouco tempo depois, um policial apareceu com a carta dizendo:

– Não encontramos nada.

– Eu temia isso – respondeu Monteiro.

– Marília ficou assustada. Eu prometi que iríamos protegê-la – disse Paulo.

– Você sabe que não temos homens disponíveis. Há muito trabalho e pouca gente. Eu também estou preocupado com eles. Duas mulheres e uma criança são alvo fácil para um bandido como esse. Se você puder nos ajudar, seria muito bom.

– Vou ver o que posso fazer. Se for preciso, eu mesmo ficarei na casa dela de vigia.

– Faça isso. Se notar qualquer sinal suspeito, avise-me que mandarei meu pessoal verificar.

Paulo deixou a delegacia pensando o que poderia fazer para proteger Marília. Decidiu passar na casa de Vitório para trocar idéias.

Vendo-o chegar, Vitório admirou-se:

– Você? Aconteceu mais alguma coisa?

– Não. Nós precisamos conversar. Estive com o delegado e ele não dispõe de recursos para vigiar a casa de Marília vinte e quatro horas como seria necessário. Talvez você possa nos ajudar.

– Pode contar comigo. Estou sem fazer nada, esperando notícias, sem saber onde está minha mãe, se está viva, se corre perigo...

– Os dois que trabalham comigo estão ocupados e no momento não posso dispor deles. Eu pensei em ficar na casa de Marília para protegê-los, mas precisaria de mais alguém para ajudar-me.

– Eu gostaria de fazer isso.

– Está bem. Já conversei com o Monteiro que aprovou minha idéia, uma vez que não tem policiais suficientes em seu departamento para fazer isso. Vai ficar à nossa disposição para o caso de notarmos alguma coisa suspeita.

– Você me diz o que deverei fazer.

– Vou passar em meu escritório, dar algumas instruções a Doris, passar em casa e ir para a casa de Marília, onde pretendo ficar por alguns dias.

– Quer que eu vá com você?

– Não é preciso. Amanhã cedo você vai ao meu encontro na casa de Marília. Juntos, vamos programar os próximos passos. O que não podemos é deixá-los sozinhos.

– Está bem. Amanhã logo cedo estarei lá.

Paulo saiu para tomar as providências e Vitório sentou-se na sala pensativo. Sentia-se triste pensando no pai deprimido e na mãe desaparecida.

Dinda aproximou-se dizendo:

– Tristeza não vai resolver nossos problemas. Seu pai já está doente e eu não quero que você também fique. Onde está sua fé? Onde está sua confiança na vida?

Vitório olhou-a sério e respondeu:

– Está difícil. Nunca pensei passar por um problema desses.

– Eu também fiquei triste, mas hoje quando acordei, pensei: a tristeza só vai me fazer mal e não vai solucionar nossos problemas. Lembrei-me de uma frase que li tempos atrás: na vida o que você planta, colhe. Se eu plantar tristeza, vou colher tristeza. Então, decidi reagir. Pensar no bem. Acreditar que Teresa está viva e vai voltar. Que esses momentos difíceis vão passar e tudo voltará ao normal. Pensando assim eu me senti muito melhor.

Vitório sorriu e respondeu:

– Como sempre você tem razão. Para atrair coisas boas é preciso acreditar que elas virão. Vou me esforçar para me lembrar de mamãe bem-disposta, alegre. Mandar para ela energias boas. Essa é a maneira certa de ajudá-la.

– Isso mesmo. É o que estou fazendo. Seria bom que o dr. Alberto fizesse o mesmo. Tentei conversar com ele, animá-lo, mas ele não me deu ouvidos.

– Vou vê-lo e ver o que posso fazer.

Vitório foi ver o pai e encontrou-o estirado no sofá, pensativo e triste. Percebeu o quanto ele estava abatido. Se continuasse assim seu estado poderia agravar-se.

Aproximou-se, sentou-se ao seu lado e perguntou:

– Está melhor, pai?

Alberto abriu os olhos e respondeu:

– Estou na mesma. O tempo não passa e estou cansado de me culpar por haver concordado que sua mãe viajasse sem mim.

– Você não tem culpa de nada. Nunca poderia imaginar que ela iria desaparecer dessa forma.

– Às vezes me pergunto se estamos certos. Se aquele corpo não é mesmo o dela.

– Não é, pai. Tenho certeza.

– A dúvida me atormenta.

– Mamãe nunca iria para a cama com aquele homem. Não lhe basta isso para saber que não é ela?

– Às vezes nem eu mesmo sei se estou raciocinando ou enlouquecendo. Não me conformo com o que aconteceu.

– Um dia saberemos a verdade. Por enquanto, temos de aguardar. Paulo continua investigando. Encontramos os documentos na casa de Marília, a polícia está pesquisando tudo. Hoje Marília recebeu outra carta anônima.

Alberto abriu os olhos, endireitou-se no sofá e pareceu mais desperto:

– Outra carta anônima? Seria da mesma pessoa que lhe mandou a primeira?

– Tudo indica que sim. A carta a estava ameaçando por ter entregado aqueles documentos à polícia.

– Talvez tivesse sido melhor que ela não o tivesse feito.

– Não diga isso. Qualquer pista é importante para desvendar esse crime e descobrir o paradeiro de mamãe.

– O que vocês pensam fazer agora?

– Paulo vai proteger Marília e eu vou ajudá-lo.

– É melhor não se envolver, pode ser perigoso.

– Já estamos envolvidos, pai. E, quanto antes descobrirmos o assassino, melhor. A vida de mamãe pode estar dependendo disso.

Alberto meneou a cabeça negativamente.

– Não sei... eu gostaria de encerrar esse assunto para poder ficar em paz.

– Só conseguiremos ter paz quando tudo estiver esclarecido. Eu preciso que você nos ajude.

– Eu?! Velho, doente? Minha vida acabou. Não sou mais capaz de fazer nada. Até a empresa que sempre me impulsionou para a frente, agora perdeu a razão de ser. Não sinto mais vontade de viver.

– Você está enganado. Sua maneira de pensar está agravando nosso problema.

– Como assim?

– Só pensando no mal, no pior, você está atraindo energias negativas em nossa vida e dificultando os bons resultados.

Alberto abriu a boca, ia dizer alguma coisa, mas mudou de idéia, permanecendo em silêncio.

Vitório continuou:

– Quando você dá força a pensamentos tristes, pensando no mal, está atraindo mais mal para sua vida.

– Do jeito que você fala parece que eu sou culpado pelo que aconteceu.

– Não foi isso que eu disse. Nós estamos atravessando momentos difíceis e se ficarmos mergulhados no mal estaremos dificultando ainda mais nossos problemas. Você acredita que a sua vida acabou, que não há mais saída. Esse pensamento o está enfraquecendo, deixando-o doente e frágil. Nem parece o homem forte, cheio de vigor que construiu uma empresa sólida, um nome respeitado.

– Depois do que aconteceu nunca mais nosso nome

será respeitado. As pessoas são maldosas e acreditam que Teresa me traiu com aquele homem.

– Você sabe que isso não é verdade. Não era ela quem estava naquela cama. Mamãe seria incapaz de fazer uma coisa dessas. Dizendo isso você está dando força aos maledicentes e atirando sobre mamãe uma culpa que ela não tem.

Alberto suspirou, tentou sorrir e respondeu:

– Desculpe. Mesmo sabendo que ela não me amava, sei que Teresa nunca faria isso. Era uma mulher honesta. Esta situação está me enlouquecendo.

– É por esse motivo que deve reagir, procurar encontrar a paz interior. Só assim encontrará forças para superar esta situação. Pense, você não sabe o que aconteceu. Não pode sentir culpa por algo que não está claro.

– É difícil. Não sei como reagir.

– Use a imaginação. Pense que ela não morreu, que um dia vai voltar e explicar o que aconteceu. Então, sim, você vai poder formar uma opinião. Enquanto isso, procure se acalmar e pensar no melhor.

– Você fala isso com uma certeza!

– Tudo passa, meu pai. Dias melhores virão. Agora faça um esforço, vamos andar um pouco. Dinda já fez o jantar e hoje você vai comer na mesa, comigo. Chega de ficar fechado no quarto. Vamos.

Alberto ia objetar, mas Vitório o segurou pelo braço, obrigando-o a levantar-se. Foram caminhando devagar até a sala de jantar, onde a mesa estava posta para um. Vendo-os chegar, Dinda apressou-se a providenciar mais um lugar.

Depois de acomodar o pai, Vitório sentou-se também e logo Dinda colocou a sopeira fumegante sobre a mesa.

Vitório serviu o pai e começou a conversar sobre vários assuntos com desenvoltura e Alberto, sentindo o carinho do filho, olhava-o como se o estivesse vendo pela primeira vez. Sempre o relegara a segundo plano, julgando-o menos inteligente do que Osmar, mas agora que ele estava mostrando um pouco mais sua maneira de ser, Alberto percebeu satisfeito que Vitório era muito melhor do que julgara. Esse pensamento o alegrou, fazendo-o sentir-se mais animado.

Vitório sentia-se diferente. Mais sereno, disposto e com um carinho muito grande pelo pai, como jamais sentira. Sempre o julgara um mercenário só pensando em dinheiro, sem tempo para outros assuntos.

Mas naquela noite havia alguma coisa diferente no ar. De repente, Vitório sentiu que as coisas poderiam mudar para melhor e percebeu o quanto era inútil e pernicioso alimentar pensamentos negativos.

O que ele não viu era que havia outros espíritos naquela sala. Quando três espíritos iluminados entraram na sala, lá estavam dois espíritos de péssima aparência que, ao verem a luz dos recém-chegados, encolheram-se em um canto assustados.

Enquanto o espírito de Analú aproximava-se de Vitório, transmitindo-lhe pensamentos elevados de confiança e de fé, os dois de luz dirigiram-se aos outros dois espíritos temerosos:

– Queremos conversar com vocês. Chega de sofrimento. É hora de perdoar e de procurar viver em paz.

– Não posso perdoar meu assassino. Não adianta vir com essa conversa. O que vocês querem é defender aquele infeliz. Por que não vão castigá-lo pelo que fez?

– Não estamos aqui para punir ninguém. Isso compete à Justiça divina. Queremos evitar maiores sofrimentos para vocês.

– Não acredito nisso – respondeu a mulher. – Caí numa armadilha. Não merecia morrer daquele jeito.

– Meu nome é Cássio. Não se recorda de mim, Otávio?

O espírito de Otávio o fixou e depois gritou nervoso:

– Você deve ter saído dos infernos para me atormentar. Você fala em perdão, mas veio se vingar de mim.

– Não é verdade. Há muito eu o perdoei. Vim em missão de paz.

– Eu não quero seu perdão.

– Vocês não podem ficar aqui. Devem seguir o novo caminho. Deixar as coisas da Terra.

– Eu não posso – gritou Otávio. – Eles estão devassando todos os meus papéis. Aquela louca da Marília os entregou à polícia. Ela não podia me trair dessa forma.

– Sua vida na Terra acabou. Não adianta se revoltar. O melhor é seguir adiante.

– Eu não vou. Daqui eu não saio.

– Vocês não podem mais ficar aqui.

– Vou ficar até conseguir o que quero.

– Teresa me enganou – disse a mulher com os olhos brilhantes de ódio. – Ela já começou a pagar, mas eu quero mais.

Cássio estendeu as mãos em direção a eles e começou a orar. De suas mãos começaram a sair raios de luz azulclaro brilhante e o casal encolheu-se ainda mais.

– Vão embora, deixem esta família em paz.

Os dois tremiam como que açoitados por um vento forte e Otávio gritou:

– Nós vamos embora, mas voltaremos.

Os dois desapareceram, enquanto os outros dois uniram-se a Analú, transmitindo energias positivas a Vitório, Alberto e Dinda.

Ficaram assim por alguns instantes, depois Analú beijou a testa de Vitório dizendo:

– Reaja. Você pode. Agora temos de ir. Fiquem com Deus.

Foi nesse momento que Vitório viu o espírito de Analú e seus companheiros e entendeu o que estava acontecendo. Em pensamento agradeceu a eles pela ajuda.

Terminando o jantar, Alberto comentou:

– Estou me sentindo muito melhor. Foi bom eu ter me levantado.

Vitório sorriu e respondeu:

– Isso mesmo, pai. De hoje em diante prometa que você vai reagir e se esforçar para manter o otimismo.

– Não sei se vou conseguir.

– Pelo menos não alimente o pessimismo. Já será o bastante.

Um pouco distante dali, os espíritos de Otávio e de sua companheira esperavam. Eles pretendiam voltar à casa de Vitório assim que os espíritos que os expulsaram fossem embora.

– Por que não voltamos à casa de Marília? – indagou a mulher. – Seria menos perigoso. Aqueles homens são perigosos. Você sabia que eles podem nos prender e nos obrigar a segui-los?

– Bobagem. Eles não têm tanto poder assim.

– Pois eu acho que têm. Na casa de Marília estaremos seguros. Ninguém vai nos atrapalhar.

– Não gosto de ficar lá. Faz-me lembrar o que perdi.

– O que você espera ficando na casa de Vitório?

– Meu primeiro ajuste de contas será com Osmar. Aquele safado vai me pagar. Por causa dele acabamos daquele jeito.

– Mas o assassino não foi ele.

– Eu sei. Mas ele deu chance a que o Gil Duarte nos descobrisse e fizesse o que fez.

– Eu nunca deveria ter ido no lugar de Teresa.

– Ela lhe pagou muito bem.

– De que adiantou? Não vou poder colocar a mão no dinheiro.

– Veja, Renata, eles já foram embora. Vamos voltar.

Os dois aproximaram-se do apartamento de Alberto e

tentaram entrar, mas não conseguiram. Havia algo como uma barreira. Eles tentaram, mas não puderam passar.

– E agora? – indagou Renata.

– Vamos até a minha casa.

– Você não tem mais casa.

– A casa de Marília, você entendeu.

Quando os dois entraram e se aproximaram, Marília e Dorita estavam na cozinha trabalhando.

Dorita comentou:

– De repente me bateu um cansaço... estou sentindo um peso...

– O que é isso, Dorita? Ontem trabalhamos muito mais e você não se queixou.

– É mesmo. Mas agora comecei a sentir dores no corpo e uma pressão na cabeça.

– Vou fazer um chá de cidreira. Vai se sentir melhor.

A campainha tocou, Marília foi abrir e perguntou:

– Quem é?

– Pode abrir. Sou eu, Paulo.

Ela abriu imediatamente.

– Paulo! Você voltou, tem alguma novidade?

– Sim. Estive conversando com o dr. Monteiro e decidimos que eu vou ficar alguns dias aqui com vocês para protegê-los.

– Ficar aqui?

– Sim. Não se preocupe. Eu fico em qualquer lugar.

– Você ficar aqui é uma boa notícia. Nós estávamos com muito medo. Ainda agora tive receio de abrir a porta.

– Fez bem. Precisamos ter cuidado. Mais tarde vou dar-lhes algumas informações sobre os cuidados que deveremos tomar.

Paulo entrou, Altair correu para abraçá-lo.

– Você vai ficar aqui? Que bom. Pode ficar no meu quarto.

Paulo sorriu e respondeu:

– Eu vim para vigiar enquanto vocês dormem. Não posso ficar no quarto.

– Mas você não pode ficar sem dormir – tornou Marília.

– Vitório virá amanhã cedo. Ele ficará durante o dia e eu à noite. Resolvi ficar o tempo todo aqui porque não quero deixar Vitório sozinho. Ele não tem experiência para tomar providências se notar algo suspeito. Durante o dia se precisar de alguma coisa ele me chamará e farei o que for preciso.

– Que bom – comentou Dorita que se aproximara.

– Você já jantou? – indagou Marília.

– Não quero dar trabalho. Tomei um lanche reforçado antes de vir.

– Não vai fazer cerimônia, não é? – brincou Dorita.

– Claro que não – respondeu ele.

– Nós ainda não saímos da cozinha e comemos muito bem. Colocar mais um prato ou dois na mesa não vai fazer diferença – explicou Dorita.

– Isso mesmo. Assim nossa cozinha vai ficar mais animada – disse Marília.

Depois, Marília fez um chá de erva-cidreira e levou uma xícara para Paulo, dizendo:

– Obrigada pelo que está fazendo por nós.

– É minha obrigação.

Marília fixou-se nos olhos de Paulo e respondeu com carinho:

– É muito mais do que obrigação. É uma prova de amizade que eu nunca esquecerei. Você não sabe o bem que está nos fazendo.

Os olhos dela brilhavam úmidos e Paulo sentiu-se comovido.

– Vocês podem contar comigo sempre. Se continuarem me tratando assim, não vou querer ir mais embora – brincou, tentando disfarçar a emoção.

O espírito de Otávio, que observava, disse irritado:

– Este infeliz não tinha nada que invadir minha casa e ainda cantar minha mulher.

Renata riu e comentou:

– O que você esperava? Que ela ia lhe ser fiel? Não vê como os olhos dela brilham?

– Cale a boca. Em mulher minha ninguém põe a mão.

– Agora você está morto e morto não pode fazer nada para impedir.

– Se ele continuar assim você vai ver se eu posso ou não.

De repente, Paulo sentiu uma onda desagradável e pensou:

"Tem espírito perturbado por perto. Logo mais vou me ligar com meus amigos espirituais".

– Cuidado que ele sentiu nossa presença – comentou Renata.

– Eu não tenho medo de nada. Você tem andado muito fraca para o meu gosto.

Renata deu de ombros e foi ficar em um canto pensativa. Já tinha problemas demais para envolver-se nos de Otávio.

Paulo tomou o chá, depois se sentou na sala e ligou-se aos espíritos amigos que o acompanhavam. Logo sentiu uma energia suave e agradável no ambiente. Ficou concentrado durante mais alguns minutos, agradecendo a ajuda dos amigos.

Enquanto isso, Otávio e Renata olhavam admirados para a barreira que se formara entre Paulo e eles, tornando-o imune às suas energias negativas.

dezessete

Teresa acordou um pouco assustada e olhou em volta, querendo se recordar por que não estava dormindo em sua cama como de costume.

Em seguida, lembrou-se e passou as mãos nos cabelos, angustiada. O que estaria acontecendo com os seus? Como estariam enfrentando os acontecimentos?

Do jeito que as coisas estavam, ela não tinha como entrar em contato com eles e esclarecer tudo. Se fizesse isso, logo seria descoberta e sua vida não valeria mais nada.

Bem que Vitório lhe pedira para não viajar. Mas na ocasião ela não teve como evitar aquela viagem. Coagida como estava, não lhe restava outro recurso senão enfrentar e tentar resolver.

Nunca imaginara que a paixão que tivera cinco anos depois do casamento pudesse transformar sua vida, tantos anos depois de haver renunciado a ela, em um inferno.

Casara-se com Alberto satisfazendo a vontade de sua mãe que ficara viúva e sem recursos. Seu pai tivera insucesso nos negócios e lhes deixara dívidas que, depois de pagas, consumiram todo o patrimônio delas.

Alberto era jovem, elegante, boa aparência, embora

não fosse o tipo de homem que Teresa apreciava, mas apaixonara-se por ela e fizera todos os esforços para conquistá-la.

Aos poucos, Teresa fora se sentindo envaidecida, amada e protegida por um homem rico, que a colocava acima de tudo e de todos, assim acabou concordando com o casamento.

Até então, ela tivera alguns namorados, uma paixão na juventude que a desiludira, fazendo-a reconhecer em Alberto as qualidades essenciais para uma vida calma e feliz. Nunca sentira amor por ninguém. Casou-se com Alberto, imaginando que amor fosse a amizade e o respeito que ele parecia ter por ela.

Sua mãe sempre dizia que o verdadeiro amor não existia, era apenas uma fantasia da adolescência. Que o mais importante era um bom partido para lhe proporcionar uma vida tranqüila e respeitável.

Depois do casamento, Teresa deu-se conta do ciúmes que Alberto sentia e antes não deixava transparecer, mas que se revelou quando ela, bonita e já mais mulher, despertava admiração nos homens por onde passava.

Teresa nunca lhe dera motivos para ter ciúmes, mas ele não tolerava perceber os olhares de admiração que ela despertava. Por esse motivo, os desentendimentos com ele começaram.

Foi em uma festa na casa de amigos que ela conheceu Antero, trinta e dois anos, alto, elegante, moreno, olhos verdes e penetrantes que fizeram bater seu coração desde que eles encontraram os seus.

Uma atração irresistível brotou entre os dois. A princípio, Teresa tentou resistir, mas, assediada por ele de forma insistente, acabou sucumbindo.

Inteligente e apaixonada, Teresa usou de vários subterfúgios para encontrar-se com Antero sem que ninguém percebesse. Ela imaginou que com o tempo essa paixão, como a anterior, iria embora sem comprometer sua relação familiar.

Disposta a usufruir enquanto durasse, não se sentia culpada por trair o marido. No seu entender, ela nunca o amara, deixara-se amar por ele sem nunca se entregar de coração. Por esse motivo, não o estava traindo.

Por mais de três anos relacionou-se com Antero de forma vibrante e apaixonada. Quanto mais estavam juntos mais desejavam ficar. Ele, solteiro, insistia para que Teresa deixasse o marido para ficarem juntos, porém ela se recusava a abandonar os filhos, porque sabia que, vingativo e ciumento, Alberto jamais os deixaria ficar com ela ao lado de outro homem.

Depois, havia a sociedade, o falatório, os nomes de família, e Teresa temia enfrentar as conseqüências.

Até o dia em que Antero lhe disse que não desejava mais viver assim. Para ele era difícil despedir-se e pensar que ela iria para os braços do marido a quem pertencia por direito.

As brigas entre os amantes começaram a tumultuar o relacionamento. Antero começou a afastar-se, até que certo dia contou-lhe que seus pais insistiam para que ele se casasse com a filha de um amigo da família.

Teresa sabia que Eunice, há muito tempo, era apaixonada por Antero. Estava sempre nos mesmos lugares que ele e não raro era com ela que ele dançava ou conversava. Ele dizia para Teresa que fazia isso a fim de despistar, porquanto seus pais estranhavam que ele não saísse com nenhuma mulher e ficavam perguntando o porquê.

Num encontro ele comunicou que iria ficar noivo de Eunice e não voltaria mais a vê-la. Eunice era uma boa moça, amava-o e ele estava cansado de viver escondendo seus sentimentos. Depois, pensava em construir uma família, desejava filhos e não queria começar a vida conjugal tendo outra.

Foi difícil para Teresa se afastar de Antero, principalmente porque as famílias freqüentavam os mesmos lugares e a presença dele com Eunice a fazia sofrer muito.

O casamento foi anunciado e Teresa sofreu ainda mais. Quando faltavam três dias para a data do casamento, Antero comunicou-se com ela pedindo para ir ao seu encontro.

Vendo-se, atiraram-se um nos braços do outro, beijando-se com desespero.

– Não quero que você se case com outra – reclamou Teresa.

– Antes de fazer isso, vim fazer a última tentativa. Eu sinto muito sua falta. Se você quiser, podemos ir embora juntos, deixar tudo e todos e ir viver em outro lugar. Podemos ir para o exterior, deixamos uma carta explicando nossos motivos. Esperamos o tempo passar e quando a poeira assentar, voltamos.

Teresa olhou-o com amor. Ir embora com ele era o que ela mais desejava na vida. Mas pensou nos meninos a quem amava muito, no que eles pensariam dela por tê-los abandonado e fugido com outro e tremeu angustiada.

Ela sentiu que não poderia fazer isso. Foi com tristeza que se recusou a fugir com Antero. Esse foi o último encontro dos dois.

A partir desse dia não se falaram mais. Ele casou-se com Eunice, teve uma filha, Aurélia, que cresceu e tornou-se uma linda mulher, muito requisitada na sociedade.

Teresa continuou ao lado do marido e a cada dia mais se afastava dele. Nos últimos anos Alberto também foi se afastando dela, que se sentiu aliviada. Sabia que ele saía com outras mulheres, mas não se importava. Apesar disso, ele continuava ciumento e eles se desentendiam.

Certo dia recebeu o telefonema de um desconhecido dizendo que precisava marcar um encontro para falar de um assunto que era do seu interesse.

Teresa se recusou:

– Não marco encontros com estranhos – respondeu.

– Trata-se de um assunto muito importante. É melhor me atender.

– Fale com o meu marido.

– Quando souber do que se trata, certamente não vai querer que eu fale com ele.

– Como assim?

– Quero falar com a senhora sobre Antero.

Teresa estremeceu assustada, tentou dissimular:

– Que Antero? Não sei de ninguém com esse nome.

– Sabe sim. Eu tenho o endereço de um apartamento em Copacabana onde vocês costumavam se encontrar.

Teresa não conseguiu responder de pronto. O homem continuou:

– Eu tenho alguns bilhetes trocados entre a senhora e ele, bem como algumas fotos comprometedoras. Ainda quer que eu ligue para o seu marido?

– Não... não. Como é que você tem tudo isso?

– Isso não lhe interessa agora. Eu tenho e estou disposto a lhe entregar, é claro, com uma recompensa.

– Não acredito que você tem tudo o que diz.

– Vamos marcar o encontro e eu lhe mostrarei.

Teresa hesitou um pouco, depois disse:

– Está bem. Quando?

– Eu não moro no Rio. Estou de passagem. Terá de ser hoje ou amanhã.

– Quanto você quer para me entregar tudo isso?

– Duzentos mil reais.

– É muito dinheiro.

– A mercadoria vale. A senhora traz o dinheiro e eu lhe entregarei tudo.

– Antes quero ver o que você tem.

– Eu não posso esperar. Preciso ir embora logo.

– Vamos marcar hoje à tarde e se o que diz for verdade, vou lhe entregar o dinheiro amanhã.

Combinaram o local do encontro e a hora. Ele não quis dar o nome nem descrever sua aparência, afirmando que saberia encontrá-la.

Teresa desligou o telefone muito nervosa. Nunca imaginou que depois de tanto tempo aquela história pudesse trazer-lhe problemas. Os bilhetes cheios de amor que havia trocado com Antero, as fotos que ele tirara dos dois que ela vira, mas nunca levara nenhuma para casa com medo de ser descoberta, eram um material que destruiria sua vida familiar que tanto se sacrificara para manter.

Seus filhos nunca poderiam saber o que ela fizera no passado. Sempre passara para eles a figura da mulher séria, dedicada ao lar, austera até. O que pensariam quando soubessem a verdade?

Isso não poderia acontecer. Mas o preço era elevado. Como arranjar tanto dinheiro sem recorrer a Alberto? Pensou em suas jóias. Durante tantos anos de casamento possuía muitas. Alberto costumava presenteá-la sempre com lindas jóias. Poderia vender algumas sem que ele desse falta.

Na mesma tarde, Teresa foi ao encontro marcado, em uma confeitaria. Sentada em uma mesa, conforme o combinado, ela esperou.

Pouco depois, um homem alto, forte, moreno, boa aparência, aproximou-se e, depois de cumprimentá-la, sentou-se a seu lado.

Sem dizer uma palavra, ele tirou do bolso uma foto e mostrou-a. Teresa estremeceu. Ela e Antero, juntos na intimidade. Lembrava-se perfeitamente quando e onde ela fora tirada. Depois, juntou um dos bilhetes amorosos que ela escrevera. Não havia o que duvidar.

– Está certo. Vou pagar o que me pede. Só preciso de um pouco mais de tempo.

– Não posso esperar. Preciso ir embora.

– Deve compreender que não tenho como arranjar todo esse dinheiro de um dia para o outro. Não posso pedir a meu marido. Pretendo vender algumas jóias, mas não sei se consigo tão depressa.

– Nesse caso, terei de oferecer a seu marido. Estou certo de que ele pagaria na hora.

– Talvez. Mas peço-lhe que me dê alguns dias. Irei levar o dinheiro onde você quiser.

– Preciso ir embora. Tenho negócios em São Paulo e de lá irei para outro lugar.

– Dê-me uma semana e eu levarei o dinheiro a São Paulo, no endereço que você quiser.

Ele pensou um pouco e depois disse:

– Se a senhora pensar em ir à polícia, vai se arrepender. Tenho amigos que estarão alerta e qualquer passo seu saberei.

Ele passou um número de telefone para onde ela deveria ligar, marcou o dia e a hora e depois de tudo combinado, despediu-se.

Naquela noite Teresa não conseguiu conciliar o sono. Sua cabeça atormentada não a deixava em paz. Ora recordava-se de Antero, dos momentos de amor que ainda faziam vibrar seu coração, ora temia pelo destino que aquelas fotos e cartas poderiam ter se não conseguisse pagar o preço.

Se ela não arrumasse o dinheiro, o chantagista certamente procuraria Alberto e ele, com certeza, não se negaria a pagar o que ele pedisse para ter acesso àquele material.

No dia seguinte acordou cedo e pensou como encontrar um comprador para as jóias. Não conhecia nenhum agiota e sequer sabia quanto elas poderiam valer.

As horas foram passando e Teresa não sabia o que fazer.

Procurou anúncios nos jornais, na lista telefônica, mas não encontrou nada.

À tarde teve idéia de ir a uma joalheria para fazer uma avaliação e, quem sabe, descobrir onde poderia vendê-las.

Carregando uma bolsa com as jóias, que imaginava render a quantia desejada, foi a uma loja de jóias e descobriu que elas cobriam o montante que ela precisava e, ainda, sobraria algum dinheiro. Conseguiu o endereço de um lugar que negociava jóias usadas.

Satisfeita, Teresa procurou o endereço. Não era uma loja aberta e ela tocou a campainha. Uma moça veio abrir e Teresa achou o rosto dela familiar.

– Entre senhora. Sente-se. O sr. Jonathan saiu, mas deve voltar logo. Deseja uma água ou um café?

– Não, obrigada. Eu preciso vender algumas jóias e na joalheria onde fui avaliá-las me deram este endereço.

– Veio ao lugar certo. Mas quem faz o negócio é meu patrão. Ele não deve demorar. Desculpe, não quero ser indiscreta, mas por acaso seu nome é Teresa?

– Sim.

A moça sorriu satisfeita e continuou:

– Não se recorda de mim?

– Seu rosto é muito familiar, mas não sei de onde.

– Sou a Elvira. Nós fomos colegas de faculdade.

Teresa levantou-se, fixando-a bem:

– Elvira! É você mesma! Como não me lembrei?

– Já se passaram mais de trinta anos e eu mudei muito. Já você continua linda como sempre. Parece que o tempo não passou.

– Mas passou sim. Por onde tem andado que nunca mais nos vimos? Você morava em São Paulo e veio ao Rio apenas para cursar a faculdade...

– De fato, naquele tempo eu morava em São Paulo, mas depois que me casei fui morar em Campinas.

– Como vai sua mãe?

– Infelizmente, ela morreu. Meu marido também faleceu em um acidente de carro e eu fiquei só. Não tive filhos. Voltei para São Paulo, passei um tempo difícil, até que tive a oportunidade de trabalhar para o sr. Jonathan. Ele tem outra loja em São Paulo e quando abriu esta aqui, no Rio, convidou-me para trabalhar para ele. Como não tenho família, aceitei.

Elas continuaram conversando, recordando os tempos de faculdade até a chegada do sr. Jonathan. As jóias de Teresa eram de primeiríssima qualidade e depois de examiná-las cuidadosamente, ele fez o preço.

Como ela desejava receber em dinheiro, ele pediu-lhe que voltasse na tarde do dia seguinte para buscá-lo.

Na tarde seguinte, quando Teresa chegou para buscar o dinheiro, já era fim de expediente e Elvira se preparava para sair.

Teresa ofereceu-se para levá-la em casa, o que ela aceitou de bom grado. No trajeto, convidou-a para tomar um lanche em uma confeitaria. Queria conversar sobre um assunto muito importante. Elvira aceitou.

É que depois de tê-la encontrado na tarde anterior, Teresa pensou em recorrer a ela para traçar seu plano. Elas haviam sido inseparáveis nos tempos de estudante, davam-se muito bem. Teresa sabia que ela era confiável.

Assim que se sentaram na confeitaria, Teresa contou-lhe seu problema e por que estava vendendo suas jóias. Depois, expôs seu plano.

Teresa queria que Elvira fosse trabalhar para ela como dama de companhia. Diria para a família que estava estressada e tiraria umas férias. Iriam para a Europa.

Mas, em vez disso, viajariam a São Paulo primeiro, entregariam o dinheiro, ela queimaria as provas do seu deslize e depois as duas iriam para a Itália, tranqüilas, usufruir uma viagem maravilhosa.

Elvira aceitou, encantada. Ela não conhecia a Europa.

Lutara com dificuldade para pagar os estudos e a proposta de Teresa a fascinou. Seria muito prazeroso conviver com a amiga de tantos anos em uma viagem dessas.

Combinaram tudo. Na manhã seguinte, Elvira pediu demissão do emprego e Teresa falou para o marido de sua viagem com uma amiga.

Custou a convencê-lo, mas, por fim, conseguiu. Ela tinha pressa de ir a São Paulo entregar o dinheiro no prazo combinado. Por esse motivo, apressou a viagem, o que surpreendeu os filhos, mas ela justificou:

– Eu quero aproveitar para ver uma exposição maravilhosa na Itália, com peças muito famosas que ainda não tive oportunidade de ver. Há quadros e esculturas dos maiores artistas do mundo. A mostra está nos últimos dias e não quero perder essa chance.

Teresa adiantou o dinheiro a Elvira para que ela comprasse o necessário. Depois de apresentar a amiga ao marido, tudo estava pronto como ela imaginara.

Despediu-se dos filhos e de Dinda. Alberto levou-a ao aeroporto, onde Elvira já os esperava. Depois que elas entraram na área de embarque, Alberto foi embora.

Elas esperaram um pouco, depois saíram a pretexto de que Elvira estava passando mal. Trocaram as passagens e transferiram o vôo para o exterior, comprando as passagens para São Paulo.

Chegando em São Paulo, após retirarem a bagagem, saíram à procura de um táxi. Com as malas no carrinho, elas se dirigiam ao ponto quando dois homens aproximaram-se, um de cada lado, colocando um revólver encostado nelas.

– Fiquem caladas que nada lhes acontecerá. Se fizerem o menor gesto eu atiro – disse um deles.

Elas perceberam que ele estava falando sério e imaginaram que fosse um assalto. Teresa ficou apavorada porque estava com muito dinheiro.

Rapidamente eles as levaram ao estacionamento e as obrigaram a entrar em um carro, onde já havia outro homem na direção.

– Vamos embora, rápido – ordenou um deles.

O carro saiu e as duas, muito assustadas, nem pensaram em reagir. Os quatro foram sentados no banco detrás. Os bandidos vendaram os olhos delas e um deles disse ameaçadoramente:

– Se tentarem alguma coisa, eu atiro. Não quero nem um pio.

Quanto tempo durou aquela viagem elas não conseguiram avaliar. Parecia que não terminava nunca e, ao mesmo tempo, elas não queriam chegar a lugar nenhum, com medo de que eles as matassem.

Finalmente o carro parou e elas foram obrigadas a descer. Ainda de olhos vendados, foram levadas a uma casa em que havia mais pessoas, mas elas não conseguiram saber quantas.

Depois de subirem alguns lances de escada e andarem um pouco, eles tiraram suas vendas, fizeram-nas entrar em uma sala e saíram, fechando a porta por fora.

As duas entreolharam-se nervosas. Teresa foi a primeira a falar:

– São bandidos. Fomos assaltadas. Estou com a bolsa, mas o dinheiro todo está em uma das malas. Estou perdida. Não vou poder pagar e Alberto descobrirá tudo.

– Calma. Pode ser que não encontrem o dinheiro. Você colocou-o naquele fundo falso.

Algum tempo depois, elas ouviram passos, a porta se abriu e os dois homens entraram, carregando as bagagens e deixando tudo em um canto. Em seguida, saíram, fechando novamente a porta pelo lado de fora.

As duas correram ansiosas para verificar se as malas haviam sido arrombadas, mas as fechaduras intactas mostravam que eles não haviam tocado em nada.

As duas entreolharam-se intrigadas. Por que eles as haviam raptado se não era para roubar?

O tempo começou a passar e elas continuavam presas naquele quarto sem que ninguém aparecesse. Já era noite quando finalmente dois homens apareceram, e elas viram que não eram os mesmos que as haviam seqüestrado.

Um deles, homem muito bem vestido, de meia-idade, dirigiu-se a elas, com meio sorriso, dizendo:

– Desculpe a forma de trazê-las até aqui. Sou pessoa educada e jamais maltratarei uma mulher. Se fizerem tudo o que desejo, nada vai lhes acontecer. Ficarão aqui durante alguns dias e depois vamos devolvê-las sãs e salvas, se tudo sair como esperamos.

Teresa animou-se a perguntar:

– Quem é o senhor? Por que nos trouxe aqui?

– Você não me conhece. O motivo de trazê-las aqui, saberão no devido tempo. Obedeçam as ordens e tudo acabará bem. Esse é o meu desejo, no entanto, tudo vai depender de como se comportarem.

A um gesto dele, o seu companheiro colocou sobre a mesa alguns pacotes e garrafas de água. Depois saíram fechando novamente a porta por fora.

– Isto é muito estranho – disse Elvira. – Eles não estão interessados em nossos pertences. O que mais pode ser?

– Não tenho a menor idéia. Isto não faz sentido. O que será que eles querem de nós?

Elas foram abrir os pacotes. Havia pão, frios, frutas e biscoitos. Elas estavam sem fome. Sentaram-se na beira de uma das camas, tentando encontrar uma explicação.

Mas naquela noite, depois de se alimentarem, Teresa, deitada, lembrou-se das palavras de Vitório:

"Mãe, eu preferia que não fizesse essa viagem. Estou com mau pressentimento. Algo me diz que você não deve viajar agora".

Antes tivesse atendido seu pedido.

18

O dia ainda não tinha amanhecido totalmente quando Teresa levantou-se, aproximou-se de Elvira, que estava estendida na outra cama, e disse:

– Não consigo dormir. Temos de fugir daqui.

– Se tentarmos isso, eles vão nos matar.

– Não podemos ficar de braços cruzados. Precisamos tentar descobrir onde estamos e saber se eles vão ficar na casa o tempo todo.

Ela caminhou até a porta e girou a maçaneta. Na mesma hora ouviu um ruído e uma voz gritou:

– Não adianta. A porta não vai abrir.

– Preciso de ajuda. Estou com uma dor de cabeça horrível e não consigo dormir. Você poderia arranjar-me um comprimido? Eu pago o que quiser.

Depois de alguns minutos de silêncio, a chave girou e a porta abriu. Um homem que elas ainda não tinham visto, apareceu, e Teresa colocou a mão na testa, fingindo estar muito mal.

– É meu turno de vigia. Não posso sair daqui.

– Mas está doendo muito. Eu sofro de enxaqueca e

quando fico nervosa ela ataca. Desta vez parece que vou ficar louca. Por favor, arranje-me um remédio.

Ele olhou-a hesitante, depois disse:

– Não posso sair daqui, mas vou ver se mando alguém arrumar isso.

– Obrigada. Você não se arrependerá.

Meia hora depois ele abriu a porta novamente, entrou e disse:

– Aqui está o que eu consegui arranjar. Espero que a ajude.

Teresa, fingindo mal-estar, apanhou o envelope de comprimidos e disse:

– Espere um pouco.

Apanhou a bolsa, tirou uma nota da carteira e deu-a a ele, que segurou o dinheiro e respondeu:

– Não precisava.

– Faço questão. Você foi muito bom para mim. Eu nunca esqueço de retribuir as pessoas que me ajudam.

Ele fechou a porta de novo e Elvira perguntou:

– O que você pensa em conseguir com isso?

– Ganhar a confiança dele e descobrir o que desejamos saber.

Ao meio-dia, um outro homem trouxe uma bandeja com o almoço. Pela embalagem em papel alumínio elas perceberam que a comida havia sido comprada, mas não havia nada escrito.

Teresa abriu e convidou:

– Vamos comer, Elvira. Precisamos nos manter fortes. Tenho esperança de podermos escapar daqui.

Depois que elas almoçaram, o homem que parecia comandar o grupo reapareceu, segurando uma pasta de couro.

Perguntou se haviam almoçado bem, se a comida estava ao gosto delas e depois se sentou, pedindo que elas também se sentassem em volta da mesa.

Elas sentaram-se e esperaram. Ele começou, dirigindo-se a Teresa:

– Você vai escrever uma carta que eu vou lhe ditar.

– Para quem e para quê? – indagou Teresa.

– Para seu filho Osmar.

Teresa sobressaltou-se:

– Por isso você nos seqüestrou? Para pedir dinheiro a meu filho?

Os olhos dele brilharam rancorosos quando respondeu:

– Eu não sou um chantagista. Sou um homem de negócios que seu filho passou para trás. Ele me deve muito dinheiro e precisa pagar.

Teresa abriu a boca e fechou-a, sem encontrar palavras para responder. Ela tinha o filho em conta de uma pessoa equilibrada, bem-comportada, sem grandes arroubos. Como ele poderia dever muito dinheiro a alguém?

Quando se recuperou um pouco do susto ela tornou:

– Se meu filho está lhe devendo, por que não nos procurou de maneira civilizada? Meu marido é um homem de bem, tenho certeza de que ele não sabe dessa dívida porque se soubesse não deixaria Osmar passar por uma coisa dessas.

– Há muitas coisas que tanto a senhora como seu marido ignoram sobre seu filho. Os negócios que nós temos não podem ser declarados oficialmente. São feitos sob palavra. Nós somos homens de palavra. Quando um não cumpre, temos nossos próprios modos de fazer a cobrança.

Teresa empalideceu. A descoberta de que Osmar se dedicava a negócios ilícitos feriu fundo seus princípios de honestidade e de bom comportamento.

De pronto ela não encontrou nada para responder. O homem entregou-lhe uma caneta, um bloco e disse:

– Escreva o que vou lhe ditar.

Com a mão trêmula, ela segurou a caneta e percebeu que não lhe restava alternativa, senão obedecer.

– Escreva:

"Osmar,

Fui seqüestrada. Se você não mandar o dinheiro que deve, eles vão me matar com Elvira. Estou com muito medo.

Teresa".

Ela escreveu, ele apanhou o bilhete e Teresa objetou:

– Ele não vai acreditar. Pensa que eu estou na Europa.

O homem pensou um pouco, depois colocou a carta dentro de um envelope e respondeu:

– É. Pode ser que ele não acredite. Você, Elvira, vai levar o bilhete.

– Eu?!

– Sim. Vou combinar um encontro com ele e um dos meus homens a levará até ele. Você entregará a carta pessoalmente. Assim, ele vai acreditar.

E, voltando-se para Teresa, continuou:

– Eu quero seus documentos. Assim ele não duvidará.

Teresa entregou sua identidade. Ele saiu e após alguns minutos voltou levando Elvira pelo braço. Teresa, embora muito assustada, sentiu certo alívio em saber que Elvira falaria com Osmar que, certamente, arranjaria o dinheiro e tudo estaria resolvido.

Mas por outro lado, Teresa não podia esperar muito. Ela havia prometido entregar o dinheiro para reaver o material que a preocupava e se não o fizesse dentro do prazo estipulado, certamente o chantagista procuraria Alberto para tentar negociar. Isso não poderia acontecer de forma alguma. Seria o fim de seu casamento, do respeito dos filhos, de tudo.

O tempo foi passando e Teresa, inquieta, andava de um lado para o outro. Ela precisava encontrar uma forma de sair dali, não só porque seu prazo para entregar o dinheiro estava acabando como também pelo receio de que Osmar não conseguisse arranjar o dinheiro.

Ele não teria coragem de pedir ao pai porque para isso teria de explicar muito bem o que andara fazendo. Ela não sabia o montante da dívida, mas presumia que devia ser uma grande quantia. Se ele não conseguisse esse dinheiro, sua vida estaria correndo riscos.

Depois, aquele homem se apresentara a ela sem disfarce e isso poderia fazer com que apesar de tudo ele a matasse para impedir que ela o reconhecesse na polícia.

Aos poucos foi elaborando um plano para fugir. Ela apanhou os comprimidos para dor de cabeça e com o cabo da faca os amassou, colocando-os no copo. O que ela precisava agora era conseguir alguma bebida forte.

Na hora em que o rapaz entrou trazendo o jantar, ela procurou conversar.

– Aqueles comprimidos que você me trouxe ajudaram, mas ainda não passou completamente. Estou muito nervosa. Você não teria alguma coisa mais forte do que esse refrigerante? Tenho certeza de que se passar meu nervosismo, a dor vai ceder.

– A comida está aí. É só o que eu posso fazer.

Teresa colocou a mão sobre o braço dele dizendo:

– Tenha piedade de mim. Eu poderia ser sua mãe! Ajude-me a agüentar esses momentos tão difíceis.

Ele hesitou e ela continuou:

– Você me parece um rapaz de bom coração. Ela tirou um anel de brilhantes do dedo e estendeu-o a ele dizendo:

– Se me trouxer uma bebida, eu lhe darei de presente este anel de brilhantes.

Os olhos dele brilharam, mas ele respondeu:

– Nós não podemos aceitar presentes de ninguém.

– Ninguém precisa saber. Vamos, pegue.

Ele hesitou, depois pegou o anel, olhando-o com olhos brilhantes de cobiça.

– Vá, fique com ele e me traga alguma bebida. Eu sei que você deve ter em algum lugar.

Ele guardou o anel no bolso, saiu e alguns minutos depois voltou com uma garrafa de uísque.

– Não posso deixar a garrafa toda.

Teresa apanhou a garrafa e colocou a bebida em uma caneca, tomou alguns goles, simulando estar saboreando com prazer, depois segurou a garrafa dizendo:

– Eu não gosto de beber sozinha. Você vai beber uma dose comigo.

Ele, que estava com a boca seca, concordou:

– Está bem. Só uma dose.

Ela colocou a bebida no copo onde estavam os comprimidos e notou que se dissolveram rapidamente. A obscuridade da sala não deixou o rapaz notar nada.

Teresa fez um brinde:

– Meu filho vai mandar o dinheiro e tudo vai se resolver da melhor maneira. Assim, depois que eu for embora daqui, não esquecerei a sua boa vontade. Como eu disse, nunca esqueço quem me presta um favor.

Ela alçou a caneca, tocou o copo dele e ambos tomaram. Depois, ele segurou a garrafa dizendo:

– Não conte a ninguém que eu lhe trouxe bebida.

– Os outros não viram você pegar a garrafa?

– Não. Eu estou sozinho na casa.

Teresa baixou o olhar para que ele não visse sua satisfação. Depois que ele saiu, ela abriu os pacotes e tratou de se alimentar. Queria estar bem-disposta para fugir.

Uma hora depois, ela decidiu que estava na hora da segunda etapa do seu plano. Foi até a porta girou a maçaneta, mas o rapaz não disse nada.

"Está na hora!", pensou ela.

Apanhou sua frasqueira, tirou tudo de dentro, colocou o pacote de dinheiro, segurou a bolsa e colocou tudo perto da porta. Depois começou a forçar a fechadura.

Estava difícil. Pegou um grampo de cabelo e com ele tentou abrir a porta. Afinal, conseguiu. Entreabriu a porta lentamente e logo deparou com o rapaz dormindo na cadeira, cabeça apoiada na parede, pernas estendidas.

Apanhou suas coisas e saiu lentamente. Ele dissera a verdade, a casa estava vazia. Em pouco tempo, ganhou a rua. Olhou em volta, não sabia onde estava, a única certeza que tinha era de que precisaria fugir dali o mais rápido possível.

Caminhou quase correndo e, ouvindo barulho de carro, procurou encontrar lugar mais movimentado. Viu um ônibus escrito Praça João Mendes, fez sinal e subiu.

Passou os olhos sobre os passageiros e sentou-se perto da janela. Precisava respirar. Abriu o vidro, aspirando o ar com alívio.

Tinha vontade de perguntar ao cobrador onde estava, mas teve medo. Não queria chamar atenção. Ela conhecia um pouco de São Paulo. Sabia que essa praça ficava no centro da cidade e resolveu ir até lá.

Durante o trajeto pensava no que fazer. Não podia ligar para o marido, ele imaginava que ela estivesse fora do país. Pensou em falar com Osmar, mas desistiu. Se ele continuasse pensando que ela estava em poder dos seqüestradores faria tudo para arranjar o dinheiro e assim acabaria livre dessa dívida.

Aqueles homens eram perigosos e, se ele não pagasse, ela temia que fizessem coisa pior. Decidiu aguardar os acontecimentos. Procuraria um hotel modesto para não chamar a atenção e esperaria até que tudo estivesse resolvido.

Talvez Alberto não precisasse saber nada a respeito dos negócios ilícitos do filho. Ele teria um grande desgosto e nos últimos tempos sua saúde não estava bem.

Passava das vinte e três horas e ela resolveu caminhar e entrar no primeiro hotel que encontrasse. Entrou em um próximo à praça e na hora de fazer a ficha lembrou-se de que não tinha documento. Apanhou o passaporte, justificando que havia sido roubada e hospedou-se.

Estava exausta, mas aliviada. No dia seguinte tentaria ligar para o endereço do chantagista. Tomou um banho, deitou-se e logo pegou no sono.

Na manhã seguinte, Teresa acordou cedo, vestiu-se, tomou café e ligou para o número de contato do chantagista. Ninguém atendeu. Ela saiu para dar umas voltas, comprou algumas roupas, um guia da cidade e voltou ao hotel.

Quando chegou na portaria, o porteiro olhou-a admirado e disse:

– A senhora saiu de novo? O almoço não estava bom?

– Como assim?

– Faz menos de dois minutos eu abri a porta, a senhora tomou o elevador e disse que ia almoçar.

– Saí cedo e estou voltando agora.

– Não pode ser. É, estou notando que a roupa está diferente. Mas há uma hóspede que é igualzinha a senhora. É sua parente?

– Não. Não tenho parentes nesta cidade.

– Desculpe, mas a semelhança é impressionante. A senhora não tem nenhuma irmã gêmea?

– Não. Você está impressionado. Vou subir e almoçar.

Teresa foi ao refeitório, curiosa. Decidiu almoçar e depois tornar a ligar para Otávio, o chantagista.

Ao entrar no salão procurou a mulher com o olhar e surpreendeu-se. De fato, havia grande semelhança entre ela e a mulher descrita pelo porteiro. Os cabelos eram diferentes, o corpo mais roliço, Teresa era magra e a outra um pouco mais cheia. Mas o rosto era muito parecido.

Ela aproximou-se da mesa dizendo admirada:

– Bom dia. Sou hóspede do hotel, o porteiro me confundiu com a senhora. De fato, nós somos muito parecidas.

A mulher levantou os olhos, fixou-a e respondeu:

– A senhora é igual minha mãe! Que estranho!

As duas começaram a falar nomes de parentes e nada as fazia pensar que tinham alguma ligação familiar.

– Se veio almoçar, sente-se, faça-me companhia.

Teresa sentou-se e continuaram conversando. A mulher contou que havia chegado da Espanha no dia anterior, para onde se mudara por ocasião de seu casamento há mais de vinte anos. Havia se divorciado por ter surpreendido o marido em adultério e, desiludida, estava voltando ao Brasil para recomeçar a vida.

– Meu nome é Renata.

– Eu sou Teresa.

– Não conheço ninguém nesta cidade. Alguns amigos que deixei aqui, não sei onde estão. Preciso trabalhar para viver, porquanto meu marido não era rico e o que consegui com o divórcio não dá para manter o mesmo padrão de vida a que estou habituada.

Pela cabeça de Teresa passou um pensamento louco. Ela estava com receio de ir entregar o dinheiro ao chantagista. Ela pretendia esconder-se em um lugar discreto para esperar que Osmar resolvesse seu caso. Enquanto isso não acontecesse ela estaria correndo sério risco.

Estava certa de que, tendo descoberto sua fuga, eles fariam de tudo para encontrá-la, além do que estava fragilizada e com medo de procurar o chantagista.

Enquanto amadurecia a idéia que passara pela sua cabeça, Teresa preparou o prato e voltou à mesa. Durante o almoço conversou com Renata, falando de sua vida familiar, da empresa do marido e quando chegou na sobremesa ela perguntou:

– Você disse que precisa trabalhar, em quê?

– Antes de casar eu era secretária, mas depois do casamento nunca mais trabalhei. Meu marido não queria. Estou desatualizada. Por esse motivo aceitarei o que aparecer. Sou pessoa discreta e sem medo do trabalho.

– Eu gostaria de ajudá-la. Talvez meu marido possa lhe

oferecer um emprego em nossa empresa. Você se incomodaria de mudar-se para o Rio de Janeiro?

– De forma alguma. Nada me prende a esta cidade. Vim para cá porque foi aqui que me casei, mas meus pais morreram e não tenho filhos. Quanto aos tios, amigos, conhecidos, eu perdi contato.

Os olhos de Renata brilhavam alegres. A perspectiva de encontrar um emprego a enchia de esperança.

Teresa baixou os olhos, demonstrando tristeza.

– O que foi? – indagou Renata. – Você ficou triste de repente.

Teresa olhou para os lados, depois baixou a voz:

– Você é capaz de guardar um segredo?

– Claro. Pode falar sem receio.

– Minha família não sabe que estou em São Paulo. Meu marido e meus dois filhos acreditam que eu esteja na Itália com uma amiga. Será que posso me abrir com você?

– Sim. Pode confiar.

– Nesse caso, vou falar.

Sublinhando as palavras, Teresa contou tudo a respeito de sua paixão por Antero e a chantagem da qual estava sendo vítima. E finalizou:

– Eu estou arrependida. Era jovem e inexperiente. Se fosse hoje não teria feito nada disso. Amo meu marido, é um homem bom e não merece ser traído. Meus filhos têm de mim um conceito ilibado. Como ficariam sabendo dessa nódoa em meu passado?

– Como será que esse chantagista ficou sabendo?

– Não sei. Ele tem fotos e bilhetes que me incriminam. Estou com medo de ir ao encontro dele entregar o dinheiro. Você poderia fazer isso? Eu lhe pagarei uma boa quantia.

– Não sei... acha que não tem perigo?

– Acho. Você é muito parecida comigo e ele não desconfiaria. Enquanto isso eu me livraria desse encargo desagradável. Fico enojada só em pensar em ter de enfrentar esse sujeito. Você me prestaria um grande favor, eu lhe darei dez mil reais. Depois, você vai comigo para a Europa e voltaremos como se nada houvesse acontecido.

– Você disse que viajou com uma amiga. Como me apresentaria?

– Arranjarei uma desculpa qualquer. Como está seu passaporte?

– Em ordem. Acabei de chegar da Espanha.

– Você aceita minha proposta?

Renata pensou um pouco, depois respondeu:

– Aceito. Se você garante que depois de tudo vai me conseguir um emprego...

– Meu marido gosta de me agradar. Não vai deixar de atender a um pedido meu.

– Então está combinado. Quando preciso levar o dinheiro?

– Amanhã esgota-se o prazo. Vou ligar para um telefone que me foi dado para pedir o endereço do lugar.

Depois que terminaram de comer, Teresa levou Renata a seus aposentos e ligou para o número indicado.

Uma voz de homem atendeu:

– Alô.

– Sou a pessoa que está esperando. Quero saber o endereço de onde deverei retirar a mercadoria e pagar.

Ele deu um endereço, ela anotou. Depois, ele recomendou:

– Não fale nada a ninguém nem apareça acompanhada. Se fizer isso, estará colocando sua segurança em risco.

– Pode deixar. Irei sozinha.

– Chegue às dezenove horas em ponto.

– Estarei lá.

Teresa desligou, depois disse:

– Vou arrumar o pacote do dinheiro bem como dar algum para suas despesas. Agora são quinze horas, temos algum tempo. Vamos conversar.

Elas acomodaram-se no sofá e Teresa começou a falar da empresa do marido, dos seus filhos, enquanto Renata relatava sua desilusão no casamento, sua frustração por não ter tido filhos, as traições do marido, mulherengo e indisciplinado.

Uma hora antes das dezenove, Teresa entregou a Renata a frasqueira com o pacote de dinheiro e depois de contar tudo disse:

– Eu a acompanho até o local. Fico esperando do lado de fora. Você entrega, ele confere, você apanha o material e sai. Quanto menos falar, melhor. Depois, vamos embora.

Elas saíram, tomaram um táxi, deram o endereço. Faltavam cinco minutos para as dezenove horas quando o carro parou em frente a casa que estava às escuras.

– Parece que não há ninguém – comentou Renata.

– Vá. Certamente ele está sendo discreto.

Renata segurou a frasqueira com firmeza, embora suas pernas estivessem tremendo um pouco. Caminhou para a casa e procurou a campainha, não encontrou. Quando bateu na porta, a mesma abriu e ela olhou assustada para Teresa, que fez um gesto para que ela entrasse.

Ela entrou e fechou a porta. Alguns segundos depois um carro parou atrás do táxi que Teresa estava e três homens desceram, dirigindo-se à casa. Apavorada, ela reconheceu os homens que a tinham seqüestrado.

Na tentativa de passar despercebida, ela havia comprado um xale que quando saía à rua colocava na cabeça. Imediatamente, colocou o xale e pediu ao motorista:

– Vamos sair daqui e esperar mais adiante.

Ele obedeceu e parou na esquina mais próxima. Teresa viu pelo vidro traseiro que eles entraram na casa onde minutos antes Renata tinha entrado.

Ela ficou dividida. Assustada, desejava sair dali o quanto antes, mas ao mesmo tempo não tinha coragem de deixar Renata à mercê daqueles bandidos.

19

O dia já havia amanhecido quando o chefe dos seqüestradores e dois homens voltaram à casa onde Teresa estava detida. A porta de entrada entreaberta os fez desconfiar de algo errado. Imediatamente eles puxaram o revólver.

Com cuidado entraram na casa e tiveram a surpresa de não encontrar ninguém. O vigia, tendo descoberto a fuga de Teresa, tinha fugido com medo do castigo.

– Eu mato aquele desgraçado – disse o chefe, nervoso, esmurrando a mesa que ainda continha os restos do jantar de Teresa.

– Será que ele fugiu com ela? – indagou um.

– Não. Ela era muito velha para ele – disse outro.

– Calem-se. Vocês todos são uns idiotas. Não servem para nada.

– Vou pegar o carro e dar uma volta. Eles foram a pé, pode ser que estejam por perto.

– Não vai adiantar, a essa hora ela deve estar longe.

Ele pensou um pouco, depois disse:

– Chamem o Otero para vir aqui imediatamente.

Os dois saíram apressados. Meia hora depois voltaram, trazendo um homem atarracado, de meia-idade, sorriso fácil, olhos inquietos e traiçoeiros. Ele entrou.

– Assim que eu gosto. Você veio rápido.

– Chamado do Gil para mim é sagrado.

– Vocês dois podem sair. Sente-se, Otero.

Ele obedeceu e Gil continuou:

– Há dois dias quando você veio dar conta de sua campana com Otávio, suspeitava que ele estivesse armando uma grande jogada. Era a partida de mercadoria que ele comprou e não pagou?

– Não era, chefe. Ele está envolvido com uma dama e parece que vai entrar muito dinheiro.

– Como assim?

– Ele está pressionando uma dama da sociedade uma tal de Teresa Borges de Azevedo. Pelas conversas que ouvi, ele conseguiu provas de que ela traiu o marido e está pedindo muito dinheiro por essas provas.

– Bem se vê que esse traste se contenta com migalhas. Ele devia mais é estar na cobrança do pagamento daquela mercadoria que ele intermediou, dizendo que o cara era de palavra e ia pagar tudo na entrega. Faz tempo que estou de olho nele.

– Desde que ele botou os olhos em d. Anita.

Gil deu um soco sobre a mesa, irritado.

– Esse cara me tira do sério e qualquer dia desses vai se ver comigo.

Otero tossiu, hesitou, pigarreou e Gil interveio:

– Você está rodeando. Conheço seu jeito. O que quer me dizer?

– É que eu vi quando ele saiu e foi até a loja de d. Anita, falar com ela.

– Ele fez isso?

– Fez mais. Segurou a mão dela e beijou-a, dizendo que ela era muito linda e merecia coisa melhor do que estar esperando por você.

– Ele vai se ver comigo – ameaçou Gil, tentando conter a raiva.

– Eu ouvi quando ele a convidou para jantar naquela noite.

Os olhos de Gil brilhavam furiosos:

– E ela, o que respondeu?

– Ela sorriu, fez um jeito dengoso e ele continuou segurando a mão dela. Depois disse que não podia aceitar, mas quem sabe um dia, ela iria jantar com ele.

– Desgraçada! Ela que nem tente sair com aquele traste. Farei picadinho dos dois. Você volta lá e fique de olho. Se eles combinarem algum encontro, avise-me.

– Você sabe que ele tem uma casa onde trata dos negócios. Lá também se encontra com mulheres. O danado é mulherengo como ele só. Quando ele pediu a d. Anita para ir jantar com ele, deu o endereço daquela casa. É para lá que ele planeja ir com ela.

– Volte lá agora mesmo e fique observando. Se ouvir qualquer coisa suspeita, avise-me.

Otero saiu satisfeito. Ele sabia que Gil era ciumento e estava muito apaixonado por Anita. Fazer esse jogo para ele era muito rendoso, porquanto Gil lhe pagava bem. Depois, o prestígio era grande entre os demais que disputavam a atenção dele no grupo.

Naquela noite mesmo, ele voltou à casa de Otávio e ficou espreitando. Mas ele não saiu. No dia seguinte, ele deixou a casa depois do almoço, e Otero o seguiu até a casa onde fazia seus negócios ilícitos.

Ele tinha colocado uma escuta no telefone daquela casa e à tarde, quando Teresa ligou para entregar o dinheiro, ele ouviu os dois marcarem o encontro para às dezenove horas.

Imediatamente, ele ligou para Gil e deu a notícia, finalizando:

– Era voz de mulher e eu não sei quem era porque ela não deu o nome.

– É ela! Eu sei que é. Isso não vai ficar assim...

– Vou ver se consigo descobrir o nome da mulher.

– Eu vou de qualquer jeito. Este cara está me tirando do sério. Primeiro, colocando-me numa roubada com a mercadoria. Depois, cantando minha mulher. Vou tirar satisfações de uma vez por todas.

Assim que desligou o telefone, Gil teve a idéia de escrever uma carta anônima e mandar colocar debaixo da porta da casa de Otávio. Sua mulher precisava saber como ele era safado.

Escreveu o bilhete, tomando cuidado para não ser identificado, limpando cuidadosamente para não deixar suas digitais. Depois foi pessoalmente à casa de Otávio e colocou a carta debaixo da porta.

Se tudo saísse como ele esperava, ela estaria lá e surpreenderia o marido com a outra.

Cinco minutos antes das dezenove horas, Gil chegou na casa onde Otávio costumava ir e percebeu que a casa estava às escuras.

– O safado preparou tudo para uma noite de amor.

Otero aproximou-se dele dizendo:

– Faz alguns minutos que a mulher entrou.

– Viu se era minha mulher?

– Não vi o rosto. Ela saiu de um táxi e entrou muito rapidamente. Parecia que estava com medo.

Gil respirou fundo, tentando controlar a raiva. Depois disse: vocês dois fiquem do lado de fora vigiando. Otero vai comigo. Eu vou entrar. Se precisar de vocês eu dou o toque de costume.

Gil empurrou a porta e entrou na sala sem fazer ruído. Viu Otávio sentado em frente a uma mesa tendo um maço de notas a sua frente. A mulher estava em pé, ao lado dele.

"Não é Anita", pensou Gil, aliviado.

Já ia se retirar quando a mulher virou o rosto e ele reconheceu:

– É Teresa! É a mulher que Otávio está chantageando. Ela não vai me escapar.

Ele caminhou até eles dizendo:

– Você vai me explicar que dinheiro é esse?

Otávio levantou-se assustado e vendo Gil disse:

– É um dinheiro meu. Você não tem nada com isso.

Gil pegou Otávio pelo colarinho, dizendo irritado:

– Eu prendi essa mulher para garantir o pagamento daquela mercadoria e você deve ter negociado com ela nas minhas costas.

Renata olhava o homem que estava perto da porta impedindo a passagem. Apavorada, ela pensava em fugir.

– Você está enganado. Eu nem sabia que ela estava em seu poder.

– Não tente me enganar. Ela é a mãe daquele safado do Osmar. Foi você que a ajudou a fugir. O que você fez com o homem que estava tomando conta dela?

Gil, furioso, sacudia Otávio que em vão tentava explicar que não fizera nada daquilo.

Renata tentou passar do lado de Otero para fugir. Gil notou, empurrou-a e ela caiu. Quando tentou levantar-se, Gil deu-lhe forte soco no queixo e ela rolou desacordada.

– Agora vou tratar de você. Esse dinheiro é meu por conta do que vocês me devem.

– Esse dinheiro é meu. Você não vai levá-lo.

Otávio puxou uma faca e enterrou-a no braço de Gil que sentiu uma dor aguda e soltou a arma. Otávio correu para apanhá-la, mas Gil atirou-se sobre ele, tirou a faca de sua mão e enterrou-a no peito dele várias vezes, até vê-lo estirado, sem vida.

Depois, examinou a ferida no antebraço; o sangue escorria. Foi até a porta e chamou os homens, dizendo:

– O desgraçado me feriu. Tragam a maleta.

Um deles foi até o carro e voltou com uma valise. Lá havia material de pronto-socorro. O homem fez um curativo para estancar o sangue e disse:

– Não foi muito fundo.

Renata, estendida no chão, começou a se mexer.

– Chefe, essa mulher é aquela que fugiu? – perguntou um deles.

– É.

Renata abriu os olhos e sentou-se no chão, olhando-os apavorada. O corpo de Otávio estava sangrando e ela sentiu-se atordoada.

– O que vamos fazer com ela? – indagou um.

– Apagar. Ela não pode sair daqui para contar o que viu. Depois, desafiou-nos, tem de pagar.

Renata ouviu e estendeu as mãos, dizendo aflita:

– Deixem-me sair daqui. Eu não sou quem vocês estão pensando. Não fugi de vocês. Estão enganados.

Gil apanhou a faca, entregou a um deles e disse:

– Faça o serviço sem barulho para não atrair atenção, enquanto isso, eu ajunto o dinheiro e decido o que vamos fazer com os corpos.

Enquanto Gil friamente recolhia o dinheiro que se espalhara pelo chão, o homem segurou a faca e avançou em Renata, que estendeu as mãos, tentando impedir que ele se aproximasse.

Depois Gil olhou os dois corpos estendidos no chão e resolveu:

– Logo mais, a mulher deste safado deve chegar aqui. Vamos arrumar a cena.

Calmamente, Gil mandou tirar a roupa dos dois e colocar os corpos na cama. Depois tirou do bolso os documentos de Teresa e jogou-os embaixo da cama.

Enquanto eles faziam tudo isso, ao redor estavam alguns

espíritos trevosos, satisfeitos com os acontecimentos.

– Eles tiveram o que mereciam – disse um.

– Estamos vingados – ajuntou outro.

Sem que eles notassem, a alguma distância, o espírito de Analú e de um rapaz, observavam tristemente.

Naquele momento, o rapaz disse entre lágrimas:

– Eu tentei evitar, mas eles não me ouviram.

Abraçando-o com carinho, Analú respondeu:

– Eles escolheram o próprio caminho. Só podemos aguardar que eles despertem para o bem. Enquanto escolherem o mal, nada poderemos fazer.

Os quatro homens saíram da casa, deixando a porta encostada.

Teresa mandara o táxi virar a esquina e eles viram quando os homens saíram.

O motorista aconselhou:

– É melhor irmos embora. Isso não está me cheirando bem. Aqueles homens parecem marginais.

– Não posso deixar minha amiga sozinha. Ela foi só entregar uma encomenda. Vamos esperar mais um pouco.

Mas Renata não voltava.

– Eu vou até a casa ver o que aconteceu. Fique esperando aqui.

Ela desceu, caminhou até a casa, encostou o ouvido na porta, mas não ouviu nada. Depois, abriu e entrou. Foi caminhando no escuro até o quarto onde o abajur estava aceso. A cena que viu quase a fez desmaiar. Renata estava morta ao lado daquele homem.

Mesmo apavorada como estava, Teresa lembrou-se dos documentos que viera buscar. Precisava encontrá-los. Onde estariam? Voltou à sala, abriu algumas gavetas, mas não encontrou nada. Olhou em volta e teve medo. Precisava sair dali o quanto antes. Sem pensar em mais nada saiu correndo, deixando a porta da entrada encostada.

Sentia as pernas trêmulas e o coração descompassado. Esforçou-se para manter a calma. Respirou fundo, foi até o táxi e disse ao motorista:

– Vamos embora. Minha amiga já foi em companhia de outra pessoa. Podemos ir.

De volta ao hotel, Teresa não podia esquecer a cena terrível que presenciara. Ela sabia que Renata morrera em seu lugar. Era ela quem deveria estar ali, naquela cama, com aquele homem.

Ela precisava desaparecer. O que aconteceria se eles soubessem que ela continuava viva? Certamente a procurariam para matá-la como fizeram com a infeliz Renata, que pagara um preço muito alto por ser parecida com ela.

Por outro lado, a situação a impossibilitava que voltasse para a casa. Agora mais do que nunca precisava esconder-se. Felizmente, tinha o dinheiro que reservara para viajar, o que possibilitaria que ela se escondesse por algum tempo.

Não conseguiu dormir naquela noite. Quando estava pegando no sono, acordava sobressaltada e a cena do crime reaparecia diante de seus olhos.

Assim que amanheceu, Teresa tomou um banho, esperou a hora do café, desceu, tomou uma xícara de leite, voltou ao quarto, apanhou uma lista telefônica e procurou alguns hotéis modestos em um bairro afastado.

Selecionou alguns, ligou para informar-se e anotou tudo. Depois, apanhou a bolsa de Renata que ficara no táxi quando ela entrou na casa de Otávio carregando a frasqueira. Abriu e viu que todos os documentos estavam lá, inclusive o passaporte. Olhando as fotos ela pensou em usar a identidade dela, até que as coisas se esclarecessem, era só mudar o penteado e daria para passar.

Foi ao quarto de Renata, arrumou todas as coisas dela, pagou a conta e deixou o hotel.

Naquele mesmo dia, instalou-se em um hotel modesto, próximo ao aeroporto.

Deitada no quarto, Teresa pensava nos acontecimentos, angustiada. Quando a polícia entrasse naquela casa e encontrasse os dois corpos sobre a cama, pensaria que eles tinham tido um encontro de amor.

Seu nome sairia nos jornais, seria dada como morta e sua memória estaria manchada. Como sua família reagiria diante da notícia?

Gostaria de procurá-los, relatar o que acontecera, dizer que continuava viva e que nunca se relacionara com aquele homem.

Mas para isso, teria de procurar a polícia, contar verdade. Diante da família teria de confessar o erro do passado que fizera tudo para esconder. Não seria pior? Além disso, confessar tudo não iria prejudicar ainda mais Osmar?

Era possível que julgando que a tivessem matado, eles se dessem por satisfeitos com o castigo que acreditavam ter impingido a Osmar e o deixassem em paz.

Teresa tinha esperança de que o filho, pensando que ela estivesse morta, vitimada pelos traficantes, sentisse culpa, resolvesse mudar e desistisse desse triste comércio. E se a polícia encontrasse os documentos que a comprometiam? Teria sido inútil todo seu esforço em preservar-se. Sua família saberia de tudo. O que ela tanto quisera evitar acontecera, e a infeliz Renata pagara com a vida por ter ido em seu lugar.

Ela estava sem saída. Se aparecesse, fatalmente agravaria as coisas tanto para si como para sua família. Mas por outro lado, pensar que nunca mais poderia voltar para casa, para os filhos e que seria desprezada por eles era-lhe insuportável.

As últimas emoções a deixaram deprimida e cansada. Estava em um beco sem saída. Teria de esperar que as coisas mudassem, que a polícia prendesse os assassinos para poder aparecer e contar a verdade.

Isso lhe parecia muito distante. Aqueles homens eram

bandidos experientes. Ela sabia que Renata nunca se deitaria com aquele homem. Eles armaram aquela cena para despistar a polícia ou até para ferir ainda mais a honra de Osmar.

Apesar de cansada, Teresa não conseguia dormir. Sentou-se na cama pensando no que fazer. Chegou à conclusão de que não podia se entregar, precisava reagir, cuidar-se para não adoecer.

Mesmo sem fome resolveu descer e comer alguma coisa. Não havia se alimentado durante o dia inteiro. O hotel não tinha restaurante, apenas uma lanchonete simples.

Teresa sentou-se em uma das mesas, pediu um refresco e um cachorro quente. A sala era pequena e havia algumas pessoas comendo.

Ela estava pouco à vontade, usava um vestido de Renata que tinha um gosto diferente do seu, mais alegre e colorido. Precisava habituar-se, uma vez que pretendia passar-se por ela, além do que, suas roupas haviam ficado na casa dos traficantes.

Estava comendo seu sanduíche quando sua atenção foi despertada pelo aparelho de TV que estava no alto em um canto da sala.

Um homem falava sobre um crime misterioso que havia acontecido na noite anterior dando o endereço da casa e o nome de Otávio de Oliveira. Dizia que a polícia estava investigando a identidade da mulher.

O pão parou na garganta de Teresa, que tomou o refresco, procurando controlar-se. Eles prometeram voltar com novas notícias sobre o crime.

A custo Teresa conseguiu comer todo o lanche. Depois, voltou ao quarto pensando no que vira.

Se os traficantes descobrissem que tinham matado a mulher errada, sua vida estaria em perigo. Angustiada, ela decidiu que procuraria um salão de beleza para fazer com que seus cabelos ficassem mais parecidos com os de Renata.

Dias depois, Teresa foi ao salão de beleza, levando a foto de Renata e pediu que seus cabelos voltassem a ser como eram naquele tempo.

Quando saiu de lá, estava mais parecida com Renata. Passou por uma banca de jornal e teve sua atenção despertada pelo seu retrato na primeira página, ao lado de Otávio. Comprou um exemplar e foi para o hotel.

Ao entrar, algumas pessoas a olharam admiradas e a moça que atendia na lanchonete disse:

– A senhora viu o jornal de hoje?

Aparentando naturalidade, Teresa respondeu:

– Comprei, mas ainda não li.

– A mulher que mataram é muito parecida com a senhora. É sua parente?

Teresa abriu o jornal, olhou a foto e respondeu com naturalidade:

– De fato, tem alguma semelhança. Mas não é de minha família, graças a Deus.

Teresa foi para o quarto, nervosa. E se, apesar da semelhança, a polícia descobrisse que aquele corpo não era o dela?

Decidiu procurar uma casa no subúrbio, o mais barato que pudesse achar para esconder-se. Dois dias depois, encontrou, pagou dois meses adiantado e instalou-se.

A casa possuía quarto, sala, cozinha e banheiro. Era muito antiga, mas estava mobiliada. Os móveis eram baratos e estavam velhos, porém Teresa a alugou assim mesmo.

Não estava em condições de exigir nada. No dia seguinte compraria algumas coisas que a tornassem mais habitável.

Os dias foram passando e Teresa só saía para comprar

alimentos e jornais. Assim ficou sabendo das dúvidas quanto a sua morte e isso a fez ficar mais reclusa do que estava.

Comprava livros no sebo e procurava passar o tempo. Fazia mais de um mês que o crime acontecera e a polícia não encontrara o criminoso.

Teresa pensava no motorista do táxi que as levara até a casa onde acontecera o crime. Não encontrou menção a ele em nenhum jornal. Ele sabia que aquele lugar era perigoso e chegara a mencionar isso naquela noite. Vendo o noticiário, por que não foi a polícia? Estaria com medo de se envolver?

Havia dias, acordava e ficava rememorando o que tinha acontecido. Fazia isso procurando enxergar alguma coisa que ainda não havia visto, buscando uma saída para a situação dolorosa em que se encontrava.

A solução demorava, e Teresa pensava no que faria quando o dinheiro acabasse. Precisava encontrar uma forma de ganhar algum. Mas como? Não podia procurar um emprego. Além de ser perigoso, em sua idade não conseguiria.

Lembrou-se de que havia estudado várias artes e era boa pintora. Talvez pudesse pintar alguma coisa simples e vender.

Naquele mesmo dia saiu, comprou algumas telas pequenas, tinta e pincéis e começou a pintar. Logo, sentiu que essa atividade fez-lhe muito bem. Enquanto pintava esquecia de tudo, absorta e descontraída.

Vendo-a entretida naquele trabalho, o espírito de Analú, que estava ao seu lado, sorriu satisfeita.

Teresa estava começando a recuperar um pouco o equilíbrio que perdera desde que recebera a ameaça de Otávio pela primeira vez.

20

O telefone tocou, Paulo atendeu e reconheceu a voz do delegado.

– Como vai, Monteiro?

– Como sempre. Tenho novidades. Você pode vir até aqui?

– Posso. Estarei aí dentro de quinze minutos.

Fazia dois dias que Paulo se instalara na casa de Marília e até aquele instante tudo estava bem. Olhou o relógio, eram dez horas. Foi até a cozinha onde Vitório se deliciava com um chá e uma generosa fatia de bolo, conversando com Marília e Dorita.

– Monteiro pediu para eu ir até a delegacia. Disse que tem novidades. Não vou demorar.

– Você ainda não dormiu – tornou Marília.

– Estou bem. Dormirei quando voltar.

Desde que se instalara na casa, tanto Marília como Dorita o tratavam com carinho e atenção.

Ele se preparou para sair e Marília acompanhou-o até a porta.

– Estou curiosa para saber o que ele descobriu.

– Eu também. Logo saberemos.

– Não vejo a hora que ele descubra e prenda os assassinos. Só assim poderemos viver em paz.

– Aí eu irei embora e não as incomodarei mais.

Marília colocou a mão no braço dele dizendo séria:

– Não diga isso. Eu gostaria que você nunca mais nos deixasse.

Um brilho emotivo passou pelos olhos dele que sorriu e disse:

– Pois eu também gostaria de poder ficar aqui.

– Altair adora conversar com você.

– Vocês me fazem sentir em casa. Voltarei o mais rápido que puder.

Ele saiu, apanhou o carro e dirigiu-se à delegacia. Uma vez lá, entrou e foi direto à sala de Monteiro.

– E então, o que descobriu?

– Aquela pista que você me deu é quente. Descobrimos que o filho de Alberto está metido com traficantes de drogas.

– Então ele tinha ligação com Otávio?

– Sim. Os peritos encontraram o nome dele e o número de telefone naqueles documentos. Não só isso, eles conversaram diversas vezes nos dias que antecederam o crime. Parece que estamos achando o fio da meada.

– Esse crime foi cometido por bandidos experientes.

– Mais de um. E como você desconfiava, eles não foram mortos naquela cama. A cena foi forjada para nos confundir.

– Eu vi os sinais de luta na sala. Foi lá que eles foram mortos.

– Isso mesmo. E tem mais. Osmar e Nelsinho foram naquela clínica visitar uma mulher que eles tinham internado um dia antes do crime.

Paulo levantou da cadeira:

– Você sabe quem é ela?

– Não. Mas vamos descobrir. Vou fazer uma diligência

até aquele hospital no Rio de Janeiro e chamei-o para nos acompanhar.

– Você acha que pode ser Teresa?

– Não sei. Mas não custa verificar. Também Elvira, a amiga de Teresa desapareceu. Pode ser uma das duas.

Eles se prepararam para sair com mais dois policiais. No carro, durante o trajeto, Paulo indagou:

– Por que será que Osmar internou essa mulher exatamente um ou dois dias antes do crime?

– Também estou intrigado. Se ela for Teresa será fácil reconhecer, porém se for Elvira nós não teremos como.

Uma vez no hospital, eles entraram e Monteiro dirigiu-se à secretaria. Identificou-se e disse:

– Recebemos uma denúncia que vocês mantêm aqui uma paciente que foi internada pelo dr. Osmar Borges de Azevedo, contra a vontade dela.

A secretária levantou-se assustada:

– É um absurdo, doutor!

– Quero ver essa paciente – exigiu Monteiro.

– Não sei do que está falando – respondeu a secretária. – Vou chamar o responsável pelo hospital: o dr. Ernesto.

Ela fez menção de sair, mas o delegado a impediu:

– Chame-o pelo telefone.

Com as mãos trêmulas ela obedeceu e em alguns minutos o médico apareceu. O delegado renovou o pedido para ver a mulher e o médico respondeu:

– Não será adequado conduzi-los ao quarto dela neste momento. Trata-se de uma paciente em estado grave, precisou ser sedada.

– Desejo ver a ficha de internação – disse o delegado.

A um sinal do médico, a secretária apanhou uma ficha no arquivo e apresentou-a.

Monteiro leu: Maria de Souza. Endereço, idade, estado civil, ignorados.

– Essa mulher estava passando mal em frente a

empresa do dr. Osmar que ficou penalizado. Ela estava fora de si, apresentando sinais de demência. Ele então a trouxe a este hospital para tratamento e está procurando encontrar pessoas da família dela. Até agora não conseguiu nada.

– Leve-nos ao quarto dela. Precisamos vê-la.

– Ela está sedada, como eu disse. Não vale a pena ir até lá.

– Quem decide isso sou eu – rebateu Monteiro. – Leve-nos até lá.

Tentando esconder a preocupação, Ernesto levou-os ao quarto de Elvira. Abriu a porta e enquanto os dois policiais ficavam do lado de fora, Monteiro e Paulo entraram com o médico.

Viram logo que não era Teresa. Ela estava debilitada e pálida.

– Ela parece mal – comentou Paulo.

– Não está – respondeu o médico. – A palidez é porque está sedada.

Monteiro chamou um dos homens e disse:

– Tire uma foto dela bem de perto.

– Para quê? – indagou o médico.

– Vou levar para a delegacia e ver se descubro sua identidade. Assim, poderemos avisar a família.

– Claro – disse o médico. – Mas pode ver que aqui ela está sendo muito bem tratada.

Monteiro não respondeu. Depois de tirar a foto, eles saíram e se despediram.

Na rua, Monteiro deu algum dinheiro a um dos policiais e disse:

– Você, fique aqui vigiando e se observar qualquer movimento suspeito nos avise, entrarei em contato com a delegacia local para agir. Nós vamos descobrir se essa mulher é quem eu estou pensando.

– Eu também tenho a mesma suspeita – tornou Paulo. – Vamos embora.

Os três saíram, enquanto o policial escondeu-se e ficou observando.

– Vamos voltar para São Paulo, procurar Alberto – decidiu Monteiro.

O carro saiu e quando chegaram a São Paulo, apesar de cansados, foram ao apartamento de Alberto.

Tocaram a campainha e Dinda surpreendeu-se:

– Doutor delegado, a essa hora! Aconteceu alguma coisa?

– Sim. Precisamos conversar com o dr. Alberto.

Eles entraram e a essa altura a foto rápida já tinha sido revelada.

Alberto estava sentado na sala, lendo. Quando não conseguia dormir, o que lhe acontecia com freqüência nos últimos tempos, levantava-se e procurava alguma atividade que o distraísse.

Vendo-os entrar, levantou-se e cumprimentou-os. Depois disse ansioso:

– Então, doutor, tem alguma novidade?

Monteiro segurou a foto e mostrou-a a Alberto, perguntando:

– Reconhece esta mulher?

Alberto fixou-a, dizendo admirado:

– Sim. É Elvira, a amiga que viajou com Teresa. Ela também está morta?

– Não. Está apenas sedada em um hospital.

– Sedada? Como assim, o que aconteceu? Ela sabe o que aconteceu com Teresa?

– Como eu disse, ela está sedada em um hospital. Foi seu filho Osmar quem fez a internação.

– Osmar?! Não entendo. Ele não a conhecia!

– Tem certeza disso? Ele a internou e está custeando as despesas dela.

Alberto deixou-se cair no sofá, levando a mão na testa, como que querendo clarear o pensamento.

– Isso não é possível. Ele não faria isso sem nos dizer nada. Ademais, ele não a conhecia.

– Ainda não sabemos as razões de ele tê-la internado naquele hospital – tornou Monteiro.

– Vou ligar para ele e perguntar.

– Não faça isso. Por enquanto temos de manter sigilo nas investigações.

– Vou falar com ele. É meu filho. Tem de explicar como conheceu essa mulher.

– Prometa que não vai fazer isso – repetiu o delegado. – Pode estragar nossas investigações. Prometo que assim que souber de tudo lhe contarei.

– Está bem. Vou aguardar com impaciência.

– Fique calmo – interveio Paulo –, estamos muito perto de descobrir o que aconteceu a sua esposa.

Depois de certificar-se de que Alberto não telefonaria para Osmar, eles deixaram o apartamento.

– Vou providenciar para tirar aquela mulher de lá o quanto antes. Penso que depois de amanhã teremos tudo o que precisamos. Levaremos uma ambulância e a transferiremos para outro hospital aqui em São Paulo, onde ela fará todos os exames e trataremos da sua volta ao normal. Levaremos autorização judicial e uma viatura. Quero fazer essa visita pessoalmente.

– E se o médico for cúmplice de Osmar, avisá-lo e ele, nesse meio tempo, tirá-la de lá? – indagou Paulo.

– Para evitar isso deixei um homem vigiando. Vamos voltar à delegacia e fazer o que é preciso. Não temos tempo a perder.

Já era tarde e eles estavam cansados. Monteiro encarregou Paulo de fazer o pedido de um mandato ao juiz na manhã seguinte, enquanto ele providenciaria tudo para voltar ao hospital e retirar Elvira.

Paulo foi para a casa de Marília e contou as novidades. Vitório ficou esperançoso de descobrir notícias da mãe.

– Arranje alguém para tomar conta delas. Eu quero ir com vocês. Não vou suportar ficar esperando.

– Vou ver o que posso fazer.

Na manhã seguinte, Paulo acordou cedo e foi para seu escritório fazer a petição para o juiz. Depois, foi para a delegacia onde Monteiro também já tinha conseguido a ambulância e estava se preparando para iniciar a diligência.

Paulo falou com Monteiro que Vitório queria ir junto, porém o delegado respondeu:

– Não adianta ele ir agora. Elvira está inconsciente e não poderá nos dizer nada. Quando ela já estiver recuperada prometo que o chamarei para ouvir o que ela tem a nos dizer.

Quando Paulo ligou para dar a notícia a Vitório, ele entendeu que o delegado estava certo.

Tudo pronto, eram onze horas quando a diligência deixou a delegacia. A ambulância com o médico, uma enfermeira e duas viaturas. Em uma delas estavam Paulo e o delegado.

Passava das dezesseis horas quando o policial que ficara no hospital ligou para Monteiro dizendo:

– Nelsinho acabou de entrar no hospital. Estava sozinho, mas parecia apressado.

– Fique preparado. Estamos chegando. Dentro de mais uma hora estaremos aí.

Assim que chegaram na frente do hospital eles pararam. O policial que ficara vigiando aproximou-se. Monteiro perguntou:

– Alguma novidade?

– Não. Nelsinho continua lá dentro. Não vi nenhum movimento suspeito.

O delegado colocou dois homens na entrada de serviço vigiando.

– Não deixem nenhuma ambulância sair e me avisem se isso acontecer.

Dentro do hospital, na sala do dr. Ernesto, Nelsinho estava sentado, nervoso, conversando com ele.

– Bem que eu disse ao Osmar para dar um jeito nela. Ele demorou demais.

– Essa história está cheirando mal. Não posso manchar a reputação do hospital. Osmar precisa tirar logo essa mulher daqui. Por que ele não veio pessoalmente cuidar disso?

– Ele disse que se aparecer aqui vai complicar mais o caso. Encarregou-me de resolver tudo.

– Eu posso colocá-la em uma ambulância, mas preciso mandá-la para algum lugar. Nem isso ele arranjou?

– Nós podemos abandoná-la bem longe daqui, em um lugar deserto.

– Não posso correr esse risco. Ela não está em condições de andar. Pode morrer caso não tenha cuidados especiais.

– Isso seria um alívio. Bem que eu disse ao Osmar para resolver logo, mas ele ficou esperando não sei o quê.

– Vou tirá-la daqui e levá-la para sua casa antes que a polícia volte.

– Não faça isso, pode despertar suspeitas. Não quero nada com a polícia.

Ernesto levantou-se irritado:

– Este caso está indo longe demais. Vou mandá-la para sua casa e pronto. Você e Osmar que resolvam o caso.

Nelsinho levantou-se, ia protestar quando ambos ouviram batidas na porta.

– Entre – disse o médico.

A secretária apareceu, mas não chegou a falar porque o delegado Monteiro passou à frente, apresentando um papel ao médico e dizendo:

– Vim buscar aquela paciente. Tenho autorização

judicial. A partir de agora ela está sob minha responsabilidade.

Nelsinho quis sair, mas foi impedido pelo policial que estava perto da porta.

– Deixe-me passar – disse Nelsinho –, não tenho nada com isso.

– Quem decide se tem ou não sou eu – tornou Monteiro com voz firme. – Você está detido para averiguações.

O dr. Ernesto tentava encobrir o nervosismo. Quis segurar o papel que o delegado lhe estendia, mas ele não o deixou pegá-lo.

– Leia, doutor. Nós já identificamos a paciente. Trata-se de Elvira, amiga de Teresa Borges de Azevedo, mãe de Osmar Borges de Azevedo que desapareceu com ela. O senhor será intimado a prestar declarações para explicar por que a manteve aqui, dopada. Segundo sabemos, essa senhora nunca teve nenhuma doença mental e o senhor e seu hospital terão muito que explicar.

– Eu posso explicar tudo já. Sou apenas um médico. Não conhecia essa mulher, acreditei nas informações que nos deram.

– O senhor terá tempo de se lembrar bem dos detalhes e nos contar tudo o que sabe. Mas agora tenho pressa de retirar a paciente. – Voltando-se para os policiais continuou: – Chamem os enfermeiros para buscá-la.

Monteiro, antes de entrar, tinha chamado uma das viaturas e deu ordem a um dos policiais para que levasse Nelsinho.

Depois, o dr. Ernesto levou-os até Elvira e os enfermeiros a transportaram até a ambulância que partiu em seguida, sob escolta de uma viatura.

O médico aproximou-se do delegado dizendo:

– Agora que já cumpriu seu mandato, pode conceder-me alguns minutos em particular?

Monteiro fixou-o sério:

– Tenho pressa. Não posso esperar.

– Vou ser rápido. Vamos a minha sala.

Monteiro o acompanhou em silêncio. Entraram na sala e Ernesto fechou a porta dizendo em voz baixa:

– Doutor, peço-lhe que esqueça a nossa participação nesta triste história. Meu hospital tem boa reputação e não pode ser envolvido.

– O senhor deveria ter pensado melhor antes de se envolver em uma situação tão nebulosa.

– Tem razão, mas eu fiquei com pena da pobre mulher. Depois, conheço o dr. Osmar como um empresário de bem e nunca imaginei que ele pudesse fazer algo errado.

Monteiro sorriu quando respondeu:

– Por favor, doutor, assim o senhor subestima minha inteligência.

– Esqueça o nome do hospital e saberei ser reconhecido. Posso melhorar muito seu padrão de vida.

O rosto de Monteiro ruborizou-se indignado. Controlou a raiva e respondeu firme:

– Se continuar nesse tom, dar-lhe-ei voz de prisão e terei certeza de que é cúmplice de Osmar.

– Por favor. Não se ofenda. Eu pensei apenas em livrar meu hospital dessa confusão.

– O senhor e seu hospital já estão em uma grande confusão, a única forma de ter algo a seu favor é contar a verdade à polícia. Pense nisso. Passe bem, doutor.

Monteiro saiu e o médico sentou-se, colocando a mão na testa e procurando encontrar uma saída.

Entrando na viatura ao lado de Paulo, Monteiro disse satisfeito:

– Tudo está caminhando bem. Só nos resta esperar que Elvira recobre a consciência e possa nos contar a verdade.

Nada mais tendo de fazer ali, eles viajaram imediatamente de volta a São Paulo. Paulo ficou na companhia deles até a internação de Elvira em outro hospital e ouvir a opinião do médico que a examinara cuidadosamente.

– Ela está muito enfraquecida. Primeiro, vamos fortalecê-la bem, e depois fazê-la voltar à consciência devagar.

– O senhor acha que ela vai se recuperar completamente? – indagou Monteiro, preocupado.

– Penso que pode demorar um pouco, mas não me parece que ela tenha alguma doença grave. Vamos ver como reage aos medicamentos.

– Ela está sob meus cuidados e terá vigilância durante vinte e quatro horas. Não pode receber visitas em hipótese alguma. Ela é testemunha importante no crime que lhe falei e sua vida corre perigo.

– Vou designar duas enfermeiras de minha confiança para cuidar dela e não permitir que ninguém mais se aproxime.

– Faça isso, doutor. Se eu precisar substituir um dos meus homens avisarei com antecedência.

Eles saíram e Paulo voltou à delegacia para apanhar o carro que ficara lá.

Era madrugada quando Paulo voltou para casa. Estava cansado, mas contente. Quando Elvira recobrasse a consciência muitas coisas seriam esclarecidas.

A casa estava escura, mas Vitório, que tinha ficado lá ansioso para esperar a volta de Paulo, abriu a porta. Ele entrou e Vitório não se conteve:

– E então, o que aconteceu?

Paulo ia responder, mas teve a atenção voltada para Marília e Dorita que se aproximaram.

Vitório estava angustiado, ansioso.

– Conte-nos como foi – pediu.

– Antes vou trazer alguma coisa para Paulo. Ele está abatido, não dormiu e penso que nem comeu – tornou Dorita.

– De fato, não tive tempo mesmo.

– Vamos para a cozinha – decidiu Marília. – Lá, enquanto tratamos de Paulo, ele nos contará tudo.

Logo Paulo estava sentado ao redor da mesa tendo na sua frente uma porção de salgadinhos e um copo de refresco.

Enquanto comia com apetite, ele contou em detalhes o que se passara. E finalizou:

– O médico safado ainda tentou subornar o delegado, mas pela reação dele percebeu logo que ia se dar mal. Fazer isso logo com o Monteiro, policial honesto e sério.

– Estou angustiado – disse Vitório. – Só meu pai conheceu a Elvira, nós dois nunca a vimos. Como ela pode ter sido levada a esse hospital pelo Osmar? Tem certeza de que foi ele mesmo quem a internou?

– O médico citou nome e sobrenome. Depois eu sabia da ligação de Osmar com esse tal de Nelsinho. Eu nunca lhes disse, mas tive intuição e coloquei meu assistente para seguir Osmar. Senti que era para ir por ali. E assim, descobrimos a ligação dele com esse sujeito que não pertence ao meio de vocês e cuja fama não é das melhores.

Paulo fez ligeira pausa, olhou em volta e, vendo que todos o olhavam atentos, continuou:

– É bom que vocês saibam que a polícia encontrou ligação de Osmar com os traficantes que trabalhavam com Otávio.

Vitório não se conteve:

– Ele sempre foi maldoso, mas eu não esperava uma coisa dessas. Papai vai sofrer muito quando descobrir.

– Vocês precisam ser fortes. A verdade vai aparecer e ela pode ser dura. Por enquanto, você pode poupar seu pai, esperar um pouco mais para contar-lhe certos detalhes.

– Quando Elvira acordar, saberemos onde está minha mãe. Eu acredito que ela esteja viva.

– Quanto a isso ainda é cedo para ter certeza. Osmar

envolveu-se com traficantes perigosos e essa gente mata facilmente. Mas penso que podemos ter esperança.

Vitório pensou um pouco, depois disse:

– Se mamãe tivesse morrido, seu espírito já teria me avisado. Mas não tive nenhuma notícia, o que pode significar que ela esteja viva e por uma razão que desconhecemos, não pode aparecer.

– A vida tem seus mistérios e só os revela na hora adequada – disse Paulo –, mas algo me diz que estamos no caminho certo e logo saberemos de tudo.

Todos concordaram e uma nova esperança aqueceu o coração de Vitório.

vinte e um

Conversaram durante mais algum tempo. Paulo se alimentou bem, sentiu sono e disse:

– Eu vou dormir um pouco.

– Vá mesmo – concordou Vitório. – Vou avisar papai e passarei o resto da noite aqui.

– Você não precisa passar a noite. Se eu descansar umas duas horas ficarei bem e você poderá ir.

– Eu posso ficar – considerou Vitório. – Papai está bem e você pode descansar em paz. Se eu notar qualquer coisa diferente, irei chamá-lo.

Paulo concordou e foi para o quarto de Altair. Deitou-se. Estava muito cansado e adormeceu em seguida.

Enquanto as duas mulheres trocavam idéias sobre os novos acontecimentos, Vitório sentou-se em um canto da sala pensativo.

Muitas perguntas sobre os fatos surgiam em sua mente e por mais que tentasse ele não conseguia entender o que levara o irmão a envolver-se com traficantes.

Ao pensar nisso sentia arrepios e um pressentimento ruim o envolvia. Era provável que sua mãe estivesse pagando pelas loucuras que Osmar cometera.

A possibilidade de ela ter sido presa por traficantes e até de ter sido morta voltou a incomodá-lo.

Por que o espírito de Analú não aparecia para ajudá-lo? Sempre que ele ficava deprimido por causa dos desentendimentos com Osmar ela comparecia para confortá-lo, estimulando-o a manter a calma.

Agora, diante de um assunto tão sério, por que ela não vinha?

Na penumbra da sala, Vitório pensou nela com carinho, rogando que o ajudasse. Nesse momento ele notou duas sombras escuras o envolvendo.

Fechou os olhos, sentiu a presença de dois espíritos e percebeu logo que estavam mal. Concentrou-se mais neles e reconheceu o casal que fora assassinado. Estavam com péssima aparência, mostrando os ferimentos que lhes tiraram a vida e mantendo na fisionomia horrível expressão.

Na mesma hora Vitório sentiu forte mal-estar. Dores pelo corpo, uma sensação de fraqueza e o estômago enjoado.

Vendo que estavam sendo notados, a mulher aproximou-se de Vitório gritando com raiva:

– Você está querendo proteger aquela malvada. Mas ela vai pagar por tudo o que me fez!

Vitório esforçou-se para controlar o mal-estar e respondeu em pensamento:

– De quem você está falando?

– De Teresa. Ela se aproveitou de mim. Mandou-me para a morte. Eu que queria começar uma nova vida e estava cheia de esperança! Ela armou a cilada e eles me mataram. Era ela quem deveria estar lá! Ela garantiu que não tinha perigo e eu acreditei. Ofereceu-me emprego, amizade, mas era mentira. Fez isso para se livrar de tudo.

– Não entendo do que está falando.

– Eu paguei pelo crime que ela cometeu anos atrás. Ela me usou para safar-se.

Vitório continuou não entendendo, mas sentiu que ela sabia o que tinha acontecido com sua mãe. Precisava aproveitar, fazê-la falar mais e descobrir o que pudesse.

Naquele momento, o homem empurrou-a dizendo:

– Deixe disso. Ele não vai fazer nada por nós. Ao contrário, está aqui em minha casa, não sei fazendo o quê, sem me pedir licença.

Vitório ouviu e percebeu que estava diante do marido de Marília. Antes que tentasse responder, o espírito de Otávio aproximou-se, dizendo:

– Vocês estão se metendo onde não devem. Vá embora e leve aquele intrometido que está dormindo aqui. Não quero ninguém em minha casa. Diga-lhe que saia logo, antes que eu mesmo o enxote. Eu vi que ele anda de olho em minha mulher. Se ele continuar, vai se ver comigo.

Antes que Vitório pudesse responder, Otávio segurou o braço da mulher e desapareceram.

– O que está acontecendo comigo? – perguntou Vitório. – Como fui me ligar a esses espíritos sofredores? Por que Analú me abandonou quando eu mais preciso?

Aflito, deixou-se ficar recostado no sofá, deprimido, triste. Alguns minutos depois, levantou-se e foi telefonar para o pai, avisando que não iria para casa.

Altair tinha ido dormir, Marília e Dorita, depois de colocarem tudo em ordem na cozinha, foram ter com Vitório e logo notaram o quanto ele estava abatido.

– Você parece triste – arriscou Dorita. – Logo agora que as coisas estão melhorando...

– Isso mesmo – concordou Marília. – Estamos perto de saber o paradeiro de sua mãe.

– Paulo não se mostrou tão confiante.

– Ele está sendo cauteloso. Prefere esperar para ter certeza.

Vitório fixou Marília e disse:

– Posso fazer-lhe uma pergunta?

– Faça.

– Seu marido era um homem violento?

– Sim. Para conversar com ele eu ficava sempre escolhendo as palavras para não irritá-lo. Por quê?

– Por nada. Eu estava pensando e fiquei curioso.

– Nós vamos nos recolher – tornou Marília. – Você deseja mais alguma coisa? Um chá, um café?

– Não, obrigado. Estou bem.

Elas despediram-se e foram para o quarto. Vitório sentou-se novamente, revivendo aquele encontro inusitado, tentando lembrar-se de cada palavra que haviam conversado na tentativa de entender o que estava oculto.

Passava das três da madrugada quando Paulo entrou na sala e aproximou-se de Vitório.

– Pensei que você fosse dormir até de manhã.

– Não. Acordei e não consegui conciliar o sono. Estou remoendo os fatos em busca de mais alguma coisa que nos esclareça.

Vitório passou a mão nos cabelos:

– Foi o que fiquei fazendo até agora.

– E qual foi sua conclusão?

– Logo depois que você foi dormir, eu vim para cá e aconteceu uma coisa inesperada que me deixou ainda mais confuso.

– O que foi?

Vitório contou que vira o casal assassinado, o que eles tinham dito e finalizou:

– A mulher era mesmo muito parecida com minha mãe, estava com raiva dela e falando em vingança. Disse que caiu em uma cilada e morreu no lugar dela.

– Isso faz sentido, uma vez que o corpo encontrado era parecido com sua mãe, mas não era o dela.

– Não entendo, minha mãe saiu para viajar pela Europa. Como poderia ter-se envolvido com essa mulher? Ela nunca falou que conhecia alguma mulher parecida com ela.

– Você pode não ter entendido bem. Ela estava perturbada e você também pode não ter captado tudo.

– Estava muito claro. Eu ouvi muito bem o que eles disseram. Otávio o ameaçou, quer que vá embora, disse que você está interessado em Marília. Fala nela como se ainda fossem casados.

Paulo sentou-se ao lado dele no sofá e considerou:

– Nesse ponto ele está certo. Marília é uma mulher especial. Eu seria o homem mais feliz do mundo se ela se interessasse por mim.

Vitório sorriu:

– Quer dizer que ele não se enganou? Você está mesmo interessado nela?

Paulo ficou sério, pensou um pouco e respondeu:

– Estou. Nunca uma mulher mexeu tanto comigo. Perto dela me sinto motivado, feliz.

– Ele acertou mesmo! Você não tinha uma namorada?

– Tinha, mas desisti. Descobri que não a amava como ela merecia.

– Hum! Você está mesmo apaixonado!

– Talvez. Mas isso não é para você ficar repetindo. Alguém pode ouvir.

– Um dia ela vai ter de saber.

– Ainda não. Antes, preciso descobrir o que ela sente por mim. Às vezes noto que ela me olha com carinho, mas isso pode ser apenas gratidão, amizade por eu a estar ajudando. Não quero que ela se ligue a mim apenas para ser grata.

– Está certo. Vou prestar atenção e ver se descubro o que ela sente por você.

Paulo sorriu e respondeu:

– Parece que você está torcendo por nós.

– Estou mesmo. Eu nunca me interessei de verdade por mulher nenhuma, mas se um dia isso acontecer não a deixarei escapar.

Paulo olhou-o sério:

– Você anda triste. A presença de uma mulher em sua vida traria motivação e alegria.

– Enquanto esse pesadelo não acabar, não terei paz.

– Entendo. Nós estamos nos esforçando para resolver essa charada, mas, acima de tudo, precisamos confiar na vida. Você é um espiritualista como eu, acredita que a vida tem seus próprios caminhos e trabalha sempre em nosso favor.

– Nos últimos tempos tenho até duvidado disso. O espírito de Analú me abandonou justamente no momento em que eu mais preciso de apoio.

– O fato de ela não ter se comunicado nem lhe dito nada sobre o que aconteceu não significa que ela não o esteja ajudando como sempre fez. Pode ser que ela se cale porque não tem condições de dizer nada.

– Eu pensei que os espíritos iluminados como ela soubessem de tudo e sempre pudessem nos esclarecer.

– Nem sempre eles sabem tudo porque muitas coisas dependem do livre-arbítrio das pessoas envolvidas e de fatores alheios à sua vontade, mas mesmo que ela saiba a verdade nem sempre tem permissão para intervir.

– Ela podia pelo menos aparecer, confortar-me.

– Em vez de reclamar que ela não aparece, não seria mais sensato tentar entender por que esses fatos estão acontecendo com você? O que a vida pretende ensinar-lhe com essa situação?

– Isso não tem sentido. Como eu poderia entender e responder a essa pergunta se estou perdido, sem saber o que fazer?

– Todos os desafios que aparecem em nosso caminho trazem um recado da vida. É assim que ela conversa conosco. Para encontrar essa resposta você terá de refletir, buscar, perceber como esses fatos estão mexendo com seus sentimentos. É notando o que mudou em você que vai encontrar essa resposta.

– De fato, eu não sou mais o mesmo. A angústia de perder minha mãe, que representava até pouco tempo a minha própria segurança, faz-me sentir sozinho, abandonado. Também, meu relacionamento com meu pai mudou. Antes eu o imaginava uma pessoa egoísta, indiferente, sempre preocupado com dinheiro, mas hoje percebo que ele é um homem sensível que nos ama e embora não tenha sido o marido ideal que eu gostaria para minha mãe, a ama de verdade. Para mim, ele tornou-se mais humano, mais gente. Sinto mais amor e respeito por ele e mais vontade de ajudálo a superar esses momentos de angústia que vivemos.

Vitório fez uma pausa, olhos marejados, o pensamento voltado aos próprios sentimentos.

Vendo que ele se calou, Paulo tornou:

– Viu quantas coisas você aprendeu com essa situação? Pense: quantas outras ainda terá de aprender para que a vida lhe traga momentos melhores?

– Você tem razão. Eu mudei. Não sou mais aquele rapaz voltado apenas aos meus problemas, sentindo-me sozinho no meio da família. Pela primeira vez senti a força dos sentimentos que nos une e percebi que não estou sozinho, embora o problema de minha mãe continue sem solução. Ainda há pouco eu estava preocupado com Osmar, um irmão com o qual eu nunca me entendi e que sempre fez tudo para me humilhar e botar para baixo. Eu deixei a revolta de lado e quando penso no envolvimento dele com marginais sinto-me angustiado. Se eu não tivesse sido tão intolerante, ele poderia ter se tornado mais meu amigo e talvez eu pudesse evitar que ele escolhesse esse caminho.

– Não se culpe. Ele escolheu o próprio caminho e terá de pagar o preço. Mas você é um rapaz de bons sentimentos e daqui para a frente saberá relacionar-se melhor com os seus.

– Certamente. Quantas coisas eu faria se pudesse ter novamente minha família em paz. Eu saberia valorizar essa convivência, procuraria ser menos mimado e mais interessado em criar ao redor de mim um ambiente melhor, onde não houvesse desentendimentos nem rancor.

Paulo colocou a mão no braço de Vitório num gesto de apoio e respondeu:

– Tudo o que aconteceu o fez amadurecer. Você tornou-se adulto, com mais vontade de viver melhor. Por esse motivo, sinto que não vai demorar para esclarecermos todos esses fatos. Eu sei que quando as pessoas aprendem o que a vida deseja, o desafio acaba e tudo volta ao normal.

– Eu estava angustiado, deprimido, mas conversar com você fez com que eu me sentisse melhor. Estou aliviado e mais otimista.

– Isso mesmo. Não dê força aos pensamentos negativos que enfraquecem, deprimem e abrem nossas defesas para que espíritos sofredores nos envolvam, contaminando nossas energias com suas perturbações.

– Analú falou-me sobre isso, mas eu alimentei o medo, a insegurança, atraí essas presenças desagradáveis e fiquei pior.

– Claro. É que as energias perturbadas que eles têm somaram-se às suas, agravando seu mal-estar.

– Foi muito ruim. Eu senti aumentar minha angústia, meu medo.

– Você acreditou que eles pudessem fazer-lhe algum mal. Isso não é verdade, um espírito desencarnado só poderá prejudicá-lo se você baixar sua energia e tornar-se vulnerável a eles. Caso contrário, não conseguirão nada.

– É difícil manter sempre o pensamento otimista. Principalmente quando estamos passando por problemas tão graves.

– Concordo. Quando sentir que atraiu esses espíritos

sofredores, reaja, pense que foi você quem abriu espaço para o assédio deles e sendo assim pode mandá-los embora. Se fizer isso com firmeza, vai melhorar na hora.

– Não é fácil. Quando você diz isso, parece que uma voz me diz que é mentira. Que não tenho competência para fazer isso. Que sou um fraco.

– Essa voz vem do seu subconsciente, indica que você tem um padrão de pensamento que o faz crer que é um fraco. Não dê importância a essa voz, pense que não é verdade e afirme que você é forte e capaz. Assim ela vai se calar.

– Onde você aprendeu todas essas coisas?

– Estudando os fatos da vida, experimentando para saber o que funciona.

– Talvez você tenha razão, mas eu não saberia como começar. Confesso que me encontro perdido.

– É fácil. Preste atenção nas suas atitudes, depois analise o resultado do seu comportamento. Se esse resultado for bom, indica que você está no caminho certo. Mas se for desagradável, saiba que precisa observar melhor e descobrir a crença que determinou essa atitude. Assim, descobrirá a causa do seu insucesso. Basta modificá-la e obterá um resultado melhor.

– Olhando assim até parece simples.

– As coisas verdadeiras são simples. Nós é que costumamos complicar tudo com nossa cabeça indisciplinada. Há algum tempo eu descobri isso e adotei esse sistema. Garanto, minha vida tornou-se muito melhor.

– De fato, nossa cabeça é mesmo muito louca. Às vezes passam por ela pensamentos que nos espantam.

– O bom é que nós temos condições de controlar isso e mudar a sintonia. Trocar os pensamentos ilusórios, desequilibrados por outros mais reais e possíveis.

Os dois continuaram conversando animados até o dia clarear e Marília aparecer e surpreendê-los.

– Bom dia! Em vez de um anjo da guarda, agora temos dois.

Dorita entrou na sala e, vendo-os, disse logo:

– Ainda bem que podemos contar com vocês! Vou já para a cozinha preparar um café reforçado.

– Era isso que estava faltando! – comentou Paulo.

– É mesmo. A conversa estava boa, mas agora ficou melhor – reforçou Vitório.

– Você não dormiu? – perguntou Marília, dirigindo-se a Paulo.

– Dormi, mas acordei cedo e ficamos conversando. Vitório passou a noite acordado.

Sempre rindo e conversando, eles foram para a cozinha esperar pelo café. Enquanto Dorita preparava as guloseimas, os dois ajudavam Marília a arrumar a mesa.

A cena era agradável e Marília disse:

– Eu estou feliz por ter vocês dois aqui conosco logo de manhã. Começar o dia assim traz alegria e bem-estar.

Paulo aproximou-se de Marília e, olhando-a nos olhos, respondeu:

– Contar com o carinho de vocês no começo do dia é bom demais. Vou sentir falta quando tiver de ir embora.

– Você não precisa ir embora. Pode ficar o tempo que quiser – respondeu Marília.

– Você gostaria que eu ficasse?

Os olhos dela brilharam quando respondeu:

– Gostaria muito. – Um pouco corada continuou: – Vocês trouxeram mais vida a esta casa.

Vitório sorriu e interveio:

– Agradeço por me colocar nesse contexto, sabe que pode contar comigo sempre, mas noto que Paulo está muito integrado a vocês, se pudesse mudaria para cá e não iria mais embora.

Dorita, notando o embaraço de Marília, colocou o bule de café sobre a mesa dizendo:

– Sentem-se, vamos tomar café antes que esfrie.

Depois do café, Vitório despediu-se e voltou para casa. Encontrou o pai lendo os jornais na sala.

– Ainda bem que chegou – disse Alberto. – Estou preocupado com Osmar. Há dois dias estou ligando e não consigo falar com ele.

Vitório sentiu um aperto no peito, mas não deixou transparecer a preocupação:

– Ele deve estar muito ocupado. Você deve estar fazendo falta na empresa.

– Ainda ontem, quando o médico veio ver-me, perguntei se estava em condições de voltar ao trabalho. Ele aconselhou-me a esperar mais um pouco.

– Você disse que ficaria aqui até descobrirmos o paradeiro de mamãe.

– Eu disse, mas as investigações estão lentas, não há nenhuma novidade. Estou pensando que seria melhor voltar para a casa. Sinto-me um pouco melhor e não agüento ficar aqui, sem fazer nada.

– Tenha mais um pouco de paciência. Paulo me disse que os peritos examinaram os documentos encontrados na casa de Otávio e está esperançoso.

– Não estou sabendo de nada. Ele descobriu alguma coisa nova?

– Parece que sim, mas não contou o quê, para não atrapalhar as investigações.

– Há pouco liguei para Osmar e ele ainda não tinha chegado na empresa. Liguei para casa e Nora me disse que ele saiu muito cedo nem tomou café. Onde terá ido? Por que até essa hora não está na empresa?

– Talvez ele tenha ido visitar algum cliente, ou falar com os engenheiros de alguma obra.

– Ele não costuma fazer isso. Daqui a pouco vou ligar novamente.

– Procure se acalmar. Pode fazer mal a sua saúde. Logo ele vai ligar e explicar tudo.

– É, pode ser... Osmar sempre foi muito dedicado à empresa. Estou impaciente, cansado de ficar aqui parado.

– Se continuar reagindo, cuidando melhor da saúde, logo vai estar bem e poderá voltar à empresa. Eu ficarei aqui acompanhando as investigações e mandando notícias.

– É isso mesmo o que farei. Não posso me entregar ao desânimo. Voltar a trabalhar será para mim um santo remédio.

Vitório sorriu e assentiu com a cabeça, mas sentia um aperto no peito, imaginando o que seu pai faria quando soubesse que Osmar havia se ligado a bandidos e se tornado um traficante de drogas.

22

E agora Tereza?

Dois dias depois, às dez horas da manhã Marília bateu na porta do quarto em que Paulo dormia:

– Paulo, acorde. O dr. Monteiro está no telefone, quer falar com você, disse que é urgente.

– Já vou – respondeu ele, tentando reagir ao sono.

Levantou-se de um salto e atendeu ao telefone:

– Alô.

– Paulo, o médico avisou que Elvira está em condições de falar. Você quer ir comigo?

– Quero. Dentro de quinze minutos estarei aí.

Lavou-se rapidamente, vestiu-se e foi à cozinha, onde Vitório e as duas mulheres conversavam.

– Bom dia.

– Sente-se e tome café – convidou Dorita.

– Não vou nem sentar. Preciso de um café para espantar o sono. O dr. Monteiro está a minha espera para irmos ver Elvira. Parece que ela está melhor e já pode conversar.

– Eu vou com você – disse Vitório. – Ela pode nos dizer se mamãe está viva ou não.

– Vou pedir ao Wagner para vir ficar aqui.

– Coma pelo menos uma fatia deste bolo. Está quente e gostoso – sugeriu Dorita.

– Está bem. Comerei uma fatia, mesmo porque os bolos que você faz são irrecusáveis. Enquanto você coloca no prato, vou falar com o Wagner.

Ele foi telefonar, voltou alguns minutos depois:

– Ele estará aqui dentro de dez minutos. Enquanto isso terei tempo para tomar o café. Liguei para o delegado e em vez de irmos à delegacia, iremos encontrá-los no hospital. Assim teremos mais alguns minutos.

Wagner chegou e os dois saíram rumo ao hospital. Chegaram antes do delegado e ficaram esperando por ele no saguão.

Monteiro chegou com dois policiais e depois dos cumprimentos, disse a Vitório:

– Logo imaginei que você também viria.

– Estou ansioso para saber o que ela tem a dizer.

– Nós vamos entrar no quarto, o médico disse que ela está muito nervosa. Tanto que ele ficará junto durante nossa conversa. Talvez seja melhor eu entrar sozinho.

– Por favor, doutor. Permita que eu entre.

– Nós não sabemos o que ela tem para contar. Não sei se você terá calma suficiente para conter-se. O médico disse que a situação dela ainda é delicada. Ela vai ter de rever os fatos e isso será penoso.

– Eu prometo que ficarei calado e aconteça o que acontecer, vou me controlar.

– Está bem. Mas quem faz as perguntas aqui sou eu. A menor interferência sua, o colocarei para fora do quarto. Entendido?

Vitório concordou e eles foram ao encontro do médico que os acompanhou ao quarto de Elvira.

Entraram e encontraram-na sentada, recostada nos travesseiros a espera deles. O médico aproximou-se pela lateral da cama e Monteiro o acompanhou. Os outros dois ficaram mais atrás. Os dois policiais ficaram na porta, do lado de fora.

– Este é o dr. Monteiro, delegado – disse o médico. – Foi ele quem a libertou daquele sanatório e a trouxe para cá.

Elvira estendeu a mão, dizendo emocionada:

– Obrigada, doutor. Não sabe o bem que me fez.

– Não fiz mais do que minha obrigação. Quem descobriu onde a senhora estava foi o dr. Paulo – respondeu ele, designando o advogado.

– Fico feliz vendo que se sente melhor – disse Paulo sorrindo.

Elvira fixou Vitório e respondeu:

– Esse moço parece com o filho de Teresa. É ele?

Monteiro interveio:

– É ele, sim. Ele quer saber o paradeiro da mãe.

Elvira suspirou triste:

– Os senhores ainda não sabem onde ela está?

– Contamos com a senhora para descobrir o que aconteceu. Até agora não tivemos notícias dela.

– Que horror! Eles ainda não a libertaram! Vai ver que o Osmar não pagou o resgate.

Vitório não conseguiu controlar a ansiedade e ia falar, mas calou-se a um sinal de Monteiro.

– A senhora vai nos contar tudo o que aconteceu. Vou chamar meu auxiliar para tomar seu depoimento.

A um sinal do delegado, Paulo saiu e pouco depois voltou, acompanhado de um dos policiais que ligou um pequeno gravador.

Monteiro iniciou o interrogatório:

– Segundo sabemos, a senhora foi convidada por Teresa para acompanhá-la a uma viagem para a Europa. O dr. Alberto as acompanhou ao aeroporto e garantiu que vocês entraram na sala de embarque.

Elvira torcia as mãos, aflita. Ela não queria contar por

que tinham ido a São Paulo e o delegado, notando que ela hesitava, disse sério:

– A senhora não deve esconder nada porque isso pode significar a vida de Teresa. Ela não apareceu até agora.

Elvira suspirou, engoliu em seco, depois disse:

– Teresa tem um segredo que eu não devo revelar.

– Um casal foi morto de maneira cruel e os documentos de Teresa foram encontrados no local do crime. A mulher assassinada era muito parecida com Teresa, tanto que o Osmar, o filho, reconheceu o corpo como sendo dela, mas Vitório e a governanta, provaram que não era ela.

– Um crime! Tem certeza de que não era ela mesmo?

– Parece que não. Eu esperava que a senhora nos contasse quem é essa mulher tão parecida com ela.

– Não sei. Não conheço nenhuma mulher parecida com ela.

Notando que Elvira estava assustada, o delegado tornou:

– Está bem. Agora conte tudo o que aconteceu depois que o dr. Alberto as deixou no aeroporto. Pelo jeito vocês não embarcaram naquele dia.

– Não. Teresa tinha um segredo, mas eu não posso revelar.

– Não precisa dizer o que era, conte apenas os fatos.

– Bem, nós nos encontramos por acaso, depois de muitos anos. Fomos colegas de faculdade. Conversamos e ela contou que seu segredo guardado há muitos anos tinha sido descoberto por um homem que queria dinheiro para não contar ao dr. Alberto. Ela estava deprimida, nervosa, aflita e, sabendo que eu sou sozinha, convidou-me para ser sua dama de companhia e viajarmos juntas.

Ela fez ligeira pausa, notando que todos a ouviam atentos, continuou:

– Ela tinha conseguido o dinheiro exigido pelo homem e queria entregá-lo em troca de algumas cartas que a comprometiam. Assim que o dr. Alberto nos deixou na sala de embarque do aeroporto, esperamos algum tempo, depois saímos e fomos ao balcão de passagens, alegamos estar passando mal e as trocamos para alguns dias depois. Compramos passagens para São Paulo, onde desembarcamos naquele mesmo dia. Quando saímos do aeroporto, alguns homens armados nos abordaram e nos obrigaram a entrar em um carro com toda a nossa bagagem.

– Foi assalto? – indagou Monteiro.

– Foi seqüestro. Percebemos isso quando vimos que eles não tocaram em nossas bagagens nem em nosso dinheiro. Teresa estava com muito dinheiro. Para a viagem e para o pagamento do homem.

– Continue – pediu o delegado.

– Colocaram capuz em nossas cabeças. Estávamos apavoradas, levaram-nos para uma casa e tiraram os capuzes. Mais tarde apareceu um homem bem vestido e vimos logo que era o chefe. Tratou-nos com respeito, disse que não iria nos fazer mal se fizéssemos o que ele mandasse. Claro que concordamos.

Ela parou novamente, olhos perdidos nas lembranças. Depois de alguns segundos, respirou fundo e continuou:

– No dia seguinte, depois de nos terem servido um almoço, ele apareceu e perguntou se tínhamos almoçado bem, se faltava alguma coisa. Dissemos que não, então ele estendeu um papel para Teresa, um bloco e caneta, mandando que ela escrevesse uma carta para Osmar.

– Era pedido de resgate?

– Não, doutor. Ele dizia que Osmar lhe devia muito dinheiro e não conseguira pagar, ele nos prendera até que ele saldasse essa dívida. Ainda disse que era homem de palavra e que para ele não precisava de papel, que quando alguém não cumpria o que prometera ele matava. Teresa ficou aterrorizada por descobrir que Osmar tinha se metido com aqueles bandidos, fazendo negócios ilegais. Percebemos que estávamos lidando com pessoas perigosas. Ela escreveu a carta. Teresa disse que Osmar não ia acreditar porque estava certo de que nós tínhamos embarcado para a Europa. Então ele decidiu mandar-me com a carta para provar que ela estava em poder dele.

Elvira serviu-se de um copo d'água que tinha na mesa de cabeceira e depois prosseguiu:

– Eles me puseram o capuz novamente. Entramos no carro e viajamos durante horas. Levaram-me a um lugar onde me obrigaram a descer, tiraram o capuz e fui presa em um quarto. Algum tempo, que não saberia dizer quanto, chamaram-me, entregaram-me a carta dizendo que saísse e a entregasse ao homem dentro do carro parado diante da casa. Nem acreditei quando me vi na rua. Era noite e sem pensar em mais nada corri para o carro:

– "Por favor, ajude-me" – repeti várias vezes. O rapaz parecia mais assustado do que eu. Finalmente abriu e eu entrei, pedindo que fôssemos embora dali o quanto antes. Entreguei a carta, dizendo que era de Teresa e ele guardou no bolso, interessado em sair dali o quanto antes. Eu queria ir à polícia contar tudo, mas ele disse que isso poderia custar a vida de Teresa. Eu acreditei. Quando já estávamos bem longe, ele disse que estava preocupado comigo e que iria me levar a um médico para uma consulta, se tudo estivesse bem, eu iria embora com ele. Mas assim que entrei no hospital, fui levada para um quarto e deram-me uma injeção. Eu perdi os sentidos. Não sei o que aconteceu e só fui acordar aqui em São Paulo, neste hospital que em tão boa hora o senhor me trouxe.

– A senhora não teve mais nenhuma notícia de Teresa?

– Não, doutor. Não sei o que aconteceu com ela. Espero que Osmar tenha pagado a dívida e ela tenha sido libertada.

– Ele não pagou, e ela ainda não apareceu.

– Será que aqueles bandidos a mataram conforme prometeram?

– Não sei.

Elvira torceu as mãos nervosamente:

– Meu Deus! O que será que aconteceu? A polícia ainda não sabe nada sobre esses bandidos?

– Temos algumas pistas, estamos investigando. Estou certo de que em breve chegaremos a eles. Você teria condições de identificá-los?

– Sim. Farei tudo o que for preciso para ajudar a polícia. Depois do que fizeram conosco, é o que me parece mais justo.

Elvira lançou um olhar receoso sobre Vitório e disse:

– Osmar me pareceu mais preocupado em escapar dos bandidos do que em salvar a mãe. Eu teria movido céus e terra para salvá-la se pudesse.

– Nós sabemos disso – respondeu Monteiro – e contamos com sua colaboração. Estou certo de que haveremos de descobrir esses assassinos e colocá-los atrás das grades.

– É o que eu espero. Tenho medo de que eles descubram onde eu estou e queiram acabar comigo. Afinal, eu posso identificá-los.

– A senhora está neste hospital sob sigilo absoluto. Desde que a trouxemos do Rio de Janeiro, sua identidade tem sido preservada. Conseguimos impedir até que a imprensa mencionasse seu nome e seu envolvimento neste caso.

– Fico aliviada. Confesso que quando me recordo deles sinto um frio na espinha e não consigo evitar o medo.

– Fique tranqüila, a senhora está sob minha proteção.

Vitório aproximou-se de Elvira e, apesar de frustrado, sentia-se emocionado.

– É bom saber que minha mãe tem uma amiga corajosa

e sincera como a senhora. O médico nos disse que em breve terá alta. Onde pensa ir quando deixar o hospital?

– Ainda não sei. Quando Teresa me deu o emprego, vendi todos os meus pertences e entreguei a chave de minha casa. Tudo o que eu tinha estava naquela bagagem que ficou na casa dos bandidos. Sou sozinha no mundo e ainda não sei o que fazer.

Vitório colocou a mão sobre o braço de Elvira dizendo:

– A senhora irá para a minha casa. Estou certo de que papai concordará.

– Vocês moram no Rio de Janeiro, não é?

– Sim. Mas atualmente estamos aqui em São Paulo. Alugamos um apartamento. Apenas Osmar está no Rio de Janeiro. Papai está comigo. Ficamos para acompanhar as investigações até encontrarmos minha mãe. Mas aconteça o que acontecer, a senhora pode contar com minha amizade e proteção.

– Obrigada, meu filho. Você é muito parecido com Teresa. Tem o mesmo olhar, o mesmo jeito de falar. Sua mãe foi minha melhor amiga, guardo dela as mais belas recordações dos tempos de juventude. Eu também não vou ter paz enquanto não souber o que lhe aconteceu e onde ela está.

– Agora vamos deixá-la descansar – disse Monteiro.

Depois de se despedirem, eles deixaram o quarto e o delegado perguntou ao médico:

– Quando ela terá alta?

– Ela está muito bem, notei que seu raciocínio é rápido e em perfeito estado. Desta forma, penso que dentro de dois ou três dias ela poderá sair. Só não a libero agora porque está muito debilitada e precisa se fortalecer um pouco mais.

– Doutor – tornou Vitório –, pretendo levá-la para casa e cuidar do seu restabelecimento. Por culpa dos desacertos de meu irmão ela passou por todo esse sofrimento. Cuidar da sua recuperação é o mínimo que poderemos fazer. Depois, ela é amiga de mamãe, para mim isso vale muito.

– Sua atitude me deixa feliz. Confesso que estava um pouco preocupado com o futuro dela. É uma pessoa muito só e encontrar amigos far-lhe-á imenso bem.

– Minha mãe a contratou e eu assino embaixo. Sinto que se mamãe a encontrasse, faria o mesmo.

Eles saíram do hospital e depois de deixar Paulo na casa de Marília, Vitório foi para a casa. Paulo garantiu que não iria dormir mais e ele estava ansioso para contar ao pai as novidades.

Alberto estava lendo na sala. Vendo-o, indagou:

– Por que veio tão cedo? Não deveria estar na casa de Marília?

– Houve um imprevisto e Paulo colocou Wagner em meu lugar. O delegado ligou para Paulo avisando que Elvira recobrou a consciência e convidando-o para ir até ela assistir ao interrogatório. Eu fui junto.

Alberto levantou-se ansioso:

– Você a viu, falou com ela? Ela contou onde está sua mãe?

– Calma, pai. Ela também não sabe o paradeiro de mamãe. Mas soubemos parte do que lhes aconteceu.

– Conte logo. Por que elas não embarcaram naquele aeroporto quando as levei?

– Vou lhe contar. Quando as deixou lá, elas saíram da sala de embarque, transferiram as passagens para alguns dias depois e viajaram para São Paulo.

– São Paulo? Por quê?

– Elvira hesitou muito para contar o que foram fazer em São Paulo. Disse que mamãe tinha um segredo e não queria que nenhum de nós soubesse. Há algum tempo ela estava sendo chantageada por um homem que exigia muito dinheiro para não entregar a você alguns documentos que a comprometiam.

– Então era isso! Eu notei que nos últimos tempos ela estava muito nervosa, eu diria descontrolada mesmo. Por que ela não me contou tudo?

– Ela não teve coragem. Vendeu algumas jóias para arranjar o dinheiro e teve idéia da viagem. Como tinha reencontrado Elvira depois de muitos anos, convidou-a para ser sua dama de companhia. Elas tinham planejado ir a São Paulo, entregar o dinheiro, apanhar os documentos comprometedores e viajar em seguida para a Europa.

– Mas pelo visto isso não ocorreu...

Vitório hesitou um pouco, mas resolveu contar a verdade. Mais cedo ou mais tarde, seu pai iria saber mesmo.

Devagar, observando a reação de Alberto, Vitório foi contando as descobertas da polícia e o motivo pelo qual Osmar internara Elvira no sanatório.

Alberto ouvia estarrecido. Parecia-lhe que estavam falando de outra pessoa, não de seu filho predileto. Mas o fato é que não tinha como duvidar. A polícia tinha provas e estava claro que ele tinha internado Elvira para evitar que ela contasse o que sabia.

Vitório finalizou:

– Apesar de Elvira não saber onde mamãe se encontra, o delegado acha que está muito perto de descobrir toda a verdade. Já identificaram alguns traficantes que tinham negócios com Otávio e Elvira vai cooperar, identificando os seqüestradores.

– Custo a crer que Osmar tenha feito isso tudo. Sempre lhe ensinei a ser honesto, não posso entender onde foi que errei em sua educação.

– Não se culpe, pai. Osmar sempre foi maldoso. Eu nunca tive ilusões sobre o caráter dele. Só não pensei que ele chegasse a tanto.

Alberto estava triste e abatido. Vitório sentou-se ao seu lado no sofá, colocou a mão sobre o braço dele, e disse com carinho:

– Pai. Sempre é melhor saber do que ignorar. Você confiou nele, deixou a empresa em suas mãos. Eu também sou um pouco responsável por ter me omitido.

– Quando fechei um negócio excelente, ele ficou furioso, foi além do natural. Agora sei o porquê: ele estava negociando drogas e pretendia desviar dinheiro da empresa para fazer o pagamento, como eu limpei as reservas, não pôde fazer o que queria.

– O que você fez foi bom. Evitou que ele lesasse a empresa.

– Mas pode ter sido a causa do seqüestro. Meu Deus! Se eles mataram Teresa, nunca me perdoarei.

– Pai, pare de se culpar. Tenho certeza de que mamãe está viva, escondida em algum lugar, com medo dos traficantes. Assim que eles forem presos, ela vai aparecer.

– Gostaria de ter sua confiança!

– Quando nós não podemos fazer alguma coisa, colocamos nas mãos de Deus para que ele faça.

– Quisera ter sua fé! No estado em que me encontro, não sei se consigo acreditar em dias melhores.

– Pois eu sim. É nessa hora que precisamos reagir, pensar que não estamos sozinhos, que ao nosso redor espíritos de luz nos mandam energias de conforto e equilíbrio. Mas elas só vão nos ajudar se acreditarmos no bem, se deixarmos de lado o medo, os pensamentos dramáticos e fixarmos nossas mentes naquilo que desejamos que aconteça.

Os olhos de Alberto estavam cheios de lágrimas quando ele respondeu:

– Ajude-me a fazer isso, meu filho.

– O que de melhor você desejaria que acontecesse agora?

– Que Teresa voltasse, viva, com saúde e que Osmar reconhecesse seus erros e procurasse recuperar-se.

– Pois então imagine que tudo isso aconteceu. Veja mamãe chegando, cheia de alegria e amor.

O rosto de Alberto distendeu-se e ele disse:

– Sim. É isso o que eu quero.

– Então, pense constantemente nisso. Pense em sua alegria no momento em que ela chegar, como vai abraçá-la e sentir-se feliz.

– Seria o dia mais feliz de minha vida.

– Esse dia chegará. Estou certo.

Alberto não conteve o pranto e Vitório abraçou-o com carinho:

– Chore, pai, jogue fora toda sua mágoa e encha seu coração de esperança.

Alberto deixou as lágrimas correrem livremente por alguns minutos. Quando elas cessaram, ele sentiu-se aliviado.

– Tem razão, meu filho. É muito bom esperar o melhor e imaginar que é isso o que vai acontecer.

Vitório concordou, depois eles deixaram-se ficar abraçados, calados, sentindo o momento de entendimento e de cumplicidade.

23

Sentada em um canto do pequeno quarto, olhando através dos vidros da janela a tarde que caía, Teresa sentiase triste. Estava difícil suportar a saudades que sentia, dos filhos, do marido, do conforto de sua casa e das pessoas que queria bem.

Sozinha, sem ter com quem desabafar seus receios, aflita por não saber o que estava acontecendo com os seus, procurava passar o tempo e conter a ansiedade, desenhando e pintando algumas pequenas telas.

Quase não saía, com medo de que os seqüestradores a descobrissem, e a cada dia ficava mais difícil suportar essa situação.

Em especial naquele fim de tarde, quando o outono se aproximava e o céu estava cinzento; ela sentia a saudade mais forte. Relembrando os momentos que desfrutara no aconchego da família, percebia o quanto fora feliz sem se dar conta.

A postura de Alberto, que antes ela pensava fosse de desinteresse, agora era vista com outros olhos.

Pequenos acontecimentos, momentos em que ele perdera o controle, faziam-na pensar que o amor que Alberto sentira desde que a conhecera, ainda estava vivo, apesar da falta de interesse que ela demonstrara.

Sua paixão por outro homem depois de casada a fizera ser cruel com o marido, rejeitando seu amor, imersa na ilusão, acreditando que Alberto era a causa de sua infelicidade, impedindo-a de viver para sempre ao lado de quem amava.

Odiava-o por ele ter aparecido em sua vida, impedindo-a de ser feliz. Pela primeira vez percebeu que esse sentimento a impediu de retribuir o afeto que ele lhe dispensava e de viver uma vida melhor.

Recordando-se de tudo quanto acontecera desde que o conhecera, Teresa percebeu o quanto ele tinha tentado vencer a barreira que ela colocara entre ambos, fazendo várias tentativas de aproximar-se dela intimamente, de tornar-se um companheiro de verdade.

Naquele momento, daria tudo para estar em casa, sem que nada tivesse acontecido, com os filhos e com Alberto.

Ah! Se pudesse algum dia voltar para casa, agiria diferente. Trataria de valorizar a companhia dos filhos, procuraria o afeto do homem que sempre estivera ao seu lado, mas que ela, mergulhada em suas ilusões, recusara.

Além do nome, Alberto lhe dera o respeito de uma vida digna, dois filhos que ela amava. Como pudera sentir-se frustrada tendo tudo isso? Ela tinha tudo, fora feliz e não soubera valorizar.

Seria por esse motivo que a vida lhe havia tirado tudo e ela agora estava à margem, como uma folha morta levada pelo vento forte, sem comando nem destino?

Lágrimas rolavam pelo seu rosto e Teresa, olhando a tarde que morria frente aos prenúncios do anoitecer, sentiu vontade de se penitenciar, de rever seus enganos e agir diferente. Teria tempo ainda?

Lembrou-se de Vitório sempre dizendo que a vida fala com cada um através dos acontecimentos. Se isso fosse verdade, o que a vida estaria lhe dizendo por meio dos fatos que lhe tinham acontecido?

Claro que ela errara ao entregar-se àquela paixão sendo casada. Mas tendo escolhido ficar com a segurança da família, reconhecia que ao continuar nutrindo a ilusão daquela paixão causara a própria infelicidade.

Agora, via as coisas com outros olhos. Mais experiente, notava que se ela tivesse se esforçado em manter um bom relacionamento com o marido, talvez houvessem se entendido e vivido melhor.

Naquele momento sentiu vontade de pedir à vida que lhe desse uma nova oportunidade. Se ela lhe permitisse um dia voltar ao convívio dos seus, faria tudo o que pudesse para conseguir o afeto do marido e o carinho dos filhos.

Vitório era um rapaz sensível e carinhoso. Muitas vezes não fora para ele uma mãe compreensiva. Estava fechada demais em seu mundo egoísta, julgando-se infeliz, sem notar as coisas boas que possuía.

Osmar era mais difícil e ela tentara ser dura com ele, mas nunca tentara compreender seu temperamento e chegar de fato aos seus sentimentos íntimos. Agora se arrependia. Mas talvez fosse tarde. Por que ele se envolvera com os bandidos? Se ela tivesse se aproximado mais dele, talvez tivesse conseguido notar alguma coisa e tê-lo impedido de seguir esse caminho.

O que deveria fazer para ter uma nova oportunidade de reparar seus erros e tentar ser feliz?

Pensou em Deus. Teresa não era muito devota. Dinda sempre lhe dizia que ela precisava ligar-se mais à espiritualidade, procurar Deus no fundo do coração e conversar com ele para encontrar respostas para suas dúvidas.

Fechou os olhos e, com toda a força, procurou mergulhar no fundo do coração e sentiu o quanto desejava sair daquela situação infeliz.

Então, começou a conversar com Deus, falando dos

seus sentimentos, de como sentia falta dos seus, de como gostaria de poder voltar para casa, encontrar o marido, os filhos. Se Deus lhe concedesse mais uma oportunidade de estar com eles, dar-lhes-ia todo o amor que agora gritava em seu peito, procurando entendimento e aconchego.

Quando ela terminou e abriu os olhos, a noite já tinha caído e o quarto estava escuro. Acendeu o pequeno abajur ao lado da poltrona e respirou aliviada.

Aqueles momentos de reflexão lhe fizeram enorme bem. Em seu coração havia um sentimento de paz. Vitório tinha razão. A meditação e a reflexão interior, a ligação com a alma, faziam muito bem.

Ela sentia-se mais confiante. Algo lhe dizia que não podia se desesperar. Que tudo passaria e ela voltaria novamente a viver um tempo melhor. Só precisava ser paciente e esperar.

Ela não viu, mas o espírito de Analú estava ao seu lado, inspirando-lhe pensamentos de calma. De sua testa saíam raios de luz colorida que penetravam no frontal de Teresa, fazendo-a sentir-se mais forte e com mais coragem.

Inspirada, Teresa apanhou uma tela em branco, dispôs o material e começou a pintar. Analú sorriu e nesse instante o rosto angustiado de Vitório apareceu em sua mente. Ela decidiu ir ter com ele.

Encontrou-o sentado em seu quarto, cabeça entre as mãos, pensando em Teresa. Estava difícil aceitar o desaparecimento dela. O fato de Elvira não poder esclarecer seu paradeiro o deixara aflito. A dúvida se ela estava viva ou morta reapareceu forte e desagradável.

A idéia de que os seus seqüestradores poderiam tê-la matado o atormentava. Momentos antes, tentara encorajar o pai, aparentando uma calma que não tinha. Osmar era o culpado de tudo. Por que ele não se abria com a polícia, contando tudo o que fizera e procurando ajudá-los para que encontrassem e prendessem os traficantes, descobrindo o paradeiro de sua mãe?

Osmar não parecia importar-se com o desaparecimento dela e isso o deixava nervoso. Não podia conceber que o irmão fosse tão frio a ponto de deixá-la entregue nas mãos daqueles bandidos, sem que nada fizesse para tentar salvá-la.

Continuava trabalhando na empresa como se nada houvesse acontecido, na costumeira pose de auto-suficiente, sem importar-se com mais nada, como se tudo estivesse bem.

Naquela mesma tarde, tinha conversado com Paulo sobre esse assunto, aventando a hipótese de ir ao Rio conversar com o irmão para chamá-lo a razão, dizendo que a polícia sabia dos negócios escusos que fizera com traficantes, que ele estava na lista dos suspeitos e tentar convencê-lo a ir espontaneamente procurar a polícia para contar a verdade e ajudá-la a encontrar Teresa.

Ele acreditava que só quando os bandidos fossem presos eles poderiam saber o que aconteceu.

Mas Paulo pediu-lhe que não fizesse isso. O delegado Monteiro estava empenhado nas investigações, havia traçado um plano para a captura dos traficantes e essa sua atitude poderia pôr a perder todo o trabalho deles.

Para que o plano do delegado desse certo, Osmar precisava acreditar que Elvira não contara nada ainda e que a polícia ignorava sua ligação com os traficantes.

Osmar acreditava que sua mãe não corria perigo porque o pior tinha acontecido e ela estava morta. O corpo encontrado era de Teresa. A tragédia já tinha acontecido e não havia nada mais a fazer quanto a isso, o melhor era salvar a própria pele.

Como não recebeu mais nenhuma ameaça de morte dos traficantes, preferiu pensar que eles já julgavam que o tinham castigando o suficiente tendo matado sua mãe.

Analú entrou no quarto de Vitório, aproximou-se dele, colocando a mão em sua testa com carinho e dizendo:

– Calma, Vitório. Eu estou aqui. Não tema. A tempestade vai passar e tempos melhores virão. Confie e espere. Não se deixe levar pelo pessimismo. Se deseja ajudar sua mãe, mantenha o pensamento positivo.

Vitório estremeceu, fechou os olhos e viu Analú na sua frente, sorrindo. Ouviu suas palavras.

– Finalmente você veio! Por que me abandonou no momento em que eu mais precisava de ajuda?

– Eu nunca o abandonei. Mas há momentos em que a vida está agindo, ela tem seus motivos e nós não podemos intervir.

– Estamos sem rumo. Sem saber se minha mãe está viva ou morta. Você pode me dizer alguma coisa?

– Só posso lhe dizer que Teresa está viva. Espero que isso o anime e o ajude a não se envolver no pessimismo. Você já deveria ter aprendido que a queixa, o pensamento ruim, não ajuda em nenhuma situação, só atrapalha.

– Em uma situação como a que estamos enfrentando, é difícil manter os pensamentos otimistas.

– Onde está sua fé? Você já sabe que não cai uma folha da árvore sem que Deus saiba. Na natureza tudo tem uma razão boa de ser. O que vocês precisam é procurar entender o que a vida deseja ensinar-lhes, quais as atitudes de vocês atraíram todos esses acontecimentos.

– Nós somos pessoas de bem. Nunca fizemos mal a ninguém.

– A vida deseja que vocês amadureçam. Quando as pessoas presas em suas ilusões demoram para entender essa realidade, ela coloca em seus caminhos fatos que os levem a refletir, a rever certos valores e a perceber coisas que antes não viam. Isso é amadurecer. É tornar-se mais lúcido e mais adulto.

– Entendo. Nesse caso, o que será que ela deseja nos ensinar?

– Essa pergunta cada um terá de fazer a si mesmo, porque a resposta é individual. Cada um terá de encontrar a sua. A vida trabalha sempre em benefício de todos e dispõe os fatos de maneira a que cada um encontre o que precisa.

– Isso me parece sábio.

– A vida é a inteligência do criador em ação. Há muito mais coisas que eu gostaria de poder lhe ensinar. Mas isso só poderei fazer quando você estiver pronto para receber.

– Eu gostaria muito de aprender todas essas coisas.

– Nesse caso, terá de resistir ao mal, procurando ver sempre o lado melhor das coisas. Em todos os fatos, mesmo os que chocam pela tragédia, haverá sempre o lado do benefício que todos só reconhecerão mais tarde. Portanto, aceitar os fatos com entendimento e tentar aprender o que eles querem nos ensinar é o primeiro passo para a conquista da sabedoria e da serenidade.

– Você pode me dizer se minha mãe está bem?

– Já lhe disse o mais importante e o que era possível. Tenha paciência. Não levará muito tempo para que tudo se esclareça.

– Temo pela saúde de meu pai. Ele está um pouco doente e abatido.

– Ele está aprendendo muito com esta situação. Quando tudo se normalizar, terá se transformado em um novo homem, mais humano, mais afetivo, mais verdadeiro.

– Tenho notado que ele mudou muito.

– Continue oferecendo seu apoio e carinho. Isso fortalecerá os laços de amizade entre vocês dois, eliminando os desentendimentos de vidas passadas.

– Sempre senti que ele não me aceitava.

– Você também não fazia nada para aproximar-se dele.

– É verdade. Eu sentia certa distância, que desejava continuar mantendo.

– Coisas de um relacionamento difícil no passado. Mas hoje, tocados pelos fatos recentes, vocês estão se modificando, tornando-se mais sensíveis. O amor e a compaixão sempre levam ao melhor caminho.

– De fato. Estou tocado de compaixão pelos sofrimentos dele. O relacionamento dele com mamãe fez-me acreditar que ele era um homem frio, voltado apenas aos interesses financeiros. Mas hoje posso ver que estava enganado. Ele sente por minha mãe um amor imenso e verdadeiro que nunca imaginei existir. Descobrir isso provocou em mim um carinho muito grande por ele.

– O amor verdadeiro comove e eleva. Você está no caminho certo. Confie, seja positivo, dê chance que esse sentimento o envolva e procure demonstrá-lo. Isso os unirá cada vez mais.

Vitório estava tocado por um sentimento de alegria e plenitude. Toda sua angústia tinha desaparecido.

– Obrigado, Analú, por ter-me esclarecido. Sinto-me melhor e mais forte.

– Isso mesmo. Continue cultivando esses pensamentos. Eles o fortalecerão cada vez mais. Agora preciso ir.

– Venha ver-me de vez em quando. Sua presença me ajuda e levanta.

– Lembre-se de que o fato de eu não me comunicar não significa que esteja ausente. Estou sempre ligada com você e esteja onde eu estiver, é como se estivesse ao seu lado. Sei de tudo quanto lhe acontece.

– Gostaria que ficasse mais tempo comigo. Ao seu lado me sinto muito feliz.

– Nossa ligação vem de muito tempo. O laço que nos une é forte e verdadeiro.

– É por esse motivo que sua presença me encanta e emociona.

– Eu também gosto de estar com você. Vou embora, mas prometo que um dia voltarei para contar-lhe coisas do passado, que antecederam os fatos de hoje, e por que eles aconteceram.

– Isso tem me preocupado. Esse crime montou um quebra-cabeças difícil de resolver. Por mais que eu tente não encontro a ligação entre as pessoas envolvidas.

– Um dia você saberá. Adeus.

Analú desapareceu e Vitório suspirou, abriu os olhos pensativo. A presença dela tivera o dom de encher seu coração de esperança. Ela afirmara que Teresa estava viva e isso no momento era o mais importante.

Na casa de Marília tudo continuava igual. Paulo permanecia vigilante, mas até aquele momento não tinham recebido nenhuma ameaça e ele não tinha notado nada suspeito perto da casa.

Entretanto, a amizade dele com a família crescia e era com prazer que depois do jantar sentava-se na cozinha enquanto Marília e Dorita estavam trabalhando, preparando os quitutes com os quais estavam conseguindo sustentar as despesas.

A procura de seus produtos crescia dia a dia e elas tinham contratado Estela, uma jovem que morava perto e estava procurando trabalho.

Estela tinha vinte e dois anos, era órfã de pai, sua mãe trabalhava em uma oficina de costura, mas o que ganhava não era suficiente para pagar os estudos da filha, que pretendia cursar uma faculdade.

Tanto Dorita como Marília simpatizaram com Estela à primeira vista, e a contrataram como experiência, apenas com uma comissão sobre os produtos vendidos, prometendo rever a situação conforme pudessem. Cheia de vontade, Estela aceitou, afirmando que se empenharia no trabalho.

Fazia três dias que Estela estava trabalhando, Marília e

Dorita estavam satisfeitas com seu desempenho. Chegava cedo, fazia tudo com boa vontade, sem escolher serviço e permanecia até mais tarde quando tinham muitas encomendas para entregar.

Além disso, era uma moça alegre, bem-humorada, que tornava o ambiente, que já era bom, ainda melhor. Elas trabalhavam rindo e Altair, que nas horas vagas gostava de cooperar no trabalho, divertia-se muito com suas histórias.

Paulo sentia-se bem naquela casa. Altair, que a princípio o tratava com certa cerimônia, aos poucos tinha se aproximado mais dele, que procurava estimulá-lo a estudar, conhecer as coisas, conversando, falando sobre a vida, suas experiências, suas viagens pelo mundo e suas descobertas.

Altair ouvia-o com olhos brilhantes, cheio de interesse e curiosidade. Paulo estimulava-o, trazendo-lhe livros, mostrando-lhe gravuras, ensinando-o a olhar as coisas pelo lado melhor.

Vendo os dois na sala, entretidos nessas conversas, Marília sentia aumentar a cada dia sua admiração por Paulo. Otávio nunca tivera para com o filho esse carinho. Tratava-o com autoridade, sem se aproximar nem permitir que o menino se aproximasse.

Ela adorava vê-los juntos, rindo, conversando, como se fossem amigos há muito tempo e sentia que seu afeto por Paulo crescia a cada dia. Em certos momentos notava que ele a olhava com carinho, mas não sabia se era amor.

Quando Otávio morreu, Marília sentira alívio. A presença dele era pesada. Quando ele entrava em casa o ambiente ficava carregado, mesmo que ele não estivesse zangado. Por esse motivo, prometera a si mesma nunca mais envolver-se com ninguém. Mas tinha de reconhecer que estava completamente apaixonada por Paulo.

Dorita, quando a sós com ela, brincava dizendo que

ela parecia uma adolescente, garantindo que ele também estava apaixonado.

– Prepare-se porque um dia desses ele vai se declarar – costumava dizer.

– Bobagem sua. Ele está apenas querendo ser gentil. É um homem educado.

Dorita ria alegre e meneava a cabeça negativamente:

– Parece que estou vendo vocês dois juntos e agora que conquistou Altair, penso que não vai demorar.

O rosto de Marília cobria-se de rubor e ela tentava dissimular, fazendo com que Dorita risse ainda mais.

O telefone tocou, Dorita atendeu e procurou Paulo:

– O dr. Monteiro quer falar com você.

Paulo atendeu em seguida. Depois dos cumprimentos ele disse:

– Prepare-se, Paulo. Ontem fizemos uma diligência que deu ótimos resultados. Dentro de poucos dias teremos novidades. Estou fazendo um plano que me parece definitivo. Não posso dar-lhe detalhes agora. Mas amanhã passe aqui na delegacia no fim da tarde para conversar. Vou precisar de você.

– Pode esperar, irei. Acha mesmo que estamos para encerrar o caso?

– Estou quase certo. Espero você amanhã.

– Estarei aí.

Paulo desligou o telefone pensativo. Marília que ouvira a conversa indagou:

– Você acha mesmo que o delegado está para encerrar o caso? Já encontrou os assassinos?

– Isso eu não sei. Mas foi o que ele quis dizer. Esse assunto é delicado e não se pode conversar pelo telefone.

Marília baixou os olhos, triste. Notando, Paulo indagou:

– Parece que ficou triste. Não quer que os assassinos de seu marido sejam presos?

Ela hesitou um pouco, depois o olhou nos olhos e respondeu:

– Claro que eu quero que sejam presos, mas isso fará com que você tenha de ir embora.

Ele aproximou-se dela, segurando seu braço:

– Você gostaria que eu ficasse mais?

Os olhos dela estavam brilhantes, com lágrimas prestes a cair.

– Sim – respondeu baixinho.

Paulo abraçou-a com carinho, levantou seu queixo e beijou seus lábios com amor. Foi um beijo longo, cheio de ternura e emoção.

O coração batendo forte, Marília correspondeu cheia de carinho e eles beijaram-se muitas vezes. Depois, ele disse:

– Eu amo você. Nunca senti por ninguém o que estou sentindo agora. Quero que fique para sempre a meu lado.

– Eu também o amo. Não posso mais conceber minha vida sem você.

Eles beijaram-se de novo, esquecidos de tudo. Nem viram Dorita feliz, observando-os, escondida atrás da porta da cozinha.

24

Osmar chegou na empresa irritado. Na noite anterior fora a uma recepção e encontrara Aurélia ao lado do rival, não escondendo os sentimentos que nutriam um pelo outro.

Apesar de tudo quanto Norberto tinha feito na tentativa de armar alguma coisa contra esse doutorzinho que cruzara seu caminho, não tinha conseguido sucesso.

O homem tinha sorte demais. Contra ele nada dava certo. Norberto talvez não tivesse se empenhado como deveria. Ele era bom em desviar as pessoas indesejáveis do seu caminho. Tinha feito isso algumas vezes com sucesso. Por que com o médico tudo dava errado?

Sentou-se atrás da escrivaninha, abriu o jornal e lá estavam os dois, sorridentes e felizes. Embaixo uma frase: “O casamento de Aurélia Saldanha com o dr. Augusto Mendonça está marcado para daqui a um mês. Depois do casamento, os noivos viajarão para a Itália em lua-de-mel”.

Isso não poderia acontecer. Ele teria apenas um mês para separar os dois e talvez fosse melhor procurar outra pessoa para o serviço. Em último caso, faria o médico desaparecer para sempre. O que ele não podia era permitir que ele roubasse a mulher de sua vida.

Naquele dia não conseguiu trabalhar. Sua cabeça estava naquela foto e no futuro casamento dos dois. Uma onda de rancor o envolveu. Teve vontade de acabar com o rival com suas próprias mãos.

Imerso em seu ódio, ele não percebeu que duas sombras escuras estavam ao seu lado, transmitindo-lhe pensamentos de ódio e vingança.

Apesar de desejar a morte do médico, ele preferia que outro fizesse o serviço sujo. Mas ao mesmo tempo não queria colocar outra pessoa a par do que planejava, com receio de mais tarde ser chantageado. Apesar de tudo, Norberto era de sua confiança, já lhe prestara outros serviços e nunca desejara tirar proveito, além do que recebera como pagamento.

Uma das sombras colocou a mão na testa de Osmar dizendo:

– Se você não fizer nada, eles logo estarão casados e você nunca a terá. É muito fácil tirá-lo do caminho... basta querer. Você é forte, espere-o em uma esquina escura e acabe com esse sofrimento!

Osmar não ouviu aquelas palavras, mas pelo seu pensamento se via esperando o médico em uma esquina próxima de sua casa, com uma arma, pronto para atirar. Olhava em volta e não tinha ninguém.

Por que ele mesmo não fazia o serviço? Assim, além de não ter de pagar nada, não correria o perigo de ser traído.

"Mas e se alguém aparecer e me ver?", pensava.

– Que nada, não vai aparecer ninguém. Eu vou ajudá-lo – continuou falando em seu ouvido o vulto escuro.

O outro vulto aproximou-se:

– Ele é covarde, nunca vai fazer o que você quer.

– Vai sim, Renata. Fique firme que vamos conseguir.

– Esse desgraçado tem de pagar pelo que nos fez.

– Por causa dele morremos daquela maneira horrível. Olhe para mim, veja, meus ferimentos ainda sangram.

– Pois eu preferia encontrar aquela traidora que me mandou para a morte. Não tenho nada a ver com ele. Por causa dela estou aqui. Veja minhas mãos, elas ardem sem parar. Meus ferimentos ardem.

– Eu morri inocente. Fui apenas o intermediário da venda e também não fui pago. Osmar é o culpado. Quero que ele mate o homem e vá preso. Então ficarei ao lado dele me sentindo vingado, vendo-o sofrer em uma cadeia imunda.

– Pois eu preferia ficar onde Teresa está.

– Nós tentamos, mas não conseguimos entrar. Ela deve ser protegida dos maiorais.

– Eu não me conformo! Depois de tudo quanto ela nos fez!

– Você aceitou fazer o que ela pediu pensando no dinheiro que iria ganhar.

– Claro. Nunca poderia imaginar que aqueles homens iriam aparecer para nos matar.

– Nem Teresa sabia disso. Ela não pensou que você poderia ser morta.

– Pensou sim. Por que não quis ir ela mesma? Porque estava com medo. Pressentia que tudo aquilo poderia acontecer.

Enquanto os dois conversavam, Osmar sentia a raiva aumentar. Não conseguia trabalhar. Decidiu sair e procurar Norberto. O que não podia era ficar parado esperando o pior acontecer.

Saiu e foi à procura dele. Era cedo e o escritório dele ainda estava fechado. Osmar voltou para a empresa pensando em retornar mais tarde.

À tarde, na casa de Marília, o ambiente estava alegre e descontraído. Assim que Vitório chegou, encontrou Marília e Paulo conversando de mãos dadas e pela fisionomia deles compreendeu que tinham se entendido.

Depois dos cumprimentos disse contente:

– Parece que o inevitável aconteceu.

– O quê? – indagou Marília, acanhada.

– Aconteceu, sim – concordou Paulo, sorrindo e apanhando novamente a mão que Marília retirara quando Vitório entrou. – Nós nos amamos e pretendemos nos casar.

– Parabéns! – tornou Vitório, rindo. – Olhando o rosto radiante de vocês sinto uma ponta de inveja. Gostaria também de encontrar alguém para alegrar minha solidão.

– Você não tem porque não quer – disse Marília, que tinha ficado mais à vontade.

– Não é bem assim...

– É jovem, tem boa aparência e um grande coração. Estou certa de que logo vai aparecer alguém para iluminar sua vida.

Estela apareceu na porta e convidou-os para testar um bolo que ela mesma fizera, receita de sua avó alemã.

– Acabei de tirar do forno. Quero que experimentem e dêem uma opinião. É muito gostoso, faz vista e não fica caro. Dá para ter um bom lucro.

Paulo olhou para Marília e disse:

– Além de tudo, Estela é uma ótima negociante. Gostei de ver!

– Ela é das nossas! Parece até que sempre estivemos trabalhando juntas.

Conversando alegres foram à cozinha, onde Estela, rosto enrubescido pela emoção, serviu-lhes uma generosa fatia do bolo, cujo aspecto e odor eram convidativos.

Eles saborearam satisfeitos e Dorita comentou:

– Vamos colocá-lo em nossa lista de produtos. Será o Bolo da Estela.

– Isso mesmo – aduziu Marília –, está muito bom. Leve, gostoso, uma delícia.

Paulo olhou no relógio, depois comentou:

– Está na hora de falar com o Monteiro na delegacia.

Ele preparou-se para sair e Marília acompanhou-o até a porta:

– Volte logo – pediu.

Ele beijou-a levemente nos lábios e respondeu:

– Talvez eu me demore. Vamos fazer uma reunião com Monteiro. Ele vai expor seus planos para o xeque-mate. Pode levar tempo. Mas voltarei o mais rápido que puder.

– Estou rezando para que ele prenda logo todos esses bandidos.

– Eu também.

Enquanto isso, na cozinha, Vitório aproximou-se de Estela e perguntou:

– Nós não nos conhecemos de algum lugar?

– Não. Por quê?

– Desde que a vi tenho a impressão de que já nos encontramos antes.

Ela sorriu, fez um ar malicioso e respondeu:

– Eu também me pergunto de onde o conheço. Estou certa de que não foi aqui. Terá sido em outras vidas?

Vitório fixou-a admirado. Não esperava essa resposta.

– Você acredita que tenhamos tido outras vidas além desta?

– Eu sinto que já vivi muitas vidas antes desta. Sei de coisas que não aprendi nesta vida, que já faziam parte de mim quando nasci.

– Eu também sinto isso. Sonho com minhas vidas passadas.

– Eu sei como é isso. Nesses sonhos nos encontramos com pessoas conhecidas daqueles tempos, mas que não estão aqui.

Vitório estava admirado. Ele evitava falar nesse assunto por saber que muitos têm preconceito por ignorar essa realidade. Mas Estela falara com naturalidade e ele ficou encantado.

Quando Marília voltou à cozinha, os dois continuavam conversando e ela admirou-se de ver Vitório tão falante. Ele sempre se mantinha discreto, só falando o essencial.

Elas voltaram ao trabalho e Vitório continuou saboreando o bolo com prazer. Era-lhe muito agradável ficar naquela casa com aquelas mulheres. Sentia-se muito à vontade e bem-disposto. O encontro com Analú proporcionara-lhe imenso bem. Acalmara sua ansiedade e o fizera notar outros lados da vida que ele esquecera, preocupado com a ausência de Teresa.

Agora que Analú lhe garantira que ela estava viva e que em breve tudo se resolveria, sentia-se alegre e com vontade de conversar.

Observando-a notou o quanto Estela era graciosa e semicerrando os olhos ficou surpreendido com o brilho de sua aura, que refletia pensamentos nobres e bondosos.

Reconheceu que aquelas três mulheres eram muito especiais e decidiu fazer tudo para continuar mantendo com elas um relacionamento verdadeiro.

Estela surpreendeu os olhos de Vitório fixos nela, e fixou os dela nele também, momentaneamente, esquecida do que estava fazendo.

Dorita cutucou Marília e deu uma piscada maliciosa, chamando a atenção dela sobre os dois. Marília notou e sorriu. Ela estava feliz com o amor de Paulo, de bem com a vida e desejava que todos fossem felizes como ela.

– Está na hora de você também, Dorita, arranjar um amor.

A outra se assustou:

– Eu?!

– Do que se admira? Você é muito moça para ficar sozinha.

Ela riu bem-humorada e respondeu:

– No outro dia o filho do seu Mário, dono da lanchonete que fez aquela encomenda grande, queria sair comigo. Mas eu não quis.

– Por quê? Não gostou dele?

– Sou uma pessoa ocupada. Não posso perder tempo

com namoricos. Depois, ele era muito novo para mim. Estou escaldada. Minha fé nos homens está abalada.

Vitório, que ouvira tudo, interveio:

– Quero só ver a hora em que aparecer um homem simpático, bem-intencionado...

– Assim, quem sabe... – brincou ela.

O momento era de alegria e descontração e eles continuaram conversando, enquanto elas continuavam a tarefa.

Paulo chegou na delegacia e foi falar com Monteiro. Assim que entrou, o delegado recebeu-o bem-disposto. Depois dos cumprimentos Paulo brincou:

– Estamos prontos para o xeque-mate?

– Tudo faz crer que sim. E o peixe que vamos prender é dos maiores.

– Gil Duarte? O empresário de fachada?

– Esse mesmo, e seus comandados. Estamos preparados para acabar com toda a quadrilha. Mobilizamos policias de três Estados, mas a rede está pronta. Nenhum vai escapar.

– E Osmar?

– Está acuado. Apertei o Nelsinho, prometi ajudá-lo se nos dissesse toda a verdade e ele cooperou. Contou-nos tudo.

– Ele sabe o que aconteceu com Teresa?

– Não. Mas saberemos tudo assim que Gil estiver em nossas mãos. Há anos temos tentado prendê-lo, mas ele nunca se deixou apanhar. Agora temos provas. Elvira e Nelsinho estão dispostos a testemunhar. Osmar também será uma testemunha valiosa.

– Terá de convencê-lo a falar. Ele não me parece fácil. É astucioso e esperto. Vai querer negar tudo.

– Ele pode fazer o que quiser. Nós temos provas. Eu até acho que quando ele perceber que não lhe resta mais nada, tratará de tentar salvar a própria pele. Abrirá o jogo.

– Por que tem tanta certeza?

– Esta manhã, depois que eu falei com você, tive uma visita inesperada que esclareceu muita coisa sobre aquele crime. É mais uma testemunha do caso.

– Por esse motivo você está tão alegre? Quem é essa testemunha?

– Um motorista de táxi. Naquela noite ele levou Teresa na casa do crime.

– Não diga! Então aquele corpo é mesmo dela?

Monteiro sorriu, fez um ar de mistério e respondeu:

– Não. Quem morreu foi a outra, muito parecida com ela. Vou contar-lhe tudo. Hoje de manhã, quando cheguei aqui, soube que tinha um motorista de táxi a minha espera. Ele me disse que tinha uma revelação a fazer sobre o crime que estamos investigando, mas que só falaria comigo.

Intrigado, mandei-o entrar. Quando ele entrou, notei que estava com muito medo e procurei conversar com ele para que ficasse mais à vontade. Perguntei seus dados, quando o vi mais calmo indaguei o que tinha a dizer e ele começou:

– Devo contar-lhe que estou com muito medo. Trabalho com táxi há mais de quinze anos e nunca me envolvi em nada perigoso. Sou um homem de bem, pai de família, cumpridor de minhas obrigações de cidadão.

– Sei disso. Continue, por favor.

– Desde o momento em que li as notícias daquele crime nos jornais tive vontade de procurar a polícia, mas tive muito medo de ser envolvido. Afinal, era um crime misterioso e muito cruel.

– O que o fez vir agora?

– O remorso. Tenho acompanhado o caso pelos jornais, li a entrevista do filho de Teresa desesperado por não saber o que lhe aconteceu. Minha mulher me convenceu a vir aqui, dizendo que eu poderia pelo menos dizer que Teresa estava viva depois daquele crime.

– Você esteve com ela naquela noite?

– Vou contar-lhe tudo.

Emocionado, ele contou que naquela noite ele apanhou duas passageiras. Eram tão parecidas que ele imaginou que fossem irmãs gêmeas. Levou-as ao endereço pedido, lembrava-se da conversa delas. Uma chamava Teresa e a outra, Renata. Teresa dava as instruções para ela entrar na casa, entregar o dinheiro, que ele presumia estar em uma frasqueira, e voltar em seguida. Ele notou que as duas estavam com muito medo. Renata foi, entrou na casa e pouco depois chegou outro carro do qual desceram quatro homens que também entraram ali. Teresa ficou assustada e pediu que ele saísse dali e dobrasse a esquina. Ela desceu do carro e ficou espiando o que acontecia na casa. Assim, ele continuava seu relato:

– Eu notei logo que tinha alguma coisa errada, queria ir embora e aconselhei-a a isso, mas ela não queria deixar a outra lá. Vendo que os homens saíram e foram embora, esperamos, mas a Renata não voltou. Então, Teresa foi até a casa procurá-la, mas voltou logo, dizendo que ela já tinha ido embora e que podíamos ir também. Deixei-a em um hotel. Quando li o crime no jornal, imaginei que a outra mulher tinha sido morta. Pensei em vir aqui, mas o medo foi maior. Se aqueles homens soubessem que eu os tinha visto, minha vida não valeria mais nada.

– De fato. Trata-se de traficantes muito perigosos. Mas nós temos condições de defendê-lo. Não precisa temer. Peço-lhe que não fale a ninguém que esteve aqui e que sabe quem são os assassinos.

– Só minha mulher é que sabe do caso. Ninguém mais. Ela também não vai abrir a boca.

O delegado finalizou:

– Esse taxista está à disposição. Deu o endereço do hotel onde deixou Teresa naquela noite. Mandei investigar e soube que ela esteve lá, mas se mudou para outro lugar. Não sabemos onde.

– Está se escondendo com medo dos traficantes. Pelo menos sabemos que ela está viva. Assim que souber que os bandidos estão presos, ela vai aparecer.

– Se não fosse pelo Vitório e pela Dinda, nós teríamos enterrado essa Renata como se fosse Teresa, o que teria sido um tremendo engano.

– Ainda resta uma pergunta: Quem será essa Renata que morreu no lugar de Teresa, sem que ninguém da família tenha ainda ouvido falar?

– Isso a própria Teresa poderá esclarecer. O fato é que temos mais uma testemunha contra o Gil Duarte e desta vez ele não poderá se safar.

– Qual será o próximo passo?

– Eu tenho um plano para prendê-lo com todos os seus asseclas e faremos isso. Com base no inquérito que montei, vamos conseguir uma ordem de prisão para todos os envolvidos, inclusive Osmar. Depois, faremos várias diligências ao mesmo tempo. Quero apanhá-los de surpresa.

– Quando pensa fazer isso?

– Se possível esta noite mesmo. Já enviei os documentos para o delegado do Rio de Janeiro e ele cumprirá o mandato de prisão contra Osmar e o enviará preso para São Paulo.

– Vai ser um choque para Vitório e o pai.

– A verdade sempre dói. Infelizmente, nada posso fazer. O moço escolheu esse caminho.

– O pai o tinha como seu melhor filho. Era nele que depositara todos os seus anseios para o futuro.

– Quem se ilude candidata-se à desilusão.

Paulo sorriu e respondeu:

– Você disse uma grande verdade. Ele se iludiu, acreditando que o filho fosse como ele gostaria, criou expectativas fora da realidade e, no fim, só poderia se desiludir.

– Os pais nunca querem enxergar os pontos fracos dos filhos.

– Isso impede que eles os ajudem a escolher um caminho melhor.

– Estou contente porque acredito que resolvemos mais um crime misterioso. Mas como você sabe, só podemos "cantar vitória" quando todos estiverem presos. Vou reunir meus homens e planejar toda a ação. Conto com você.

– Claro. Estou à disposição.

Monteiro reuniu os homens em uma sala e começaram a planejar cuidadosamente como iriam agir.

25

Paulo ligou para a casa de Marília e quando ela atendeu disse-lhe que aquela deveria ser a grande noite. Ele não sabia a que horas poderia voltar para lá.

– Monteiro pediu que eu fosse com eles e eu aceitei. Se tudo sair como esperamos, dentro de algumas horas teremos chegado à solução do caso.

Marília ficou apreensiva:

– Tome cuidado.

– Fique tranqüila. Não vai nos acontecer nada.

– Ficarei esperando ansiosa. Só sossegarei quando você estiver de volta.

– Não tenha medo de ficar só. Vou pedir para o Wagner ficar no meu lugar.

– Não quero que nada lhe aconteça.

– É bom saber que se preocupa com o meu bem-estar. Mas não há perigo. Sabemos nos defender.

– Não me deixe sem notícias.

– Ligarei assim que puder. O Vitório ainda está aí?

– Sim. Ele disse que só iria embora depois que você chegasse. Está ansioso para saber como vocês vão fazer.

– Ele não vai gostar de saber que Osmar vai ser preso. É melhor eu falar com ele e lhe explicar tudo.

Marília chamou Vitório, que atendeu prontamente. Paulo foi direto ao assunto:

– Monteiro conseguiu um mandato de prisão para todos os envolvidos e Osmar está entre eles.

Vitório estremeceu:

– Ele vai ser preso?

– Vai. Não podemos evitar. Ficou provado que ele está metido com os assassinos e até que pode ter sido a causa indireta do crime.

Vitório ficou calado por alguns instantes, depois disse:

– Era isso o que eu temia. Meu pai vai ficar arrasado.

– Vou pedir ao Wagner para ficar aí, em meu lugar, e assim que ele chegar você pode ir para a casa ficar com seu pai e tentar preparar o espírito dele para o que vai acontecer.

– Não sei como fazer isso. Ele vai sofrer muito.

– Vá para sua casa, ligue-se com os espíritos amigos, peça-lhes inspiração e força para superar o que virá e estou certo de que vai encontrar a maneira melhor de dar essa notícia a seu pai.

Vitório suspirou triste:

– É o que vou fazer. Mas estou muito triste, nunca pensei que Osmar fosse acabar assim.

– Ele procurou esse caminho. Pense que talvez essa seja a maneira que a vida encontrou para fazê-lo refletir sobre seus atos e, quem sabe, mudar o rumo de sua vida. Ele é moço, depois de resolver seu caso com a Justiça, mais amadurecido, terá chance de recomeçar e seguir um caminho melhor.

– Tem razão. Assim que Wagner chegar irei para a casa. Sei que você vai estar ocupado, mas, por favor, assim que puder me telefone.

– Pode deixar.

Paulo desligou o telefone e juntou-se à equipe que estava se preparando para entrar em ação.

Vitório chegou em casa e encontrou o pai na sala, lendo. Vendo-o entrar, Alberto fechou o livro:

– Eu já jantei. Não o esperei porque não posso comer muito tarde. Não me faz bem. Você já jantou?

– Não, mas estou sem fome. Na casa de Marília estamos sempre comendo uma coisa ou outra. Tudo o que fazem é uma delícia.

– Você não pode ficar beliscando dessa forma. Tem de alimentar-se melhor.

– Na verdade eu me alimentei muito bem. Não se preocupe. Vou para o quarto, mas voltarei em seguida. Quero conversar com você.

Alberto fixou-o sério. Desde que soubera das atividades de Osmar ele temia ouvir as notícias. Sentia que chegaria uma hora em que seu filho teria de ser responsabilizado pelo que estava fazendo e temia esse momento. Mas como Vitório não disse mais nada ele guardou silêncio, olhando-o com ar de preocupação.

Vitório foi para o quarto, sentou-se na cama, fechou os olhos, colocou a mão direita na testa, procurando concentrar-se. Pensou em Analú, pedindo-lhe que o ajudasse nessa hora.

A idéia de que Osmar seria preso o deixava triste. Naquele momento, sentiu que, apesar dos desentendimentos que sempre houve entre eles, nunca lhe desejara mal.

A idéia de vê-lo preso, humilhado, sendo tratado como um bandido o fazia sofrer. Não era só o sofrimento dos pais que o incomodava, mas também o de Osmar. Como ele enfrentaria a prisão?

Ele sempre fora arrogante, vaidoso, julgava-se superior em inteligência e em tudo o mais. Como ele reagiria?

Temia que se descontrolasse, não quisesse aceitar a prisão, tentasse fugir ou cometesse alguma besteira.

Vitório tentou reagir. Ele precisava controlar esses pensamentos e tentar o contato com os espíritos iluminados. Sabia que só conseguiria isso se conseguisse entrar em uma energia melhor.

Procurou entrar em seu coração, ficar no bem e manter um sentimento amoroso. Mentalizou Osmar e então brotou uma ternura em seu interior, um sentimento de amizade por ele como nunca sentira antes e uma vontade muito grande de ajudá-lo, de fazê-lo compreender que precisava assumir seus erros, enfrentar os resultados de seus atos para poder se recuperar.

Teve vontade de empenhar-se para conseguir que Osmar entendesse isso. Conseguiria que ele o ouvisse?

Nesse instante, Vitório viu o espírito de Analú na sua frente, olhando-o com carinho. Não se conteve:

– Analú. Você veio!

– Eu estava aqui mesmo antes de você chegar, mas só agora você melhorou suas energias e pôde me ver.

– Quero pedir-lhe que me ajude a conversar com meu pai sobre Osmar.

– Você colocou seu amor sobre Osmar. Faça isso com seu pai. Essa é sua maior força. Com ela você vencerá todos os problemas.

– Eu não sabia que gostava de meu irmão. Nós nunca nos entendemos bem.

– Os laços que os unem são antigos. Antes dos acontecimentos que provocaram seus desentendimentos vocês se estimavam.

– O afeto que estou sentindo por ele me surpreendeu muito.

– Quantos segredos ainda estão guardados em seu coração? Quantas passagens de outras vidas continuam influenciando vocês até hoje?

– É verdade. Por que não me conta tudo o que aconteceu naquele tempo?

– Prometo que voltarei para contar-lhe. Mas ainda não é o momento. A tempestade continua em andamento. Quando ela passar, prometo esclarecer todas as dúvidas.

– Ajude-me a dar a notícia a meu pai. Receio por sua saúde.

– Pense nele com carinho e deixe seu coração falar. Estou certa de que saberá fazer isso muito bem. Vá e não tema, saiba que estarei ao seu lado.

Ela desapareceu, Vitório respirou fundo e pensou no pai. Uma onda de carinho o acometeu e ele levantou-se indo à sua procura.

Uma vez na sala, sentou-se no sofá, ao lado dele, dizendo:

– Precisamos conversar.

Alberto olhou-o preocupado:

– É sobre o Osmar?

– É. Como você sabe, ele sempre foi ambicioso, desejou ter muito dinheiro, poder e por causa disso se iludiu. Não teve a sua paciência. Acreditou que poderia conseguir rapidamente o que desejava e entrou em um caminho perigoso.

Alberto suspirou triste:

– Foi por causa da insensata paixão que ele tem por Aurélia. Ela nunca o amou, mas ele pensou que se fosse um homem importante, tivesse muito dinheiro e poder, a conquistaria. Ele mesmo me disse isso.

– Essa ilusão o arrastou para a desgraça.

– Traficar drogas é o que se pode chamar de pior. Ele não pensou na desgraça que estava espalhando, na dor das famílias que têm um viciado em casa. Passou por cima de tudo, alimentando sua ambição, esquecendo-se de todos os ensinamentos com os quais foi educado. Pensando nisso, sinto-me derrotado, fracassado como pai. Eu não fui capaz de perceber nada nem de inspirar-lhe um comportamento melhor.

– Você não tem culpa de nada. Ele fez isso sozinho.

– Mas dói muito saber que ele vai ter de pagar elevado preço pelo seu erro.

Vitório colocou a mão no braço do pai dizendo com voz suave:

– A vida vai responder a ele de acordo com suas atitudes. Nós que o amamos não desejamos que ele sofra. Mas, pai, de que outra forma ele poderia aprender, senão respondendo pelo que fez? O remédio pode ser amargo, mas lhe dará chance de curar-se.

– Pressinto que algo ruim vai acontecer com ele. Você sabe como vão as coisas?

– A essa hora, Paulo está com o delegado participando de uma diligência para prender os traficantes envolvidos naquele crime.

– E Osmar está envolvido?

– Está. O nome dele figura com os traficantes e o delegado acredita até que Osmar involuntariamente tenha sido o causador dessa desgraça!

Alberto levou a mão à cabeça:

– Meu Deus! Será possível?

– Ele colocou Elvira naquele sanatório com medo que ela contasse o que sabia sobre o envolvimento dele com os assassinos.

– O que vai acontecer agora?

– Bem, o delegado expediu uma ordem de prisão para Osmar e nesta noite mesmo ele vai ser preso.

Alberto levantou-se nervoso:

– Era isso que eu temia!

Vitório puxou-o pelo braço, forçando-o a sentar-se novamente.

– Não podemos perder o controle. Agora temos mais do que nunca que enfrentar essa situação com coragem.

– Meu filho preso! Que vergonha. Ele que sempre foi o

meu orgulho, vai ser humilhado, escarnecido, olhado como um bandido!

As lágrimas rolavam de seus olhos e ele deixou-as cair, sentindo-se impotente.

Vitório colocou o braço sobre os ombros dele, dizendo:

– Reaja, pai. Não se deixe levar pelo desespero. Nós temos de ser firmes, corajosos, olhar o que aconteceu de maneira realista.

– Nada pode ser mais real do que isso! A desgraça chegou e não podemos fazer nada contra ela.

– Você está sendo pessimista. Vamos olhar os fatos de outra forma.

– Como não ser pessimista diante de uma situação como essa?

– Eu não vejo assim. Eu não estou contente com o que está acontecendo, mas prefiro olhar de forma diferente. Quem nos garante que a humilhação da prisão, o sofrimento a que Osmar deverá passar, enfrentando essa vergonha, não o levará a refletir melhor sobre seus atos? Vendo revelado um lado seu que ele quis ocultar, descobrirá que não é tão "esperto" como se julgava e chegará à conclusão de que é muito perigoso enveredar por esse caminho. Esse poderá ser o começo da sua recuperação.

– Será muito doloroso.

– O que mais ele poderia esperar depois do que fez? Temos que apoiá-lo com carinho, mas com firmeza, porque é fundamental que ele assuma o que fez. Sinta o alcance de seus atos e isso não seremos nós que vamos fazer, mas a vida que já está fazendo. Faremos tudo para ajudá-lo, porém não vamos intervir nos fatos que estão acontecendo, tentando camuflá-los, torcendo-os de forma a que Osmar continue se iludindo. A hora da verdade chegou e vamos aceitá-la com dignidade e vontade de daqui para a frente fazer nosso melhor.

– Eu penso como você. Nunca imaginei que me daria tanto apoio nesta hora difícil. É que eu não sabia que você era tão lúcido e bondoso. Não sei o que faria neste momento sem seu apoio.

– Eu estarei sempre ao seu lado. Os traficantes serão presos. Tenho certeza de que mamãe logo estará de volta.

– Como estará ela? Como reagirá ao saber que Osmar vai ser preso?

– Ela foi a primeira a saber sobre ele. Elvira contou. Mas estou certo de que ela também se juntará a nós para ajudar Osmar e fazê-lo entender como retomar o caminho do bem.

– É verdade. Isso é bem dela. Dedicada, mas digna.

– Nós estamos sentindo muita falta dela e eu imagino que ela também sente saudades de nós.

– De vocês talvez, mas de mim...

– Por que duvida do amor dela?

– Porque eu, muitas vezes, revoltado com a indiferença dela, envolvi-me com outras mulheres, mais para provocá-la do que por desejo, e ela sempre soube. Há muito tempo ela deixou de me amar, se é que algum dia sentiu algum amor por mim.

Vitório olhou-o sério e respondeu:

– Você pode estar muito enganado. Mas mesmo que seja verdade o que diz, você poderá tentar reconquistá-la, reacender a chama que lhe parece extinta.

Alberto meneou a cabeça negativamente:

– Não creio...

– Acredite, quando ela voltar, não perca tempo. Jogue seu charme sobre ela, com o amor que tem no coração. Estou certo de que ela não vai resistir.

Alberto sorriu:

– Em uma hora dessas você consegue me fazer sorrir.

– O que estou dizendo é verdade. Sinto que depois de

tudo quanto estamos passando, merecemos um pouco de felicidade.

Alberto suspirou e disse:

– Felicidade! Há quanto tempo não sei o que é isso.

– Sinto que depois do que estamos passando, nenhum de nós será o mesmo. Todos estamos aprendendo e refletindo, percebendo emoções e necessidades que antes não víamos e jogando fora crenças inúteis que colecionamos durante toda a vida e que agora sabemos que não são verdadeiras.

– Por que diz isso?

– Porque estamos amadurecendo e abrindo a mente, revendo nossos conceitos de felicidade. Você teme que mamãe não o ame mais, porém eu penso o contrário. Vocês viveram mais de trinta anos juntos, trocando experiências, vivendo momentos que hoje, diante da situação atual, revestem-se de outra conotação e são mais valorizados. Eu testemunhei desde que nasci o respeito que demonstram um pelo outro, a atenção, a amizade com que se tratam. Para mim, isso é uma forma de amor verdadeiro e sincero.

Alberto cerrou os olhos, pensativo. De fato, se Teresa não tivera para com ele arroubos apaixonados como ele gostaria, sempre fora atenciosa, cuidando do seu bem-estar, tratando-o com deferência. Não seria essa uma forma de amor? Mas não era apenas isso que ele desejava. Queria mais.

Durante aqueles anos sonhara em tê-la em seus braços ardente, apaixonada, oferecendo-lhe todo o amor de que ele a imaginara capaz. Ele sentia que Teresa era uma mulher ardente. Por que ele não tinha conseguido despertar nela essa emoção?

– Eu casei com Teresa por amor. Amizade é um belo sentimento, mas não é o que eu desejava que ela me oferecesse. Nunca notei nela o fogo da paixão.

Vitório colocou a mão no braço do pai e respondeu:

– Uma intimidade de tantos anos deve ter-lhe dado inúmeras oportunidades de acender nela o fogo da paixão. Alguma vez tentou ir por esse caminho?

Alberto olhou-o surpreendido, pensou um pouco e depois tentou justificar-se:

– Teresa sempre foi uma mulher discreta, nunca conversamos sobre nossos sentimentos íntimos.

– Será que ela não pensou o mesmo de você? Será que ela não imaginou que você não a amasse o bastante e guardou seus sentimentos, respeitando sua maneira de ser?

– Você acha mesmo isso?

– No amor é preciso ousar, falar o que vai no coração. Não dá para ficar imaginando coisas no comportamento do parceiro, sem saber se são verdadeiras, criando barreiras que distanciam um do outro.

Alberto olhou Vitório surpreendido:

– Como pode saber dessas coisas? Você nunca se apaixonou!

– Para valer mesmo, não. Mas tive algumas paixões que logo passaram, mostrando que não eram para ser levadas a sério. Mas quando eu de fato amar alguém, ousarei demonstrar todo o meu amor. O amor é contagiante. Estou certo de que vai atear esse fogo que você diz.

– Gostaria de ver isso. Osmar não conseguiu nada com Aurélia. Por que pensa que com você será diferente?

– O que Osmar sente por Aurélia é paixão, não amor. São sentimentos diferentes.

– Como assim?

– Osmar gosta de Aurélia por seu porte altivo, o carisma e a posição social que ela ocupa. É o que ele deseja ter para si, e como não consegue, projeta seus sentimentos sobre ela, acreditando que se conquistá-la terá tudo isso. Deseja apossar-se dela, isso é apego. O amor é um sentimento diferente. Não faz sofrer. Se for correspondido é maravilhoso, mas se não for, satisfaz-se com a felicidade do ser amado, contentando-se em cultivar esse amor no coração.

– Acho que eu nunca senti esse tipo de amor.

– Será que não? Depois que mamãe desapareceu, você tem sofrido muito e eu notei que há em seu coração um amor sincero muito verdadeiro e talvez você ainda não tenha se dado conta disso.

– De fato. Sinto muita saudades de Teresa. A vida para mim tornou-se sem sentido com sua ausência.

– O que fará quando ela voltar? Vai continuar escondendo seus sentimentos ou vai mostrar-lhe o quanto a ama?

– Tenho medo de que ela me despreze. É uma mulher altiva e eu sempre procurei mostrar-me a sua altura.

– Você está enganado. Mostrar um sentimento sincero jamais vai provocar desprezo. Ao contrário, vai tocar as fibras mais íntimas do coração dela. E quem sabe o que poderá vir à tona depois?

Os dois continuaram conversando como nunca tinham feito. Naquele momento não eram apenas pai e filho, eram dois homens, discutindo sentimentos de igual para igual, estabelecendo laços de intimidade indestrutíveis de espírito para espírito.

26

Osmar chegou em casa incomodado por um sentimento depressivo e angustiante. Ao comparecer em um restaurante elegante para almoçar com um cliente importante, tivera o desprazer de encontrar Aurélia naquele local, acompanhada pelo seu rival.

Ela estava tão entretida com ele, que nem notou sua presença, apesar de Osmar tê-la olhado com insistência, tentando ser visto.

Ele marcara esse encontro para resolver um negócio importante, mas foi-lhe difícil concentrar a atenção no assunto, porquanto não conseguia desviar o olhar dos namorados e quanto mais olhava, mais nervoso ficava.

Indiferente ao que acontecia, o jovem casal se entretinha em demonstrações de carinho, sem perceber que Osmar estava ao lado, sofrendo, tentando conter a raiva, desejando prestar atenção ao que seu parceiro dizia, sem nenhum interesse.

Esqueceu-se de tudo o que tinha planejado para fechar aquele negócio e, por fim, o cliente despediu-se sem efetivar o projeto.

Osmar foi para a empresa irritado. Durante toda a tarde

continuou sentindo uma desagradável sensação de fracasso que o deixou deprimido e inquieto.

Ele não estava habituado a perder. Não podia aceitar que Aurélia não lhe desse atenção. Precisava fazer alguma coisa para acabar com aquele namoro.

Norberto não tinha conseguido nada contra o médico. Tentara de várias formas envolvê-lo, armando ciladas, mas o rapaz era esperto e saia-se bem de todas elas, conservando-se neutro, não entrando em situações novas.

O dr. Augusto Mendonça sabia o que queria e agia de maneira firme, clara, não deixando um ponto fraco que Norberto pudesse explorar.

Osmar não continha a impaciência. Não era possível existir alguém que não tivesse um ponto fraco, ao que Norberto respondia:

– Pois ele é assim. Escorrega de todas as situações com classe, sem se envolver. Nunca vi um cara igual a esse.

Essa superioridade do rival deixava Osmar mais nervoso, levando-o a ter vontade de cometer uma loucura. Imaginava procurá-lo pessoalmente na calada da noite e dar-lhe um tiro. A custo conseguia conter esse impulso.

Nora, vendo-o entrar em casa, perguntou se podia servir o jantar. Ele não estava com fome e preferiu servir-se de uma bebida, depois se sentou na sala pensativo.

Não podia tirar da sua mente as cenas que presenciara no restaurante: Aurélia amável, acariciando o rosto do rival, segurando sua mão com os olhos brilhantes, e os beijos que o médico dava na mão dela, enquanto seus olhos se encontravam com amor.

Osmar levantou-se e começou a andar nervoso pela sala. Pela primeira vez questionou sua paixão por Aurélia. Por que não podia tirá-la de sua cabeça? Por que se apegara a ela que nunca lhe dera valor?

Quanto mais se questionava, mais aumentava o medo

de perdê-la. Era uma loucura. Por causa desse amor envolvera-se em coisas perigosas que custara a vida de sua mãe.

Não se sentia culpado pelo desaparecimento ou pela morte dela. Afinal, por que ela fora fazer aquela malfadada viagem sem o marido?

Estava tão entretido em seus pensamentos que não ouviu a campainha tocar. Pouco depois, Nora, toda assustada, introduziu na sala dois homens desconhecidos e só então Osmar se deu conta e perguntou:

– Quem são os senhores, o que querem aqui?

Um deles exibiu as credenciais de policial e perguntou:

– O senhor é o dr. Osmar Borges de Azevedo?

– Sim. O que desejam?

– O senhor está preso e deve nos acompanhar até a delegacia.

Osmar estremeceu:

– Preso?! Eu? Sob que acusação?

– Tráfico de drogas.

– Os senhores estão enganados. Não pode ser. Sou um empresário, um homem de bem.

– Não há nenhum engano – respondeu o outro. – Temos aqui a ordem de prisão. O senhor tem o direito de ficar calado, mas é obrigado a nos acompanhar.

Osmar pensou em resistir, mas depois achou melhor contemporizar:

– Está bem. Eu os acompanho. Estou certo de que logo tudo será esclarecido.

Osmar vestiu o paletó e o policial estendeu as algemas. Ele protestou assustado:

– Não é preciso fazer isso comigo. Não sou um bandido. Vou de boa vontade.

– Sinto muito, mas terei de algemá-lo. É de praxe.

Osmar ainda tentou resistir, mas foi inútil. Diante dos

olhos apavorados de Nora, os policiais algemaram Osmar e o levaram para a viatura.

Assustada, Nora imediatamente ligou para Alberto em São Paulo. Vitório atendeu e ela contou o que tinha acontecido e finalizou chorando:

– O dr. Osmar saiu daqui algemado. Estou com medo. Vocês precisam voltar.

– Acalme-se. Vou ligar para nosso advogado tratar do caso. Vou falar com papai e voltarei a ligar para você.

Vitório desligou o telefone preocupado. Apesar de saber que isso iria acontecer, a notícia o abalou. Alberto, que estava ao lado, indagou:

– Aconteceu o que temíamos?

– Sim. Osmar foi preso. Nora pediu que fôssemos para lá, ajudá-lo. O que acha?

– Ligue para o dr. Nunes e lhe conte o que aconteceu. Peça-lhe para ir imediatamente ver o que pode ser feito. É melhor voltarmos para o Rio hoje mesmo.

– Está bem. Enquanto você e Dinda arrumam a bagagem, vou ligar e conversar com Paulo.

Ele ligou, mas Paulo não estava. Então se lembrou de que ele tinha acompanhado o delegado para surpreender e prender os traficantes.

Desistiu de falar com ele. Tentou conseguir passagens de avião, mas não conseguiu. Apesar da vontade de Alberto de viajar o quanto antes, eles foram forçados a esperar pela manhã seguinte.

Monteiro tinha feito todo um plano para efetuar a prisão de Gil Duarte. Há tempos seus colegas que trabalhavam na área de drogas conheciam não só a periculosidade dessa quadrilha como o mal que eles causavam, distribuindo drogas no Brasil inteiro e no exterior.

Mas não conseguiam provas para prendê-lo. Gil Duarte mantinha uma empresa de cosméticos, intitulava-se importador e exportador de mercadorias e sua documentação era legal. Contudo, a polícia sabia que ele era um dos maiores traficantes do país.

Monteiro unira-se aos companheiros dessa área, e analisando as provas que possuíam, conseguiram o mandato de prisão.

Gil freqüentava um clube de futebol famoso onde era muito popular, e adorava teatro. Era figura constante na vida noturna de São Paulo onde comparecia ao lado da mulher e de dois seguranças.

Ele morava em uma linda casa no bairro do Morumbi, cercada de muros altos, com uma guarita na frente da entrada, onde sempre ficava um dos seus homens.

A polícia sabia que na casa de Gil todos os seus empregados eram homens da sua quadrilha e por esse motivo programaram prendê-lo fora dali, quando saísse.

Eles armaram o cerco sem despertar suspeitas no homem que vigiava a casa. Alguns policiais estavam à paisana e colocaram seus carros bem situados de modo a observarem tudo. Ficaram se comunicando pelo rádio.

Monteiro, ao lado de outros policiais, esperava escondido dentro do carro com as luzes apagadas. Paulo estava com eles.

A polícia queria evitar confronto, porquanto sabia que estavam armados e eram homens perigosos que não hesitariam em atirar para matar.

Em silêncio eles esperavam. A noite estava escura e a iluminação das ruas era fraca em razão das árvores que bloqueavam a luz. Passava das vinte horas quando o portão principal abriu e o carro de Gil saiu. Dois homens sentados na frente e o casal atrás.

Procurando não despertar suspeitas, os carros saíram atrás, fazendo o mesmo trajeto. Quando chegaram ao local que tinham programado, eles bloquearam o carro de Gil, que foi forçado a parar.

Monteiro apanhou o megafone e gritou:

– Polícia! Desçam do carro.

Gil abriu o vidro da janela e disse:

– O que está acontecendo?

Monteiro desceu acompanhado de dois policiais de uniforme e aproximou-se de Gil, enquanto mais dois desceram do carro do outro lado armados, abordando o motorista e seu acompanhante para que entregassem suas armas.

Antes que Gil pudesse reagir, Monteiro abriu a porta do carro e deu voz de prisão. A operação foi muito rápida, apanhou o traficante de surpresa e ele não reagiu.

A operação fora um sucesso, principalmente porque Gil não acreditava que pudesse ser preso e contava sair rapidamente daquela situação.

A certeza de sua impunidade o impediu de reagir. O fator surpresa foi importante para que a operação policial obtivesse êxito.

Em vão, Gil tentou explicar a Monteiro que ele era um cidadão honesto, um empresário respeitado. Quando percebeu que não conseguiria convencê-lo, começou a exigir a presença dos seus advogados. Monteiro, porém, determinou que só lhe permitiria chamá-los no dia seguinte.

Gil queria saber qual era o motivo de sua prisão e Monteiro lhe disse:

– Você está preso por tráfico de drogas e pelo assassinato de Otávio de Oliveira e uma mulher cujo nome ainda não podemos revelar.

Gil empalideceu e a partir daí decidiu não dizer mais nada e só falar depois de conversar com seus advogados.

Monteiro começou os interrogatórios, mas todos eles se fecharam e recusavam-se a falar.

Era madrugada quando Paulo, cansado, mas satisfeito, voltou para a casa de Marília. Wagner abriu a porta, Paulo entrou.

– E então? – indagou Wagner. – Como foi?

– Tudo bem. A operação foi um sucesso. Gil Duarte e

parte de sua quadrilha está presa. Os outros, a polícia está procurando para prender.

– Quero saber todos os detalhes. Gostaria de ter ido junto.

– A tensão foi grande, mas não foi preciso dar nenhum tiro.

– Vamos para a cozinha. Dorita deixou algumas coisas para comer.

– Estou com fome, mas contente. Deu tudo certo. Osmar foi preso no Rio e já está a caminho de São Paulo.

Os dois foram para a cozinha, estavam comendo quando Marília apareceu:

– Acordamos você! – tornou Paulo. – Falamos alto demais.

– Não foi isso. Eu estava nervosa e não consegui dormir.

Paulo sorriu e abraçou-a feliz:

– Ficou pensando em mim?

– Sim. Estava com medo que lhe acontecesse alguma coisa. A cena daquele crime ainda não saiu da minha mente.

– Não se deixe envolver por ela. Não vale a pena.

– Está difícil. Sempre que estou com medo ela reaparece em minha mente.

– Quando acontecer, procure não dar importância e lembrar-se de alguma coisa boa para que ela vá embora. As impressões foram muito fortes, mas agindo assim você acabará por apagá-las de sua lembrança.

– Eu gostaria muito. Mas me conte, como foi? Conseguiram prendê-los?

Paulo ia falar, mas Dorita apareceu, dizendo contente:

– Eu não consegui dormir. Ouvi que você chegou e desci. Que bom que estão aqui. Parece que deu tudo certo!

– Deu mesmo. Paulo vai nos contar como foi – respondeu Marília.

Paulo contou tudo nos mínimos detalhes. Sentia-se feliz por terem efetuado as prisões sem maiores problemas. E finalizou:

– Penso que até agora Gil Duarte, o chefe da quadrilha, não acreditou que ficaria preso. Não esboçou nenhuma reação. Preferiu continuar representando o papel de empresário honesto, boa gente, personagem com o qual ele tem ludibriado as autoridades até hoje.

– Mas ele tem dinheiro, bons advogados e as leis oferecem muita chance de recursos que acabam levando à impunidade. Não há o risco de ele livrar-se da prisão? – indagou Marília preocupada.

– Desta vez, não. Antes nós não tínhamos provas concretas contra ele. Agora temos. O testemunho de Elvira será muito convincente. Depois, espero que Teresa apareça. Se como eu penso ela está escondida com medo deles, quando souber da prisão vai sentir-se segura e voltar para casa. Ela também poderá testemunhar contra eles. Há também o motorista do táxi que as levou até a casa do crime.

– Você acha mesmo que ela está viva? – perguntou Dorita. – Será que eles não a mataram também?

– É uma possibilidade. Eles mataram aquela mulher pensando que fosse Teresa. O mais provável é que ela esteja escondida com medo deles. Esta noite mesmo Monteiro começou os interrogatórios, ele vai apertar e alguém vai acabar falando.

– Quem será a mulher que foi morta no lugar de Teresa? – desta vez foi Wagner quem fez a pergunta.

– Ainda não sabemos. Talvez Teresa tenha a resposta. Por enquanto precisamos esperar. Mas o pior já passou. Eu sinto quando um caso está sendo concluído. Para mim, dentro de mais alguns dias tudo estará resolvido.

Eles continuaram conversando até o dia clarear. Depois, Paulo ligou para Vitório conforme tinha prometido.

Ele atendeu ao primeiro toque, o que mostrou que ele também não tinha conseguido dormir.

– Está tudo bem, Vitório – disse Paulo. – Deu tudo certo, estão todos presos.

– Como você nos avisou, eles prenderam Osmar no Rio de Janeiro. Eu e papai queremos ir para lá e saber o que está acontecendo. Só não fomos ontem porque não consegui as passagens.

– Vocês não devem ir. Osmar está sendo trazido para São Paulo. É aqui que ele vai ter de ficar.

– Vou informar o nosso advogado. Você compreende. Apesar do que ele fez, nós não podemos deixar de ajudá-lo nessa hora.

– Ele vai precisar mesmo de um bom advogado. Eu conheço um ótimo criminalista aqui. Se desejarem posso indicá-lo.

Vitório suspirou triste e respondeu:

– Obrigado. Falarei com papai. Ele está arrasado. Mas apesar de tudo, nosso dever é ajudar Osmar e desejar que a dura lição tenha lhe ensinado alguma coisa melhor.

– Faço votos que seja assim. Saiba que pode contar comigo para tudo o que precisar.

– Papai vai querer ir à delegacia e falar com Osmar. Acha que vai ser possível?

– Não sei se eles já chegaram. Monteiro foi para casa de madrugada e deve ter deixado todos incomunicáveis. Vocês não vão conseguir conversar com Osmar. Vou descansar um pouco e logo depois do almoço, se quiserem, poderei ir até lá com vocês. Monteiro já estará na delegacia e tudo será mais fácil.

– Está bem. Explicarei tudo a papai e ficaremos esperando que você ligue para irmos juntos. O nosso advogado é da área trabalhista e acho melhor chamar esse que você disse que é bom.

– É o mais sensato. Anote o telefone.

Paulo deu as indicações e desligou, prometendo encontrar-se com eles no começo da tarde para irem juntos à delegacia. Depois de colocar Marília a par do que pretendia fazer, Paulo finalmente foi para o quarto de Altair dormir.

Assim que Osmar foi levado à delegacia, no Rio de Janeiro, ficou sabendo que deveria viajar imediatamente para São Paulo. A fisionomia indiferente dos policiais, os olhares maliciosos das pessoas presentes na delegacia, a insistência de dois repórteres em fotografá-lo, embora ele tentasse abaixar a cabeça, irritaram-no muito.

Era humilhante ser tratado dessa forma, estar algemado, ser conduzido por dois policiais um de cada lado segurando seu braço, indiferentes aos seus sentimentos, como se tudo aquilo fosse normal. Aquilo não podia estar acontecendo com ele. Alguma coisa estava muito errada. Eles não podiam ter feito isso, dessa forma.

Ao pensar que no dia seguinte suas fotos poderiam estar no jornal como um bandido, serem vistas por seus amigos e conhecidos, inclusive por Aurélia, ficava apavorado. Isso não era justo. Ele não matara ninguém. Querer ganhar dinheiro, ser rico, não era crime.

O mundo estava cheio de gente que enganava a Justiça, enriquecia e vivia muito bem. A culpa do que estava lhe acontecendo era do pai que tinha feito a loucura de gastar o dinheiro com o qual ele contava para pagar aquela dívida.

Sentado no banco traseiro, algemado, no meio de dois policiais, que conversavam entre si alegremente como se ele não estivesse ali, Osmar tentava encontrar uma forma de reverter a situação.

Tinha esperança de que quando chegasse a São Paulo, o pai já o estivesse esperando com um bom advogado. Ele não pudera comunicar-se com ele para contar o que estava acontecendo, mas imaginava que Nora tivesse ligado relatando que ele fora preso.

Certamente, o pai não o deixaria passar por esse vexame e faria tudo para libertá-lo. Ao mesmo tempo, tentava encontrar uma explicação para fazer o pai acreditar que ele era inocente. Apesar de saber que Alberto era muito exigente em questões de honestidade, contava em poder ludibriá-lo com facilidade. Afinal, era seu pai, sempre o apoiara e o amava. Isso seria suficiente para desejar que ele não ficasse preso.

O maior receio era que Nelsinho, que fora preso no sanatório quando levaram Elvira, desse com a língua nos dentes. Ele era covarde. Se o apertassem um pouco, não resistiria. Se ele revelasse alguma coisa que o incriminasse, poderia negar e seria sua palavra contra a dele. Claro que a sua teria maior credibilidade. Nelsinho sempre vivera à margem da Lei, enquanto ele era um empresário respeitado, conceituado.

Quando a viatura chegou na delegacia de São Paulo, eles desceram e entraram. Osmar olhou em volta, esperando ver o pai, mas não o encontrou. O dia estava amanhecendo e só dois policiais, com cara de sono, os receberam.

Eles conversaram e Osmar pediu:

– Tirem as algemas. Preciso telefonar.

Um deles olhou-o como se ele estivesse pedindo alguma coisa impossível e respondeu:

– Telefonar só quando o dr. Monteiro chegar.

– Eu preciso avisar meu pai e falar com o advogado.

– Não posso fazer nada. Fale com o delegado quando ele chegar.

Por mais que Osmar insistisse, não conseguiu ser atendido. Foi levado por um corredor, passaram por uma porta onde havia dois policiais armados montando guarda e o levaram para uma cela que estava vazia. Em frente tinha outra onde estavam algumas pessoas deitadas em colchonetes e duas nas camas.

O cheiro era superdesagradável e Osmar conteve a respiração, tentando evitar senti-lo. Quando abriram a porta e o empurraram para dentro da cela, Osmar revoltou-se e gritou:

– Vocês não podem fazer isso comigo! Eu sou um empresário. Um homem de bem. Quero falar com meu advogado. Não quero ficar aqui!

Os dois policiais não responderam. Limitaram-se a sorrir e a trancar a porta. Depois, foram embora.

Osmar olhou a cama estreita que estava coberta por um cobertor pequeno e escuro e tinha um travesseiro, cuja fronha desbotada de cor indefinível inspirou-lhe aversão. Decidiu permanecer em pé. Ele não se deitaria naquela cama grosseira e mal cheirosa.

Os outros presos o olhavam com curiosidade, e Osmar encolheu-se em um canto, procurando ignorar aquele lugar horrível. Por mais que tentasse, essa era a sua realidade naquele momento.

Ele sentia-se impotente naquela hora, mas ainda esperava que o pai aparecesse e o tirasse dali.

27

Teresa acordou cedo e saiu para comprar pão. Ao passar na banca de jornal deparou com a manchete: "Presa quadrilha de traficantes. A polícia suspeita que dois deles foram responsáveis pelo assassinato de Otávio de Oliveira e da misteriosa mulher, cuja identidade até agora não foi comprovada. Parabéns ao delegado Monteiro e seus homens que com inteligência prenderam essa perigosa quadrilha sem um tiro sequer. Pág. 3".

Imediatamente ela comprou o jornal e até se esqueceu de comprar o pão; voltou para a casa, sentou-se e procurou a reportagem.

Numa das fotos ela reconheceu Gil Duarte e um de seus homens; mais abaixo uma foto de Osmar algemado fez seu coração bater mais forte.

Seu filho estava preso! Logo ele, sempre tão altivo e orgulhoso, ali, de cabeça baixa, envergonhado, querendo esconder o rosto. Apesar disso, ela o teria reconhecido de qualquer jeito. Leu que Osmar fora preso no Rio de Janeiro e trazido para São Paulo.

Estava na hora de ela voltar. Procurou um telefone e ligou para sua casa. Nora atendeu e ela disse logo:

– Nora, sou eu, Teresa.

– Deus seja louvado! Dona Teresa, que bom, a senhora está viva!

– Estou. Quero falar com Alberto.

– Aqui não tem ninguém, o dr. Alberto e o Vitório estão morando em São Paulo desde que tudo isso começou. Disseram que só voltariam para casa quando soubessem o que lhe aconteceu. Todos nós ficamos muito preocupados com o seu desaparecimento e ainda essa mulher que apareceu, igualzinha a senhora! No começo até pensaram que fosse a senhora. Foi o Vitório e a Dinda que descobriram a verdade. Onde a senhora está?

– Em São Paulo. Dê-me o endereço e o telefone de onde Alberto está.

Nora obedeceu, ela agradeceu e desligou. Depois ficou pensando no que fazer. Talvez fosse melhor preveni-los, ligar antes de ir até o apartamento.

Ligou e Dinda atendeu. Teresa disse logo:

– Dinda, sou eu. Estou bem.

– Teresa! Você quase nos matou de susto. Ninguém nesta casa tem conseguido dormir depois daquele crime horrível.

– Eu não podia voltar. Depois eu lhe conto tudo. Agora quero falar com Alberto. Osmar está preso.

– Foi ontem à noite. Hoje, o sr. Alberto saiu cedo com Vitório para falar com um advogado. Depois iam para a delegacia ver se conseguiam falar com Osmar.

– Nesse caso, não tenho alternativa, irei agora mesmo a essa delegacia.

– Não tem perigo aparecer lá?

– Não. Eu não fiz nada de errado. Fiquei escondida porque esses assassinos queriam me pegar. Agora que foram presos, não há perigo.

– Não vejo a hora de tê-la de volta!

– Eu também gostaria de estar em casa e que nada

disso tivesse acontecido. Mas ainda não é hora de ficarmos em paz.

– Você conseguiu aqueles papéis que desejava?

– Não. Isso também está me preocupando. Mas agora não dá para voltar atrás. Seja o que Deus quiser.

Teresa desligou o telefone, arrumou-se o melhor que pôde, colocou os documentos de Renata na bolsa e foi para a delegacia.

O táxi deixou-a na porta. Ela desceu e logo dois jornalistas a reconheceram. Aproximaram-se tirando fotos e fazendo perguntas.

Sem lhes dar atenção, Teresa entrou rapidamente e foi falar com um policial:

– Sou Teresa Borges de Azevedo. Vim falar com o delegado.

Um burburinho correu logo pela delegacia. A custo os policiais conseguiram afastar os repórteres, prometendo-lhes conseguir o que eles queriam mais tarde.

Doutor Júlio, o advogado, insistia para falar com Osmar, mas Monteiro preferia que ele esperasse um pouco, porquanto havia três famosos criminalistas insistindo para ver Gil Duarte, alegando que ele era inocente; Monteiro queria fazer um bom interrogatório antes de os advogados conversarem com os presos.

A custo conseguira tirar os três da sua sala, afirmando que permitiria que eles vissem os presos depois de tomar as declarações de todos.

Os advogados protestavam. Queriam assistir a esses depoimentos e se recusavam a esperar. Os três tinham saído para almoçar e voltaram em seguida.

Monteiro concordou em falar com Alberto e seu advogado. Estavam começando a conversar quando o policial bateu na porta da sala do delegado, que atendeu com má vontade:

– O que você quer? Não vê que estou ocupado?

– Tem uma mulher lá fora que diz se chamar Teresa Borges de Azevedo. Não é aquela que está desaparecida?

Antes que o delegado respondesse, Vitório e Alberto saíram correndo à procura de Teresa. O delegado e o dr. Júlio foram atrás.

Alberto ia na frente e a viu primeiro. Correu para ela dizendo emocionado:

– Teresa, você está viva!

Abraçou-a, e, Vitório, cuja emoção o impediu de falar, juntou-se a eles no mesmo abraço.

Os três tentavam segurar as lágrimas, contudo não conseguiam. Abraçados, eles não encontravam palavras para expressar o que sentiam, recordando o que tinham sofrido, temendo que nunca mais fossem se encontrar.

Aquele era o momento tão desejado. Eles sentiam a força do sentimento que os unia.

Monteiro esperou que eles se acalmassem. Alberto, abraçado a Teresa, indagou preocupado:

– Como você está?

– Muito feliz por poder voltar para a casa, mas ao mesmo tempo preocupada com o Osmar e tudo quanto nos aconteceu.

Monteiro aproximou-se:

– Sei que estão muito emocionados, mas eu preciso conversar com a senhora. Há muitos pontos obscuros que pretendo esclarecer. Sei que só a senhora vai poder fazer isso.

Teresa tentou controlar a emoção. Ela não queria mais ficar guardando coisas do passado que só lhe trouxeram infelicidade. Tinha refletido muito e chegara à conclusão de que se ela tivesse sido sincera, contado tudo a Alberto, teria evitado aquele crime e, pelo menos, Renata não teria morrido daquela maneira cruel.

Sua omissão custara uma vida e isso lhe pesava na consciência, embora nunca tenha imaginado esse desfecho tão triste.

– Estou a sua disposição, doutor – respondeu. – Vou contar-lhe tudo o que sei. Desejo colaborar para que esses assassinos fiquem presos durante muito tempo. Quero ver Osmar, espero que o senhor permita.

– Ele juntou-se a perigosos traficantes.

– Eu sei. E desejo que ele arque com as conseqüências, dentro da Lei. Vai doer muito, mas pretendo convencê-lo a deixar esse triste caminho.

Pelos olhos de Monteiro passou um brilho emotivo que ele procurou esconder ao responder:

– Estou certo de que a senhora terá força bastante para reconduzi-lo à dignidade. Vamos para a minha sala, tomar o seu depoimento.

Todos acompanharam Monteiro que, na porta de sua sala, disse:

– A senhora pode entrar com o advogado. Os outros ficarão esperando do lado de fora.

Alberto protestou, mas foi forçado a obedecer. Tanto ele quanto Vitório desejavam ouvir o que Teresa tinha para contar. Mas o delegado foi categórico:

– Só ela e o advogado.

Eles entraram e a porta se fechou. Dois policiais ficaram do lado de fora. Vitório foi telefonar para a casa de Marília para dar a boa notícia. Paulo ficou satisfeito com a novidade e prometeu que logo mais passaria na delegacia. Não era mais preciso vigiarem a casa. O perigo tinha acabado.

Monteiro pediu a Teresa que se sentasse diante dele, o escrivão estava à direita e o dr. Júlio à esquerda. Tudo pronto, Monteiro começou a fazer as perguntas.

Teresa começou a falar, procurando não se esquecer

de nenhum detalhe. Durante aqueles dias de reflexão, ela tinha decidido que se conseguisse voltar para casa, dali para a frente sua vida seria um livro aberto.

Não queria nenhum segredo. Ela tinha agido errado e era justo que arcasse com as conseqüências. Não teria moral para exigir do filho o mesmo comportamento se ocultasse seus erros.

Teresa desejava ser verdadeira, sentindo que esse era o caminho para recuperar sua dignidade. Se sua família a condenasse ela teria de conformar-se e seguir seu caminho. O mais importante era sentir-se bem diante da própria consciência.

Por esse motivo, começou seu relato contando a paixão que tivera depois do casamento. Não se poupou, foi o mais verdadeira que pôde, emocionando os presentes com sua sinceridade.

Depois, contou sobre a chantagem; a venda das jóias; seu encontro com Elvira; a idéia da viagem, passando antes por São Paulo para entregar o dinheiro a Otávio em troca dos papéis e das fotos que a comprometiam; a surpresa do seqüestro; a descoberta de que Osmar mantinha negócios com traficantes; a carta que ela foi forçada a escrever para o filho e por que Elvira foi levada com a carta.

Falou sobre o medo de ser morta por ter visto o rosto deles e poder identificá-los, a vontade de fugir e como conseguiu escapar.

Monteiro ouvia atentamente, admirando a coragem dela, que falava com voz firme, expondo os fatos com clareza. Teresa prosseguiu, contando como chegou ao centro da cidade, hospedou-se em um hotel para pensar no que fazer. Como ficou sabendo que lá havia uma hóspede muito parecida com ela a ponto de as pessoas confundirem as duas.

A essa altura, Monteiro não se conteve:

– A senhora nunca tinha visto essa mulher?

– Não, nunca. Para mim era uma desconhecida, mas o fato chamou minha atenção e quando fui ao refeitório almoçar, eu a vi e me aproximei. Ela ficou surpresa, disse-me que eu era igualzinha sua mãe. Ficamos trocando informações sobre nossa descendência e descobrimos que não tínhamos nenhum laço de parentesco. Ela pediu que eu me sentasse em sua mesa para almoçar, ficamos conversando.

– Quem era essa mulher?

– Renata contou que era brasileira e foi morar na Espanha, onde se casou. Viveu lá durante vinte anos. Divorciou-se e desiludida com o casamento voltou ao Brasil. Havia chegado no dia anterior, com pouco dinheiro e precisava trabalhar.

Teresa continuou contando que não sabia do paradeiro de Elvira, mas supunha que ela estivesse livre dos traficantes. Por ter fugido dos seqüestradores estava com medo de ir entregar o dinheiro ao chantagista. Ofereceu dinheiro a Renata para ir em seu lugar, certa de que ele não iria desconfiar, uma vez que se pareciam. Isto resolvido, elas iriam para a Europa e depois que voltassem ela conseguiria um emprego na empresa do marido. Renata aceitou.

A voz de Teresa só tremeu quando ela começou a contar que ambas tomaram um táxi, ela, envolta em um xale que usava sempre quando saía a rua para não ser reconhecida, Renata, segurando a frasqueira, onde ela colocara o dinheiro.

Quando chegaram ao endereço indicado, Renata entrou na casa e ela ficou esperando no táxi. Pouco depois ela viu chegar outro carro e os seus seqüestradores desceram e também entraram na casa. Teresa ficou com muito medo, pediu para o táxi afastar-se e parar na esquina. O motorista do táxi queria ir embora, porém ela insistiu que não podia deixar a amiga sozinha. Eles viram quando os homens foram embora. Ela esperou um pouco e, como Renata não voltava, caminhou até a casa ver o que havia acontecido.

Teresa fez uma pausa. Sua voz morreu na garganta e ela estava muito pálida. O delegado deu-lhe um copo d'água, esperou que ela tomasse alguns goles, e pediu:

– Continue.

– Bem, eu entrei e a sala estava escura. Eu vi uma luz na outra sala e fui até lá. Queria ver se encontrava Renata, mas o que vi quase me fez desmaiar. Ela estava na cama, morta, ao lado de um homem. Minhas pernas tremeram e voltei à sala. Apesar de muito nervosa, lembrei-me dos papéis que me comprometiam. Tentei encontrá-los. Abri algumas gavetas, mas não os achei. Eu estava muito nervosa. É possível que eles estivessem lá, uma vez que iam ser entregues após o pagamento. Mas eu não estava em condições de ver nada. Tremia, sentia que estava perdendo as forças. Saí de lá correndo, deixei a porta encostada. Cheguei no táxi e disse ao motorista que minha amiga já havia ido embora. Não sei se ele acreditou.

– Ele nos procurou e já fez seu depoimento. Quando ele leu nos jornais a notícia do crime, desconfiou da verdade.

– Depois disso, tive mais medo ainda que eles me encontrassem. Eles tinham levado meus documentos para provar a Osmar que eu estava em poder deles. Eu fiquei sem documentos. Para o hotel eu tinha usado meu passaporte. Então tive a idéia de usar a identidade de Renata. Eu estava sem roupa, minha bagagem e a de Elvira tinham ficado com os traficantes. Eu comprei dois vestidos, mas era pouco. Eu sabia que Renata não mais voltaria. Assumi a identidade dela, tentei igualar meus cabelos com os dela e, usando seus documentos, instalei-me primeiro em outro hotel, perto do aeroporto. Naquele momento eu estava muito aflita, sem saber o que estava acontecendo com minha família.

– Por que não os procurou? Eles estavam angustiados. Seu marido adoeceu.

– Eu tinha medo de que se os traficantes soubessem que tinham matado a mulher errada, eles se voltassem contra Osmar e o matassem. Eu queria que eles pensassem que aquele corpo era o meu.

Teresa contou como alugara a pequena casa e que quando lera os jornais, relatando a prisão dos traficantes, entendeu que era hora de voltar. E finalizou:

– Foi um tempo em que não vivi. Todos os minutos eu questionei meu passado, meus enganos, os problemas que minhas atitudes trouxeram a mim e a minha família. Sinto culpa pela morte de Renata. Ao pedir-lhe que fosse em meu lugar estava longe de imaginar que aqueles homens iriam aparecer e fazer o que fizeram. Já refleti muito sobre isso e cheguei à conclusão de que foi o destino quem colocou aqueles homens perversos naquela casa, naquela hora. Penso que eles não tinham nada a ver com meu envolvimento com o chantagista. Nem sabia que se conheciam. Não sei o que se passou lá. O que sei é que Renata não conhecia nenhum deles, nunca foi amante do homem que morreu a seu lado. Não consigo entender por que aqueles homens apareceram lá exatamente naquela hora. Se tivessem chegado alguns minutos depois, ela teria entregado o dinheiro, apanhado os documentos e saído. Nada disso teria acontecido.

Teresa se calou, tomou mais alguns goles de água e Monteiro ficou pensativo, alisando o queixo, tentando imaginar por que eles teriam praticado aquele crime tão cruel.

Depois de alguns minutos ele disse:

– Eles mataram Renata acreditando que fosse a senhora que os desafiou tendo fugido. Eles não perdoam uma coisa dessas. É demais para o orgulho deles.

– Como eles poderiam saber que eu estaria lá naquela hora?

– Isso eles vão ter de nos dizer. O que sei é que Otávio, o

homem que a chantageava era intermediário dos negócios de droga. Ele agenciava compradores para as partidas de droga de Gil Duarte. Pode ser que ele tenha aparecido naquela hora por outro motivo, sem saber que a senhora ou sua sósia estariam lá. Mas por alguma razão eles estavam com muita raiva de Otávio. A forma como o agrediram foi feroz.

O escrevente apresentou o depoimento, o advogado leu e Teresa assinou. Depois, o delegado disse:

– A senhora pode ir, mas terá de depor como testemunha contra os traficantes.

– Pode contar comigo, doutor. Gostaria de ver meu filho.

– A senhora vai vê-lo, o dr. Júlio também. Gostaria que lhe dissessem que ele pode melhorar suas condições diante da Justiça se contar tudo o que sabe. Lamento dizer que localizamos um depósito de drogas do dr. Osmar. Seu cúmplice, Nelsinho, levou-nos até lá. Havia muita cocaína e essa mercadoria foi comprada do Gil Duarte e não está totalmente paga. Essa foi a causa de eles irem à procura de Otávio e terem seqüestrado a senhora.

Nos olhos de Teresa apareceu o brilho de algumas lágrimas, mas ela controlou-se e respondeu com uma voz que procurou tornar firme:

– A Justiça vai cobrar de Osmar o que ele deve. É justo. Mas meu filho é inteligente. Espero que ele reflita e perceba todo o mal que fez a si mesmo quando escolheu esse caminho.

Monteiro deu por terminado o interrogatório e Teresa saiu, acompanhada pelo advogado. Alberto e Vitório a rodearam ansiosos.

– E então? – indagou Alberto.

Foi o dr. Júlio quem respondeu:

– O depoimento de d. Teresa foi claro e contundente.

Ela contou tudo de maneira muito coerente. Eu não a teria aconselhado melhor. Senti que o delegado ficou bem impressionado com a forma que ela se comportou.

– Eu disse o que sabia. – Tornou Teresa, com naturalidade, continuando: – Nós vamos ver Osmar agora?

– É isso o que todos queremos. Ele deve estar nervoso, sem saber que estamos aqui – tornou Alberto.

– Ele está preso desde ontem à noite – esclareceu dr. Júlio. – Monteiro não tem como nos impedir de vê-lo. Já teve tempo de sobra para interrogá-lo sozinho. Vou pedir que nos levem a ele agora.

O advogado afastou-se e Vitório disse, alisando o braço da mãe:

– Ainda bem que você voltou. Está mais magra, deve ter sofrido muito, mas agora estamos juntos e vamos vencer todos os obstáculos.

– O maior obstáculo será enfrentarmos nossos medos – disse Teresa, pensativa.

– Quem confia na vida sabe que todos os acontecimentos, mesmo os ruins, são para nos ensinar a achar um caminho melhor – respondeu Vitório.

– Tem razão, meu filho. Eu sofri, mas amadureci. Aprendi muito durante esse tempo.

Alberto a olhava com ternura, mas em seus olhos havia um certo receio. Percebia que Teresa estava mudada. Estava mais humana, perdera o ar distante dos últimos tempos. Em que essa mudança influenciaria suas vidas? Teria ela refletido e chegado à conclusão de que não valia mais a pena levar adiante um casamento sem amor?

A esse pensamento Alberto sentia um aperto no peito e uma vontade muito grande de lhe perguntar, mas ao mesmo tempo temia ouvir a resposta.

No momento, eles estavam preocupados com Osmar, esse assunto ficaria para mais tarde, quando pudessem pensar nos dois, sem o peso da condenação de Osmar que certamente viria.

Doutor Júlio voltou, acompanhado por um policial, e informou:

– O dr. Monteiro pediu para irmos a uma sala onde encontraremos o dr. Osmar.

Com o coração aos saltos, eles acompanharam o policial até a sala indicada.

Teresa, emocionada, não via a hora de abraçar o filho. Alberto procurava conter a emoção. Ele, que sempre condenara as manifestações emocionais, temia não poder conter o pranto diante do filho. Vitório era o mais sereno e lúcido. Ele pretendia fazer o irmão sentir o carinho que nutria por ele, apesar dos desentendimentos que tiveram e dos erros que ele cometera.

28

Eles entraram na sala. Osmar estava em pé, olhando impacientemente para a porta. Assim que os viu entrar, disse nervoso:

– Ainda bem que vieram. Pensei que tivessem me esquecido. Eu quero sair daqui o quanto antes.

Teresa aproximou-se dele dizendo:

– Não está surpreso em me ver?

– Não. A pouco quando me disseram que você tinha voltado não acreditei. Estou vendo que era verdade.

Teresa abraçou-o com carinho:

– Eu fiquei muito preocupada por você desde que soube que tipo de negócios você havia feito.

Osmar não correspondeu ao abraço. Estava nervoso e impaciente demais:

– Trouxeram um advogado para tirar-me daqui?

– Este é o dr. Júlio Alcântara. Ele vai cuidar da sua defesa – esclareceu Alberto.

– Ainda bem. O dr. Nunes não fez nada. É um incompetente. – Voltando-se para o dr. Júlio ele continuou: – O senhor precisa me tirar daqui hoje mesmo. Passei uma noite horrível, quero voltar para casa.

Teresa deixou os braços cair e olhou para o advogado.

Alberto e Vitório fizeram o mesmo. Eles sabiam que seria impossível tirar Osmar da cadeia.

Doutor Júlio olhou firmemente nos olhos de Osmar e respondeu:

– Antes de tudo você precisa se acalmar. Sei como se sente. Mas acontece que você cometeu um crime grave, inafiançável. Não há como conseguir libertá-lo por enquanto.

– Não posso acreditar! Não consigo ficar aqui. O lugar é horrível. O senhor deve poder me tirar daqui.

– Infelizmente, no momento não posso. Portanto, trate de se acalmar e aceitar que vai precisar ficar aqui certo tempo. Enquanto isso, verei o que posso fazer.

– Meu pai vai pagar o que for preciso. Não acredito que vai deixar-me ficar preso no meio de marginais.

Desta vez foi Alberto quem respondeu:

– Foi você quem se marginalizou, comercializando drogas. Não foi isso que eu lhe ensinei. Você veio para cá sozinho, com os próprios pés.

– Você é meu pai! Deve me ajudar a sair daqui.

– Você é meu filho, muito amado. Sabe o quanto eu o estimo. Estou aqui para ajudá-lo. Contratei um dos melhores advogados do país. Mas somos obrigados a obedecer as leis. E para você sair daqui terá de prestar contas a elas.

Osmar passou a mão nos cabelos, inconformado:

– Não acredito que não tenha um jeito de me libertar. Aquele delegado incompetente está exorbitando. Trouxe-me para cá algemado, como um criminoso.

Doutor Júlio olhou-o sério e disse, frisando bem as palavras:

– Você cometeu um crime. Perante a Lei é um criminoso. Renda-se a essa verdade. De nada vale tentar fugir à responsabilidade.

Osmar olhou-os resignado. Depois, voltou-se para Alberto dizendo com raiva:

– Trate de arranjar outro advogado que tenha interesse em defender-me. Este mais parece um acusador.

– Você é que ainda não entendeu o tamanho do problema em que se meteu. Aconselho-o a ouvir o que o dr. Júlio tem a dizer e seguir sua orientação. Ele sabe o que está dizendo e eu confio nele.

– Osmar, pense bem – disse Teresa –, todos nós estamos aqui para ajudá-lo. Mas se você não aceitar que errou vai agravar sua situação.

– Eu errei sim, mas o mundo está cheio de pessoas que fazem o que eu fiz e estão livres, usufruindo o dinheiro que conquistaram. Eu tive a infelicidade de ter sido descoberto. O culpado é Vitório que arranjou aquele advogado metido a policial para complicar tudo. Foi ele quem mandou me seguir e descobriu tudo.

Vitório, que estivera em silêncio até então, disse:

– Quando contratei o dr. Paulo nunca imaginei que você estivesse metido com os traficantes. Foi uma triste surpresa, mas não me arrependo. Graças a ele esses criminosos foram presos e impedidos de cometer outros crimes.

– Você deve estar feliz por eu estar aqui, preso. Sempre me invejou e não se conforma em saber que eu sou mais inteligente e mais esperto do que você.

Vitório olhou firme nos olhos de Osmar e respondeu:

– Você está enganado. Não estou feliz por você estar preso, gostaria que nunca tivesse se envolvido com esses bandidos.

– Pare com isso, Osmar. Estamos perdendo um tempo precioso – interveio Alberto com voz firme. – Não vejo em que você é mais inteligente e esperto do que todos nós que sempre escolhemos o caminho da honestidade. É bom que se conscientize de uma vez por todas do que fez, assuma sua responsabilidade e se disponha a cooperar com a polícia para que este caso seja definitivamente esclarecido.

– Seu pai tem razão – tornou dr. Júlio. – Você é réu primário, se cooperar com a polícia, contar tudo o que sabe, terá pontos a seu favor, o que abrandará sua pena.

– O senhor não entendeu. Eu não quero ficar preso.

– Essa sua atitude pode prejudicá-lo muito. Revoltar-se só vai piorar a situação. Se continuar assim, eu desistirei do caso. Não posso defender um cidadão culpado que teima em negar esse fato.

Teresa olhou-os preocupada e sugeriu:

– Penso que Osmar precisa de mais tempo para refletir sobre o que fez. Ainda não percebeu o tamanho do problema em que se meteu. Todos estamos cansados, nervosos. Vamos embora, descansar, enquanto ele reflete melhor. Amanhã voltaremos para tentar conversar.

– Não podem fazer isso! Não quero passar nem mais uma noite aqui.

– Teresa tem razão. Vamos para casa e amanhã voltaremos. Espero que você esteja mais calmo – aduziu Alberto.

Embora Osmar protestasse, eles deixaram a sala e foram conversar com Monteiro.

– Não pensei que Osmar reagisse dessa forma – queixou-se Alberto. – Ele não está arrependido e sequer percebe o tamanho da bobagem que fez.

– Assim fica difícil ajudá-lo – disse Teresa, triste.

– A senhora teve uma boa idéia. Até então ele estava escorado na idéia de que quando o pai chegasse, ele seria libertado – declarou dr. Júlio.

– Nesses casos alguns dias de prisão podem ser um bom remédio – disse Monteiro. – Ele ainda pensa que o dinheiro pode tudo e que vai dar um jeito de ludibriar a Lei. Mas houve o crime, duas pessoas foram barbaramente assassinadas. Embora ele não seja diretamente culpado pelo crime, de certa forma envolveu-se, envolvendo também a família. Além disso, ele mantinha um depósito com drogas que consta do inquérito, com as devidas provas.

– Sei que ele deve ficar preso, mas eu gostaria que ele pudesse ficar em um lugar melhor. Tem formação universitária, o que lhe dá esse direito – pediu Alberto.

– Por esse motivo o colocamos em uma cela individual. Infelizmente, nesta delegacia não temos como fazer diferente. Dentro de alguns dias ele será transferido para um presídio, enquanto aguarda julgamento, então talvez fique um pouco melhor.

– Não estou pedindo isso para poupá-lo. Reconheço que ele deve responder pelo que fez – disse Alberto, triste.

Ao que Monteiro respondeu:

– Compreendo. Ele é um moço fino que sempre viveu com conforto. Mas garanto que alguns dias em uma cela vão fazê-lo pensar melhor no que perdeu quando escolheu esse caminho. Também fico penalizado em ver um jovem que tem tudo para ser livre e feliz, entrar no mercado das drogas. Se posso ajudar de alguma forma, aconselho-os a não amolecer. Não voltar a vê-lo até que ele mude de idéia e peça que vocês voltem, inclusive o advogado.

– Vai ser difícil, mas penso que o senhor está certo. Por mais que estejamos sofrendo, a melhor forma de ajudá-lo é fazer com que ele finalmente perceba o alcance dos seus atos – disse Teresa.

– Vamos para a casa – decidiu Alberto. Depois, dirigindo-se ao dr. Júlio pediu: – Espero que o senhor não desista de defendê-lo.

O advogado sorriu e respondeu:

– Não penso em fazer isso. Um pouco de teatro às vezes ajuda a chegar onde queremos.

Depois de se despedirem, Teresa, Alberto e Vitório deixaram a delegacia. Alberto queria ir para a casa, mas Teresa lembrou-se de que suas coisas estavam em outra casa.

– Você pode fazer isso amanhã. Vamos para a casa. Dinda deve estar ansiosa – disse Alberto.

– Está bem. Nós temos muito o que conversar antes de eu ir.

Alberto sentiu um aperto no peito. Teresa teria vontade de separar-se dele? Era isso que ela estava pensando? Que segredo ela guardava que a fizera aceitar a chantagem e quase perder a vida? Ele sentia que o momento da verdade tinha chegado e temia que ele lhe trouxesse a separação.

Assim que entraram no apartamento, Dinda correu para abraçar Teresa e notou logo que ela estava diferente. Tinha emagrecido, mas, apesar da situação complicada, seus olhos brilhavam de prazer por estar de volta.

Vitório sentia-se feliz. Teresa estava em casa e para ele era o mais importante.

– Temos de conversar – disse Teresa. – Durante os dias em que estive impossibilitada de voltar para casa, pensei muito a respeito de nossas vidas.

– Não precisa falar nada agora – interveio Alberto. – Estamos cansados, preocupados com Osmar.

Ela não lhe deu atenção e continuou:

– Nos últimos tempos nós não éramos felizes. Você, Alberto, estava nervoso, eu, depressiva. Vitório fechado no quarto, Osmar entrando pelo caminho do erro sem que cada um de nós, perdidos em nossas divagações íntimas, percebêssemos. Nossa família estava dispersiva, sem rumo, cada um dentro do próprio egoísmo. Foi preciso que a vida nos sacudisse para que pudéssemos perceber isso.

Eles ouviam calados, sentindo que cada palavra dela era verdade. Teresa continuou:

– Vamos nos sentar e conversar agora.

Eles se acomodaram e Dinda fez menção de retirar-se, porém Teresa pediu:

– Fique, Dinda. Você faz parte de nossa família.

Eles se acomodaram. Teresa no sofá tendo de um lado

o marido e do outro o filho. Dinda sentou-se na poltrona ao lado. Teresa começou a falar, olhos perdidos no tempo, relembrando seu casamento, como apesar de não amar ardentemente o marido ela acreditava que com o tempo, eles se entenderiam e poderiam ser felizes.

Alberto ouvindo-a, sentia-se ansioso. Por um lado estava curioso para saber por que ela mentira e que segredo era esse tão terrível que a família não podia saber, mas por outro temia ouvir essa verdade que talvez os separasse. Ele não queria a separação. Aqueles dias em que ela estivera desaparecida tinham lhe revelado o quanto ele ainda a amava e desejava estar com ela.

Teresa continuava:

– Refleti muito e percebi que a felicidade é uma conquista renovada a cada dia. Descobri o quanto eu amava meu marido, meus filhos, nossa casa, nossa vida e o quanto eu havia contribuído para nossa infelicidade. Eu era inexperiente, cheia de ilusões. São elas que nos cegam e nos impedem de enxergar o que realmente tem valor nesta vida.

– Não é verdade – disse Alberto –, você sempre foi uma boa esposa, uma excelente mãe. Eu é que fui cego, deixei-me envolver pelo ciúme, pelo orgulho e fiz o que não devia.

Teresa colocou a mão sobre o braço de Alberto e respondeu:

– Não é assim que eu vejo e peço-lhe que me escute sem tentar culpar-se pelos nossos desentendimentos. Quando um relacionamento não vai bem, cada um tem sua parcela de responsabilidade.

Vitório remexeu-se no sofá e tornou:

– Vocês estão falando de seus sentimentos íntimos. Talvez seja melhor eu me retirar.

Teresa segurou a mão do filho e respondeu:

– Quero que você fique e escute tudo. Não haverá

mais nenhum segredo entre nós. Quero que vocês me conheçam por dentro, como eu realmente sou. Uma mulher comum, com muitas qualidades, mas também muitos pontos fracos. Todos estes anos nós representamos papéis convencionais, sufocando os anseios de nossa alma que, presa em ilusões superficiais, não soube separar os sentimentos verdadeiros dos falsos. Só quando acreditei que tinha perdido tudo consegui esse entendimento.

Teresa se calou por alguns instantes, enquanto os outros três, tocados pelo seu tom de sinceridade, permaneceram silenciosos.

Ela respirou fundo e continuou:

– Peço-lhes que não me interrompam. O que vou lhes contar não vai ser fácil para mim. Ouçam e depois que eu terminar, coloquem seus pensamentos.

Teresa relatou como conhecera Antero e como se apaixonara por ele, salientando que foi algo irresistível e como ela lutou para não se envolver. Alberto e Vitório ouviam de cabeça baixa e Dinda rezava, com medo do que aquela confissão poderia trazer. Olhava receosa para Alberto, mas ele estava parado, pálido, sem reagir. Dentro dele havia a impressão de que sempre desconfiara de algo assim.

Teresa continuava contando:

– Ele era solteiro e queria que eu fosse embora com ele. Apesar de tentada, recusei. Não podia deixar meus filhos a quem sempre amei e não queria enfrentar a ira de meu marido nem o desprezo da sociedade. Decidi isso e acabamos nosso relacionamento. Ele se casou com a moça que sua mãe queria e eu procurei me dedicar à família.

Contudo, pressionada pela paixão, cheguei a pensar que você, Alberto, fosse o culpado da minha infelicidade.

Alberto levantou os olhos e fixou-a, mas não disse nada. Teresa viu tanta dor em seu rosto que sua voz sumiu na garganta. Contudo, ela tinha decidido dizer a verdade. Fez um esforço grande e continuou:

– Só quando pensei que o tivesse perdido, dei-me conta de que eu fui a única culpada. Eu fiquei dividida, tive coragem para desistir de Antero, mas não tive coragem de jogar fora aquela ilusão, aquele sonho de amor impossível que só me fez sofrer. E foi isso que fez com que eu não enxergasse suas qualidades e a distância entre nós permanecesse. Olhando para trás, notei que a vida nos deu tudo para que fôssemos felizes, mas eu não soube valorizar.

Teresa fez uma pausa, depois como todos permanecessem silenciosos ela contou tudo quanto tinha acontecido, a chantagem, o encontro com Elvira, o plano da viagem, o seqüestro, a fuga, o encontro com Renata, e a idéia de fazê-la entregar o dinheiro em seu lugar.

A voz de Teresa se firmara de novo e havia um tom de tristeza que ela não conseguia dissimular.

– Eu sabia que eu não tinha sido uma boa esposa para você. Quando soube o que Osmar fizera, questionei minha postura de mãe.

– Você sempre foi uma boa mãe! – tornou Vitório.

– Uma mãe só é boa quando consegue com os filhos uma ligação de alma, uma intimidade que fortalece os laços de união. É esse tipo de amor que faz com que os filhos se preservem, respeitem-se. Para isso eu precisaria me conhecer melhor, expressar meus verdadeiros sentimentos, o que na época eu não sabia fazer.

Teresa calou-se por alguns instantes. Ninguém teve coragem de dizer nada. Alberto estava por demais tocado. Descobriu que fora traído e a dor ainda estava viva dentro dele, principalmente por saber que Teresa sentira por outro o que ele sempre sonhara que ela sentisse por ele. Sentia-se arrasado, sem coragem de dizer nada.

Teresa pensou um pouco e disse:

– Apesar de tudo, sinto-me aliviada. Sei que depois do que fiz não mereço a consideração de vocês. Eu pensei muito antes de decidir lhes contar. Mas estando longe, pude avaliar tudo quanto tinha perdido e prometi a mim mesma que se a vida me permitisse voltar a vê-los eu abriria meu coração para que vocês me vissem como eu realmente sou. Só assim terei o direito de esperar por uma vida melhor. Antero foi meu único e terrível pecado e reconheço que paguei muito caro por essa fraqueza.

Teresa levantou-se e disse com voz firme:

– O que eu mais quero na vida é que vocês me perdoem pelo que fiz e me aceitem de volta. Sou uma mulher que sofreu, mas que ainda acredita que podemos ser felizes juntos. Reconheço que vocês representam para mim tudo o que vale a pena neste mundo. Contudo, se não me quiserem de volta, se você, Alberto, não puder me perdoar, esquecer tudo e tentar um recomeço a meu lado, saberei compreender. Mas eu não podia voltar e continuar mentindo.

Alberto, de cabeça baixa, não conseguia articular palavra. Estava comovido, tocado, sentia que precisava ficar só, pensar em tudo e não tinha como responder.

– Vou embora. Volto para a minha casa. Lá, vou ficar esperando o que vocês decidirem.

– Eu quero que você fique – disse Vitório. – Para mim você continua sendo a mais digna das mulheres. É preciso ter muita grandeza de alma para fazer o que você fez. Eu continuo amando-a, ainda mais tendo podido contemplar a sua beleza interior.

– Agora não, meu filho. Agradeço sua prova de carinho. Mas hoje eu vou para a minha casa.

– Eu acompanho você.

– Prefiro ir só. Fique com seu pai.

Teresa foi saindo, Dinda e Vitório foram com ela até a porta. Por mais que Vitório insistisse, Teresa convenceu-o a ficar. Pediu-lhe que chamasse um táxi e foi embora.

Vitório entrou na sala e encontrou Alberto no mesmo lugar. Aproximou-se dele, abraçou-o e não encontrou nada para dizer.

Permaneceram abraçados durante alguns minutos, depois Alberto disse:

– Estou muito cansado. Vou para o meu quarto.

Ele foi e Vitório olhou para Dinda, que ficara na porta da sala sem saber o que dizer.

– Teresa não podia ter feito isso. Ciumento como é o sr. Alberto nunca vai perdoá-la.

Vitório olhou-a pensativo e disse:

– Uma atitude verdadeira nunca dá errado. Se meu pai não entender isso, será inútil mamãe tentar reconstruir sua vida ao lado dele.

Dinda ficou tentando entender onde Vitório queria chegar. Ele foi para o quarto. A tempestade ainda não tinha passado. Além dos pais havia o caso de Osmar. Ele recolheu-se para meditar e pedir ajuda a seus amigos espirituais.

29

Vitório sentou-se na cama, fechou os olhos e agradeceu a Deus a volta de Teresa. Quanto mais pensava no que ela dissera, mais desejava que o pai a perdoasse. Sentia que se ele fizesse isso, haveria uma ótima chance para que eles fossem felizes dali para a frente.

Com sono, ele estendeu-se na cama, pensativo. Pouco depois adormeceu. Sonhou que caminhava por um jardim florido e Analú estava a seu lado.

– Que bom estar com você neste lugar tão lindo! – disse ele, alegre.

– Chegou a hora de cumprir o que lhe prometi. Hoje você vai conhecer parte do passado.

Vitório sentiu uma onda de prazer e perguntou:

– Para onde estamos indo?

– Em um lugar que você conheceu há muitos anos.

Eles chegaram em uma praça onde havia um prédio de três andares, rodeado por jardins.

– Este lugar me é muito familiar.

Analú parou diante de um banco e convidou:

– Vamos nos sentar.

Eles se acomodaram e Analú continuou:

– Chegou a hora de você saber a verdade.

Vitório emocionou-se. Analú segurou sua mão delicadamente e começou:

– Vou começar falando sobre a bela casa onde moravam Elisa, o marido e suas filhas gêmeas. As duas irmãs eram tão iguais que eram confundidas pelas pessoas. Apesar da semelhança, talvez por causa do temperamento alegre, Olga era a preferida de todos. Vendo que a irmã chamava atenção por onde passava, Flora sentia muita inveja dela.

– Espere, estou vendo essa casa. Eu conheço as irmãs gêmeas.

– Sim, você está se recordando.

– Estou, e sei que Olga apaixonou-se, foi correspondida e ficou noiva, mas não se casou com o rapaz.

– É verdade. Ele morreu antes do casamento, vítima de uma emboscada.

– Agora me recordo de alguém ter me falado sobre isso. Nunca descobriram seus assassinos?

– Nós sabemos que foram dois. A polícia prendeu um deles, que confessou o crime, dizendo que Flora fora a mandante, mas a polícia não acreditou e concluiu que ele matou para roubar. Na verdade, Flora pagou uma boa soma ao preso para se retratar e não delatar o companheiro. Ela tinha um bom motivo para isso.

– Flora apaixonou-se pelo noivo da irmã, assediou-o, porém ele amava Olga e recusou seu amor. Então, quando faltavam poucos dias para o casamento, ela mandou matá-lo. Nesse tempo eu ainda não tinha reencarnado, mas conheci toda a história. A família dela não desconfiou?

– Flora era dissimulada. Ninguém desconfiou, nem Olga. Mas um dos assassinos, aquele que não foi descoberto pela polícia, era apaixonado por Flora e ela convenceu-o a praticar o crime. Foram cúmplices. Mais tarde, quando ele descobriu que ela o usara, ameaçou contar tudo à polícia e, para impedi-lo, ela concordou em casar-se com ele.

– Olga sofreu muito com a perda, mas o tempo passou e ela acabou se casando com outro.

– Sim. Mas ela nunca foi feliz, sempre chorando pelo noivo assassinado. O marido a amava muito, mas não se conformava com a indiferença dela. Foi então que a história se repetiu:

– Como assim?

– Flora teve um filho e Olga, anos depois, também. Os dois primos brincavam juntos o tempo todo, mas Osvaldo filho de Flora tinha muita inveja de Vinicius, filho de Olga.

– Estou sentindo que vivi essa história. Recordo-me que meu nome era Vinicius.

– Sim. Você foi o filho de Olga. Osvaldo dissimulava o que sentia. Então surgiu Ofélia, uma moça linda, que se apaixonou por você e foi correspondida. Quando Osvaldo o viu com ela, apaixonou-se perdidamente e desejou tirá-la de você.

– Eu notei, mas nem liguei. Subestimei o interesse dele por ela.

– Você não percebeu que o Osvaldo tinha muita inveja de você. A inveja é a admiração transformada em raiva e a raiva, a manifestação do orgulho. Ele desejava possuir o que você possuía, por esse motivo fez tudo para atrapalhar o seu namoro. Armou uma cilada para ela e você acreditou que ela o tivesse traído.

– Eu sei do que você está falando! Eu me recordo de Ofélia, ela era minha namorada e eu a amava. Sofri muito com o que aconteceu.

– Ela era inocente. Você foi enganado.

– Eu me arrependi de não acreditar no que ela me disse e tentei encontrá-la. Ela, porém, desapareceu. Nunca mais a vi. Só a encontrei novamente depois que retornamos à pátria espiritual.

– Eu sei. Vocês se encontraram e desfizeram o mal-entendido.

– Lembro-me de tudo. Ela me perdoou e nos unimos aqui. Vivemos juntos até eu ter de voltar a nascer. Estou entendendo o que nos aconteceu. Olga era Teresa e Flora, Renata. Ela e Otávio assassinaram o noivo de Olga. Por esse motivo, atraíram os assassinos naquela casa.

– É verdade. Ontem conseguimos convencê-los a aceitar um tratamento espiritual. Estavam cansados e sofridos. Foram encaminhados a um lugar de refazimento.

– Eles me pareceram muito rebeldes. Acha que conseguirão melhorar?

– Eles precisam aprender que maldade atrai maldade e que, se desejarem viver melhor, precisam melhorar sua forma de enxergar a vida.

– E Elvira, por que entrou nesta história?

– Elvira foi Elisa, mãe das gêmeas. Quando ela veio para cá soube de tudo e, avisada do que poderia acontecer no futuro, quis reencarnar para poder ajudar as filhas.

– Vocês sabiam que esse crime iria acontecer?

– Claro que não. Nós sabíamos que essas pessoas eram maldosas e iam atrair a maldade. Mas não sabíamos de que forma isso se daria. A vida programa as lições de cada pessoa de acordo com o que elas precisam aprender. É bom lembrar que seja o que for que atraiam, elas possuem livre-arbítrio e se mudarem sua maneira de pensar, escolhendo ficar no melhor, tudo vai se modificar.

– Seria muito bom que as pessoas soubessem disso. Mudar o padrão de pensamento para melhor é a chave do progresso em todas as áreas de nossa vida. Alberto foi o marido de Olga e duas vezes meu pai.

– É. Você agora já lembrou do passado.

– Aqui é fácil, mas receio que quando voltar ao corpo esqueça tudo novamente.

Analú sorriu alegre:

– É preciso deixar o passado passar. Sua vida anterior

não foi do jeito que você desejava. Mas esta, será muito melhor.

– Recordo-me que Osvaldo também não foi muito feliz.

– De fato. Ofélia nunca quis nada com ele. Quando vocês se desentenderam ela foi para longe e assim como você, ele nunca mais a viu. Ele apaixonou-se por outra, que o rejeitou. Então ele desejou ter dinheiro e poder. Ingressou na política, onde conseguiu algum sucesso. Novamente, ele se deixou arrastar pela vaidade. Sempre quis ser maior do que era. Não teve paciência para construir a felicidade da maneira adequada. Depois da morte, Osvaldo disse estar arrependido dos seus erros e pediu nova oportunidade. Teresa e Alberto acreditaram em sua sinceridade. Comovidos, concordaram em recebê-lo como filho para que vocês dois, convivendo como irmãos, pudessem esquecer os desentendimentos.

– Isso foi no astral, antes de nascermos. Aqui, quando ele esqueceu o passado, mostrou que ainda não gostava de mim. Mas eu também não me mostrei amigo. Pelo contrário. Retomei a aversão que sentia por ele. Só quando ele foi preso e humilhado, notei que minha aversão tinha ido embora, eu tinha mudado. Os anos de convivência como irmãos tinham criado um laço positivo entre nós. Descobri que gosto dele e fiquei muito triste por vê-lo nessa situação.

– Você está certo. Eu confio que com o tempo, a amizade que nasceu em seu coração, também tocará o dele. Um dia, Osmar descobrirá o quanto você o estima e isso o fará mudar.

– É o que eu mais desejo nessa vida.

– Nosso tempo acabou. Está na hora de voltar.

– Já? Ah, uma última pergunta que preciso lhe fazer. Ofélia está encarnada?

– Você ainda não tem a resposta?

– Eu desconfio, mas não tenho certeza.

– Você já sabe que sim e onde ela está.

Vitório levantou-se entusiasmado:

– É Estela?

– Eu preciso responder? Vamos embora.

Na volta, deslizando de mãos dadas com Analú, olhando a cidade lá embaixo, Vitório sentia uma sensação de alegria e prazer que ele não conseguiria descrever com palavras.

Chegaram no quarto dele e, antes que Analú fosse embora, ele indagou:

– E meus pais, ainda têm chance de viverem bem?

– Têm, mas tudo vai depender de como eles vão lidar com o orgulho ferido e conseguir se perdoar.

Ela se afastou, atirando um beijo com a ponta dos dedos. Vitório acomodou-se no corpo, mergulhando em um gostoso sono.

Analú não foi embora, porquanto um jovem a chamou dizendo aflito:

– Ajude-nos, Analú. Ele está sofrendo muito.

Ela viu o rosto de Alberto, angustiado, e respondeu:

– Vamos até ele.

Quando Vitório foi descansar, Alberto entrou no quarto e sentou-se na cama pensativo. Teresa amava outro homem! Esse pensamento o martirizava e ele não conseguia pensar em outra coisa.

Sua cabeça doía e ele não conseguia refletir com clareza. Ele fora enganado! Como não percebera que Teresa tivera um amante? A esse pensamento sentia aumentar sua dor. Em sua imaginação a via nos braços de outro homem, trocando carícias. Essa imagem era-lhe insuportável.

Ele nunca poderia esquecer esse fato. Ficou ruminando esse pensamento durante muito tempo. Atormentando-se, criando imagens de como teriam sido os encontros de Teresa com seu rival.

Em alguns momentos, decidia que jamais a perdoaria.

Em outros, sentia que não podia viver longe dela. Sem ela tudo perderia o sentido. Não valia a pena viver.

Então, um pensamento louco surgiu em sua mente. O melhor seria acabar com a vida, deixar esse mundo onde não havia lugar para ele.

Nessa hora alguns vultos escuros o assediaram e ele começou a visualizar o revólver que estava guardado no armário. Seria fácil ir até lá, apanhar a arma e se libertar.

Exatamente naquele instante, Analú entrou, acompanhada pelo jovem que se aproximou de Alberto e o abraçou. As sombras escuras deixaram o quarto, assustadas.

Analú começou a orar e de seu peito saíram raios de luz azul, que envolveram Alberto, enquanto o rapaz, abraçado a ele, falava em seu ouvido:

– Alberto, pense melhor. Não se deixe levar pela vaidade. Não dê força para seu orgulho ferido. Eu estou aqui, torcendo por você.

Alberto não ouviu suas palavras, mas, aos poucos, foi se acalmando. O rapaz continuou:

– Teresa é uma mulher sincera.

Desta vez ele pensou: "Apesar do que fez, ela foi sincera. Arrependeu-se de não ter me contado".

– Ela fez mais, descobriu que gosta de você e deseja fazê-lo feliz. Quer recuperar o tempo perdido.

– Ela disse que descobriu que gosta de mim, de nossos filhos e deseja viver o resto da vida ao nosso lado. Mas eu terei condições de ser feliz depois do que ela confessou?

– Você quer jogar fora essa chance de felicidade que a vida está lhe oferecendo? Não percebe que ela o traiu uma vez, mas você a traiu várias vezes com muitas mulheres? Por que se julga melhor do que ela? Sua vaidade não o deixa enxergar o quanto está sendo parcial. Se analisar melhor, verá que ela foi mais sincera do que você, uma vez que o perdoou e deseja ser feliz ao seu lado. Vai perder essa chance?

Alberto passou a mão nos cabelos, pensativo. Ele reconhecia que nunca fora fiel. Reconhecer isso naquela hora era arrasador. Mas por outro lado, fazia desaparecer de sua mente a raiva por ter sido traído. Admitia que a vida tinha sido justa. Ele fizera e recebera de acordo com o que havia feito.

A esse pensamento, Alberto sentiu-se aliviado. O jovem olhou para Analú, que disse:

– Conseguimos. Agora vamos fazê-lo descansar. Ele precisa recuperar as forças.

O rapaz passou as mãos em volta de Alberto, emitindo pensamentos de calma. Ele começou a bocejar. Um sono invencível tomou conta dele, que se estendeu na cama.

– Estou muito cansado. Preciso dormir.

O jovem repetiu, alisando sua testa:

– Sim. Você precisa descansar. E quando acordar, vai se sentir muito melhor.

Os dois viram quando o duplo de Alberto saiu do corpo e, vendo-os, assustou-se com os raios de luz que ambos emitiam:

– Vocês são anjos! – exclamou, meio inconsciente.

– Nós somos amigos. Vamos levá-lo a um lugar onde vai recuperar suas forças.

Os dois postaram-se um de cada lado e o abraçaram. Depois, levaram-no volitando e quanto mais se distanciavam, mais Alberto se tornava lúcido. Em determinado ponto, olhou para o jovem e disse emocionado:

– Ronaldo, é você!

– Sim.

– Estou sonhando ou eu morri? Você morreu quando eu ainda era adolescente!

– Não, meu irmão. Eu continuo vivo. A morte não existe. É apenas uma viagem para um outro mundo.

– Você está vivo! Mamãe ficou inconformada quando você morreu!

– Hoje ela já sabe de tudo. Estamos juntos no mesmo plano.

– Há anos eu não me sentia tão bem!

– É hora de esquecer o passado e recomeçar. Vocês ainda têm tempo para desfrutar uma vida melhor.

– Isto só pode ser um sonho! Não pode ser verdade. Eu pensava em morrer e você me chama para a vida!

– Não existe morte, só existe vida. Só vida, sempre vida! Respire, aproveite estes momentos para revigorar seu corpo. Olhe as belezas à sua volta e agradeça ao Criador por ter nos dado esta oportunidade.

Alberto olhou em volta, estavam em um bosque belíssimo. Aspirou o perfume das flores que coloriam os canteiros e se comoveu. Ele, que há muito tinha se esquecido de rezar, diante de tanta beleza, orou fervorosamente, abençoando a vida, a natureza.

Vitório acordou, já era início da noite. Levantou-se pensando no pai. Como estaria? Lavou o rosto, penteou os cabelos e foi procurar o pai. Ele não estava na sala. Dinda, vendo-o, aproximou-se e, antes que ele falasse, disse:

– Estou preocupada com o sr. Alberto. Ele nunca dorme de dia. Deitou-se naquela hora em que você foi para o quarto e está dormindo até agora! São sete horas, o jantar está pronto. Fui até o quarto chamá-lo, mas ele ainda está dormindo. Nem me ouviu entrar. Ele tem um sono leve, isso não é normal.

– Vou vê-lo.

Vitório entrou no quarto e aproximou-se da cama. Alberto dormia, mas seu rosto estava calmo e ele respirava normalmente.

Vitório voltou à sala.

– E então? – indagou Dinda.

– Ele dorme como um bebê. Mas parece bem. A volta de mamãe sã e salva o fez relaxar. Vamos deixá-lo descansar. Jantaremos mais tarde.

Uma hora depois, quando Alberto acordou e apareceu na sala, Vitório tornou:

– Finalmente você conseguiu adormecer. Entrei em seu quarto e você estava em um sono tão profundo que nem me ouviu entrar.

Alberto olhou-o, calmo, e respondeu:

– Estou me sentindo melhor. Dormi como há muitos anos não dormia.

– É que a tensão acabou com a volta de mamãe.

– Não foi apenas isso, meu filho. Hoje foi um dia diferente. Fui para o quarto arrasado, sentindo que precisava pensar em tudo que sua mãe disse. Confesso que estava inconformado, sem querer aceitar a verdade. A traição dela doía e eu cheguei a pensar até em acabar com a vida.

Ele fez uma pausa e Vitório levantou-se, abraçando-o:

– Por que não me chamou para conversarmos?

– Nem pensei nisso. Eu precisava me confrontar, refletir sofre os fatos, e só eu poderia fazer isso. Mas enquanto eu pensava em acabar com a vida, parecia que eu ouvia uma voz que me respondia. Quando eu pensava na traição de Teresa, a voz me dizia que ela me traiu uma vez, enquanto eu a traí inúmeras vezes, com muitas mulheres. Penso que era minha própria consciência, repreendendo-me pelo meu orgulho de achar que eu sou mais digno. No fim, cheguei à conclusão de que eu sou mais culpado do que ela. Senti que eu não tenho moral para exigir contas do comportamento de ninguém.

– O orgulho é sempre um mau conselheiro.

– Eu mereci essa lição. Quando cheguei a essa conclusão, senti que toda a minha revolta tinha ido embora. Minha raiva havia passado. Toda tensão desapareceu. Comecei a sentir um calor agradável, um sono invencível, deitei-me e adormeci.

Alberto respirou fundo e, vendo que o filho o ouvia atentamente, continuou:

– Então tive o sonho mais maravilhoso da minha vida. Vi-me em um jardim florido com uma mulher maravilhosa e um rapaz jovem que falou comigo e, para meu espanto, reconheci o Ronaldo, meu irmão que morreu quando eu ainda era adolescente. Você acha isso possível?

– Claro que é possível. Eu mesmo tenho me encontrado com pessoas que vivem em outros mundos. Você estava precisando de ajuda e o espírito de Ronaldo veio ajudá-lo.

– Nunca pensei que os mortos pudessem voltar. Ele me disse que a morte não existe e que só existe a vida. Tudo é vida!

Vitório abraçou o pai comovido:

– Finalmente pai, você conseguiu perceber a verdade. O que mais ele lhe disse?

– Que é hora de esquecer o passado e desfrutar da felicidade. O que você acha?

– Ele sabe o que está dizendo. Nós amadurecemos e já podemos viver melhor.

– É isso o que eu mais quero. Amanhã vamos ter com Teresa para lhe pedir que volte para a casa.

Vitório abraçou o pai com carinho:

– Finalmente, pai! Estou certo de que escolheu o melhor caminho. Agora seremos felizes.

– Mas há o problema do Osmar...

– É verdade. Mas vamos confiar. Uma hora ele vai entender que está errado e mudar. Vamos pensar que ele se arrependeu e nunca mais vai repetir o erro.

– Na delegacia ele não parecia nem um pouco arrependido.

– Sinto que é uma questão de tempo. Osmar sempre foi inteligente. Uma hora vai entender que se quiser viver bem terá de mudar, e nós vamos todos os dias mandar-lhe pensamentos de luz e de amor para que ele se recupere logo.

– Você me surpreende, meu filho. Ele nunca o tratou bem. Sempre fez pouco caso de você.

– Eu também não o tratava como a um irmão. Mas eu mudei. Entendi que quando a vida nos uniu na mesma família queria que eu aprendesse a amá-lo e esquecesse o passado.

– Estou orgulhoso de você. Começo a acreditar que tudo o que você diz é possível.

– Claro que é.

Os espíritos de Analú e Ronaldo, que estavam lá, sorriram satisfeitos.

***

Teresa chegou em casa triste, mas aliviada. Não sabia como Alberto ia enfrentar a verdade. Era possível que seu ciúme o impedisse de perdoá-la. Mas ela estava disposta a aceitar sua decisão com coragem e retomar sua vida assim mesmo. Era o preço que teria de pagar pelo seu erro. Não se deixaria abater.

A campainha tocou e ela se surpreendeu. Alberto já teria decidido? Com o coração aos saltos, foi abrir: o delegado Monteiro estava na sua frente.

– O senhor?

– Desculpe vir sem avisar, eu liguei para Vitório e ele informou-me que a senhora estava aqui.

– Entre, por favor.

Ele entrou e sentaram-se na sala. Em silêncio, o delegado retirou um pacote do bolso e entregou-o a ela, que imediatamente o abriu. Sua foto e de Antero estava logo em cima. Ainda não refeita da surpresa, Teresa viu que ali estavam todos os documentos que tentara obter.

– Este pacote foi encontrado na casa do crime. Guardei-os, deduzindo por que a mulher morta tinha ido lá. Guardei sigilo para não atrapalhar as investigações.

Ele fez ligeira pausa e, vendo que ela ouvia atentamente, continuou:

– Quando a senhora fez seu depoimento, decidi não colocar essas provas no inquérito. Admirei sua franqueza e cheguei à conclusão de que deveria devolvê-los.

Teresa ouvia, olhos brilhantes de emoção. O delegado a aconselhou:

– Destrua-os. A senhora e sua família já sofreram muito e merecem ficar em paz.

– Mas há meu depoimento e quando for depor na Justiça terei de voltar ao assunto.

– Certo. Mas, apesar disso, esse material não aparecerá nos jornais e pouparemos vocês.

Monteiro levantou-se e Teresa disse:

– Obrigada, doutor. O senhor é um homem de bem.

Os olhos de Monteiro brilharam emotivos e ele respondeu:

– A senhora é uma grande mulher.

Ele foi embora e Teresa olhou as fotos e os bilhetes que tinha nas mãos. Foi à cozinha, pegou uma panela, colocou-os dentro, jogou álcool e pôs fogo.

Ficou olhando as chamas, lambendo as fotos e os bilhetes que, em poucos segundos, transformaram-se em um punhado de cinzas.

O passado definitivamente estava morto e ela, livre. Naquele momento teve a certeza de que estava pronta para recomeçar uma nova vida.

30

Na manhã seguinte, Alberto acordou cedo. Ele custara a dormir na noite anterior, fazendo planos para o futuro. Imaginando retomar seu trabalho na empresa ao lado de Teresa e Vitório.

Levantou-se, arrumou-se e foi tomar café. Pouco depois, Vitório chegou. Ele também acordou cedo querendo ir logo à procura da mãe.

Depois do café, eles informaram Dinda que iam buscar Teresa. Vendo-os sair apressados, ela sorriu alegre e elevou seu pensamento a Deus, agradecendo por tudo ter terminado bem.

Quanto ao caso de Osmar, ela acreditava que quando ele se desse conta do tamanho do erro que cometera, do quanto isso o prejudicara, arrancando-o de uma situação privilegiada e atirando-o em uma cela de prisão, sem saber quando ficaria livre, pensaria melhor, e quando ganhasse a liberdade novamente, nunca mais teria coragem de voltar a fazer negócios ilícitos.

Teresa também acordou cedo naquela manhã, refletindo sobre como seria sua vida dali para a frente. A atitude do delegado a fizera sentir-se valorizada e com a certeza de que agira corretamente ao enfrentar seus medos. Apesar de temer que Alberto não a perdoasse, estava disposta a enfrentar os acontecimentos como uma conseqüência de seus erros. Sentia-se forte, apesar da insegurança do seu futuro.

A campainha tocou e Teresa foi abrir. Emocionada, olhou Alberto e Vitório, que imediatamente a abraçaram.

– Mãe, viemos buscá-la. Vamos para a casa.

Teresa olhou para Alberto que a abraçou, dizendo:

– Quero que você volte para a nossa casa.

As lágrimas desciam pelo rosto de Teresa, que os abraçou, sem encontrar palavras para responder.

Eles entraram e ela fechou a porta.

– Vamos arrumar suas coisas agora – disse Vitório.

Ela fixou os olhos em Alberto e perguntou:

– Tem certeza de que é isso que você quer?

Ele não desviou o olhar e disse:

– Absoluta. Sinto que nós ainda temos tempo de nos conhecermos melhor e recomeçarmos nossa vida.

– Vamos nos sentar e conversar sobre nosso futuro – tornou Teresa, convidando-os a entrarem na sala.

Alberto sentiu que ela temia os arroubos de ciúmes que ele sempre tivera e respondeu:

– Ontem, depois que você saiu, recolhi-me para pensar. Sentia dor, revolta, não entendia direito as emoções que me atormentavam. No início pensei até em acabar com a vida porque eu não conseguia perdoá-la, mas sabia que não poderia viver sem você. O amor que sinto está mais vivo do que nunca.

Ele fez ligeira pausa, depois continuou:

– Recordei-me dos meus erros, das traições que cometi me relacionando com outras mulheres e cheguei à conclusão de que eu não tenho moral para lhe cobrar nada. Você abriu seu coração e eu quero fazer o mesmo. Desejo que nosso relacionamento daqui para a frente seja limpo, claro e verdadeiro. Devo dizer-lhe que nunca amei outra mulher. Você me desprezava e eu corria atrás das outras para provar-lhe que era apreciado como homem. Talvez esse tenha sido o maior dos meus erros. Fazia isso por vaidade, só alimentando meu orgulho. No fim, ficava mais infeliz do que antes.

– Eu sabia de tudo e imaginava que você se comportava assim para humilhar-me por eu não ser uma mulher carinhosa.

Os dois se calaram e Vitório interveio:

– O orgulho continua sendo nosso maior inimigo. Enquanto lhe dermos força, não encontraremos a felicidade.

Teresa concordou com a cabeça e Alberto continuou:

– Reconheço que se eu tivesse deixado a vaidade de lado e sido carinhoso, dando provas do imenso amor que sentia, talvez você tivesse correspondido.

– Penso que sim.

– Quero que me perdoe por não ter tido essa sensibilidade. Mas agora será diferente. Nós mudamos, aprendemos.

Teresa sorriu e levantou-se:

– Ajudem-me a arrumar as coisas. Vamos para a casa.

Contentes, eles arrumaram tudo e colocaram no carro. Ela levou as coisas de Renata e pretendia mandá-las para uma casa de caridade.

Foi com alegria que chegaram ao apartamento, onde Dinda, radiante, esperava-os para o almoço. Vitório, porém, não quis esperar. Tinha urgência de ver os amigos.

Foi à casa de Marília, tocou a campainha, e Estela abriu a porta. Vendo-o, sorriu alegre:

– Estava pensando em você!

– Eu também.

Ele entrou e eles logo foram cercados por Marília, Altair e Dorita. Depois dos cumprimentos ele falou da volta de Teresa e da alegria de tê-la em casa.

– Ainda não vi Paulo. Pensei encontrá-lo aqui.

– Agora ele só vem a passeio – informou Marília.

– Para namorar a dona da casa – brincou Dorita.

– Vou ligar e dizer-lhe que você está aqui.

Marília ligou e Paulo disse que iria até lá para vê-lo.

– Que rápido que ele resolveu me ver! – brincou Vitório.

– Tem mais alguém que andava chorando pelos cantos – disse Altair.

– Cale a boca, menino – pediu Estela.

– Por que não diz a verdade? Estela está morrendo de medo que você vá embora para o Rio de Janeiro e não venha mais aqui.

Vitório olhou-a sério e respondeu:

– Nós nos reencontramos depois de tanto tempo e não quero perder essa oportunidade.

Vendo que Estela estava emocionada, Dorita convidou-os a irem à cozinha, onde ela havia coado um café fresquinho.

Pouco depois, Paulo chegou, abraçou Vitório, inteirou-se dos últimos acontecimentos e disse:

– Finalmente esse drama está tendo um final feliz!

– Você soube alguma coisa do Osmar?

– Estive na delegacia e Monteiro contou-me que depois que vocês foram embora, Osmar não falou mais com ninguém. Fechou-se num mutismo total, não responde quando falam com ele e nega-se a dormir na cama da cela. Monteiro contou que esse fato retarda a transferência dele para um presídio, onde ficaria mais bem instalado. Monteiro precisa encerrar o inquérito e deseja que ele fale, testemunhe contra o Gil.

– Nós pensamos em ir visitá-lo mais tarde.

– Apesar do comportamento dele, Monteiro pensa que é melhor ele não ver ninguém da família por perto. Se pensar que está abandonado, talvez resolva se abrir.

Vitório suspirou e respondeu triste:

– Vou me concentrar e pedir a Analú que nos ajude.

– É uma boa idéia.

Vitório conversou mais um pouco, depois despediu-se. Estela acompanhou-o até a porta, enquanto os outros continuaram na cozinha, tomando café.

Vitório segurou a mão dela, dizendo com carinho:

– Não tenha medo. Agora que nos encontramos de novo, nunca mais nos separaremos. Nós temos um caminho a percorrer juntos.

Ela sorriu e seus olhos brilharam alegres.

– Eu preciso ir por causa de meu irmão, mas logo voltarei.

Vitório voltou ao apartamento e encontrou Alberto no telefone, falando com o advogado.

– E então? – perguntou Teresa, quando ele desligou.

– O dr. Júlio nos aconselhou a não ir hoje ver Osmar. Disse-nos que será muito bom que ele fique sozinho com seus pensamentos.

– Não sei se ele está certo. Tenho muita vontade de vê-lo – reclamou Teresa.

– O dr. Júlio tem muita experiência. Pode estar certo.

Vitório interveio:

– Quando não sabemos o que fazer podemos recorrer aos nossos amigos espirituais.

Eles o olharam admirados, e Vitório prosseguiu:

– Vamos nos sentar, elevarmos nosso pensamento e pedirmos aos espíritos de luz que nos ajudem a encontrar o melhor caminho.

Os dois concordaram, acomodaram-se. Vitório pediu:

– Vamos fechar os olhos e nos concentrar, imaginando que esta sala está cheia de luz azul.

Eles obedeceram e Vitório continuou:

– Vamos mentalizar Osmar e imaginar que essa luz azul

o está envolvendo, levando-lhe energias de amor e paz. Vamos sentir todo amor que temos por ele no coração e o abraçarmos com carinho.

Nesse instante, Vitório viu o espírito de Analú e do jovem que estava ao lado dela. Imaginou que fosse Ronaldo que tinha auxiliado Alberto.

Ronaldo envolveu-o e Vitório começou a falar:

– Sou o Ronaldo. Acalmem-se e entreguem o caso de Osmar nas mãos de Deus. Continuem envolvendo-o com amor, mas saibam que esta é uma grande oportunidade para que ele finalmente aprenda a lição que precisa. Há muito tempo ele tem sucumbido às tentações do orgulho, mas agora já está maduro para perceber seus erros. Seu espírito já pode construir uma vida melhor. Alegrem-se por saber que a vida está agindo, mostrando-lhe seus pontos fracos e quando ele os reconhecer, aceitar que não é tão grande como imagina nem tão pequeno como se sente, encontrará o equilíbrio do seu nível espiritual e desfrutará de momentos mais felizes.

Alberto, sensibilizado, disse:

– Você é o anjo bom que me ajudou. Sei que está ajudando Osmar.

– Sou um espírito que lhes quer muito bem e deseja que aprendam a valorizar as conquistas que fizeram. O orgulho excessivo de Osmar o tem infelicitado, mas quem de nós já terá vencido esse mal? A inveja é fruto do orgulho e da vaidade. E só a venceremos quando aceitarmos a nossa realidade e a vida como ela é. Portanto, vamos assumir nossa responsabilidade como pessoa, cuidar bem do nosso progresso e confiar no futuro. Nenhum de nós pode julgar ninguém. Mas é válido esperar pelo melhor, porquanto a vida trabalha com segurança para nos conduzir à conquista da felicidade.

– Você acha que Osmar um dia vai entender isso? – indagou Teresa, comovida.

– Esqueçam o erro que ele cometeu, mentalizem as qualidades que ele tem e tratem de trazer para fora seu lado melhor. Se fizerem isso, o que desejam acontecerá mais rápido do que vocês pensam.

– Você vai continuar nos ajudando?

– Eu e Analú estaremos sempre tentando inspirar-lhes pensamentos elevados. Saindo daqui, iremos ter com Osmar, onde procuraremos ajudá-lo a refletir sobre sua vida, tentando inspirá-lo para que encontre o melhor caminho.

Vitório estendeu as mãos sobre os pais e delas saíram jatos de luz que os envolveu, fazendo-os se sentirem confiantes e fortalecidos.

Depois, Ronaldo afastou-se de Vitório, que, emocionado, continuava vendo-os. Ele abraçou os pais, sentindo vibrar o amor que tinha no peito. Nesse instante, uma luz branca e brilhante desceu do alto sobre a cabeça de todos.

Analú e Ronaldo, abraçados, contemplavam a cena radiantes. Depois tudo se apagou e Analú deu a mão a Ronaldo dizendo:

– Hoje conseguimos mais uma vitória. Sinto que Osmar desta vez vai se recuperar e esta família poderá viver em paz. Vitório vai se casar com Estela, Marília com Paulo e entre todos vai existir uma grande amizade.

– E eu, o que acontecerá comigo?

– Você voltará nos braços de Estela e Vitório. Desta vez para uma vida longa e proveitosa.

A noite já havia descido sobre a Terra e as luzes da cidade brilhavam lá embaixo, enquanto as estrelas faiscavam no céu.

De mãos dadas, Analú e Ronaldo deslizavam no espaço, sentindo o coração inundado de luz e muita confiança no futuro.

Fim

livros
Zibia
Gasparetto

Lançado em 1956.
O amor verdadeiro vence todos os desafios.

Lançado em 1958.
A vida valoriza a verdade destruindo as ilusões.

Lançado em 1982.
Saborosas crônicas do espírito Silveira Sampaio.

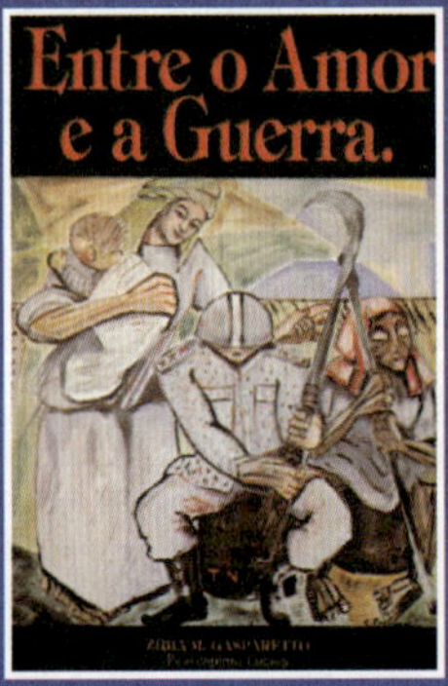

Lançado em 1983.
O amor de um soldado francês com uma alemã durante a 2ª Guerra Mundial.

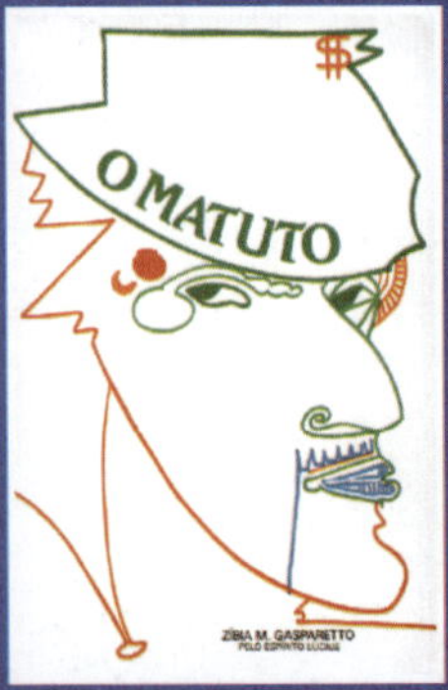

Lançado em 1984.
Um caipira analfabeto, herda enorme fortuna, vence todos que pretendiam ludibriá-lo.

Lançado em 1985.
Uma deslumbrante cigana que aprendeu a amar.

Lançado em 1985.
O espírito de Silveira Sampaio relatando a vida em outras dimensões.

Lançado em 1986.
Contos ditados por vários espíritos.

Lançado em 1987.
Uma história de amor, ciúme, e redenção.

Lançado em 1988.
O espírito de Lucius relata suas vidas passadas.

Lançado em 1988.
Contos ditados por vários autores.

Lançado em 1989.
Uma fazenda, um dono cruel, uma mulher apaixonada pelo cunhado.

Lançado em 1992. Mostrando que ela tem o poder de escolher o que é melhor para cada um.

Lançado em 1993. História de um rapaz preso por um crime que não cometeu.

Lançado em 1995. Juliana nos ensina a sermos responsáveis pela própria vida.

Lançado em 1996. Mostra o quanto erramos quando pretendemos julgar os outros.

Lançado em 1996. Uma lição de vida nos inspirando a vontade de viver melhor.

Lançado em 1997. Crônicas para a revista Contigo! - único livro de minha autoria.

Lançado em 1997.
Silveira Sampaio nos ensina a evoluir pela inteligência com menos sofrimento.

Lançado em 1998.
A advocacia pode ser exercida com justiça e dignidade.

Lançado em 1999.
A amizade e o companherismo de três crianças.

Lançado em 2000.
Este livro nos ensina a vencer os desacertos do ciúme.

Lançado em 2001.
Fugir dos problemas apenas transfere o momento de enfrentá-los.

Lançado em 2002.
Você poderá obter o que quiser, se pagar o preço.

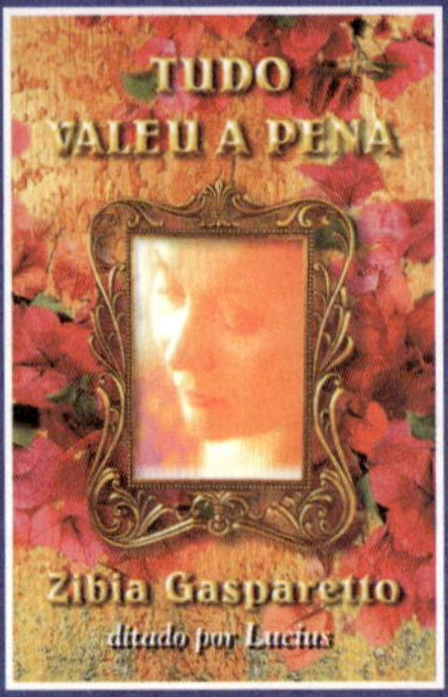

Lançado em 2003. Quando vencemos os desafios descobrimos que tudo aconteceu para o melhor.

Lançado em 2004. Quando mesmo amando, cada um continua sendo si mesmo.

Lançado em 2005. Uma mãe estéril, um menino indesejado, uma ligação de puro e profundo amor.

Lançado em 2006. Marcelo acreditava amar, mas descobriu que apego não é amor.

Lançado em 2007. Silveira Sampaio nos conta nesta deliciosa leitura, como é a vida no plano espiritual.

Lançado em 2007. Uma história emocionante que fará você se perguntar: onde está Teresa?

livros Luiz Gasparetto

O conhecimento pode ser de grande utilidade, mas só aquele que pode ser vivido na prática é que nos traz os resultados esperados.

Poemas metafísicos. Palavras que só a nossa alma pode ler.

Enfim, um livro que vai revolucionar a sua maneira de pensar e de agir em relação ao trabalho.

Este livro lhe trará uma visão inteiramente nova do seu processo, mais segurança e confiança em si, ensinando-o a viver da sua fonte interior.

Prosperidade é uma condição natural, pois somos filhos da abundância e não da escassez.

Só para quem tem a ousadia de querer ser si mesmo, deixar de sofrer e se encontrar. Tudo está em suas mãos.

série AMPLITUDE

1 • Você está onde se põe
2 • Você é seu carro
3 • A Vida lhe trata como você se trata
4 • A coragem de se ver

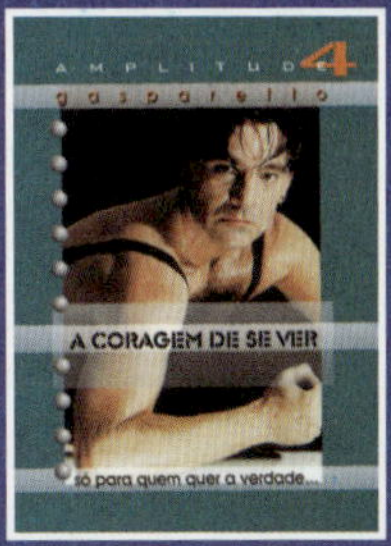

mensagens mediúnicas pelo espírito

CALUNGA

Com uma facilidade incrível, Calunga toca o mais profundo de cada Ser. Este livro é uma coletânea de suas respostas e palestras que com certeza proporcionará uma nova visão de vida.

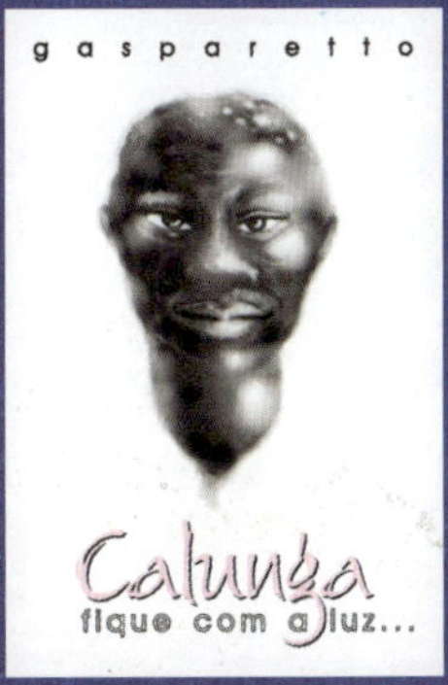

Uma coletânea das mensagens que Calunga deu na Rádio Mundial, através da mediunidade de Luiz Gasparetto.

Calunga é um fantasma, como ele mesmo se rotula. Deixar-se envolver por suas idéias é uma maneira eficiente de alimentar nossas almas de paz e renovação.

A visão inteligente de um desencarnado que pode nos despertar e encantar com a beleza de verdades sinceras e amplas.

Elsie Dubugras relata suas experiências e pesquisa científica, acompanhando durante 15 anos as obras e apresentações de Gasparetto, inclusive no exterior.

Livro de bolso com frases que servem de guia para uma reflexão mais aprofundada das leis da vida.

LIVROS INFANTIS

Neste livro, o tio Gaspa ensina você a acender a sua luzinha interior sempre que desejar.

O tio Gaspa ensina você a rir por dentro para se defender das pessoas que gostam de usar os óculos do orgulho.

O tio Gaspa fala de como a gente se sente sozinho e abandonado, porque os adultos se esquecem que criança também é gente.

Você é como você é.
Você é certo do jeito que é.
Lolita é uma minhoca que ensina a crianças e adultos o valor de ser si mesmo.

CDs e DVD

Luiz Gasparetto

PROSPERIDADE
Auto-ajuda

Aprenda a usar as leis da prosperidade.

Desenvolva o pensamento positivo corretamente.

Descubra como obter o sucesso que é seu por direito divino, em todos os aspectos de sua vida.

série VIAGEM INTERIOR (1, 2 e 3)
Auto-ajuda • Exercícios de meditação

Através de exercícios de meditação mergulhe dentro de você e descubra a força da sua essência espiritual e da sabedoria.

Experimente e verá como você pode desfrutar de saúde, paz e felicidade desde já.

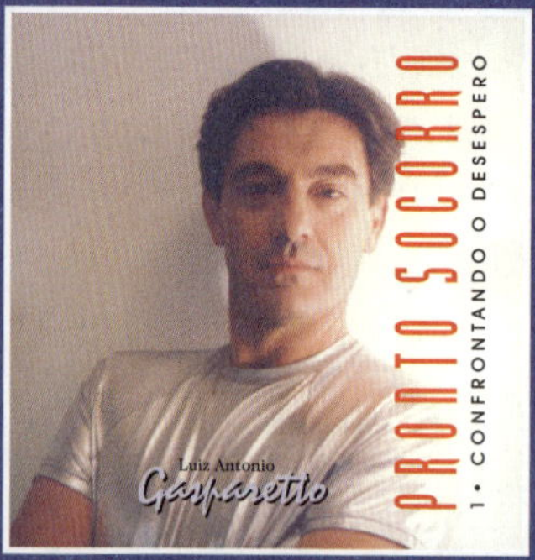

série PRONTO SOCORRO
Auto-ajuda

1. Confrontando o desespero
2. Confrontando as grandes perdas
3. Confrontando a depressão
4. Confrontando o fracasso
5. Confrontando o medo
6. Confrontando a solidão
7. Confrontando as críticas
8. Confrontando a ansiedade
9. Confrontando a vergonha
10. Confrontando a desilusão

série REALIZAÇÃO
Auto-ajuda

Com uma abordagem voltada aos espiritualistas independentes, eis aqui um projeto de 16 CDs para você melhorar.

Encontros com o Poder Espiritual para práticas espirituais de prosperidade.

Nesta coleção você aprenderá práticas de consagração, dedicação, técnicas de orações científicas, conceitos novos de força espiritual, conhecimento das leis do destino, práticas de ativar o poder pessoal e práticas de otimização mental.

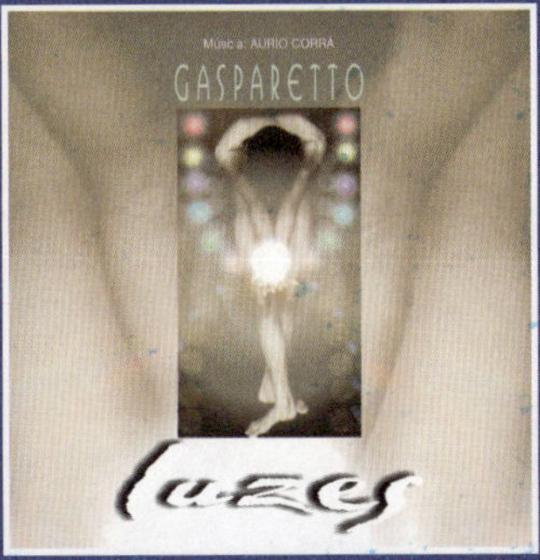

série LUZES
Auto-ajuda
Coletânea de 8 CDs, volumes 1 e 2.

Este é um projeto idealizado pelos espíritos desencarnados que formam no mundo astral, o grupo dos Mensageiros da Luz.

Através de um curso ministrado no Espaço Vida & Consciência pela mediunidade de Gasparetto, eles nos revelaram os poderes e mistérios da Luz Astral, propondo exercícios para todos aqueles que querem trabalhar pela própria evolução e melhoria do planeta.

Nesta coletânea trazemos essas aulas, captadas ao vivo, para que você também possa se juntar às fileiras dos que sabem que o mundo precisa de mais Luz.

Série PALESTRA
Auto-ajuda

1 - Meu amigo, o dinheiro
2 - Seja sempre o vencedor
3 - Abrindo caminhos
4 - Força espiritual

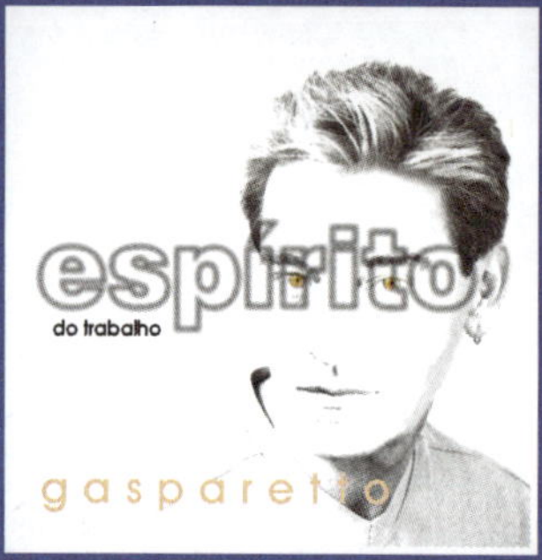

série ESPÍRITO
Auto-ajuda

1 - Espírito do Trabalho
2 - Espírito do Dinheiro
3 - Espírito do Amor
4 - Espírito da Arte
5 - Espírito da Vida
6 - Espírito da Paz
7 - Espírito da Natureza
8 - Espírito da Juventude
9 - Espírito da Família
10 - Espírito do Sexo
11 - Espírito da Saúde
12 - Espírito da Beleza

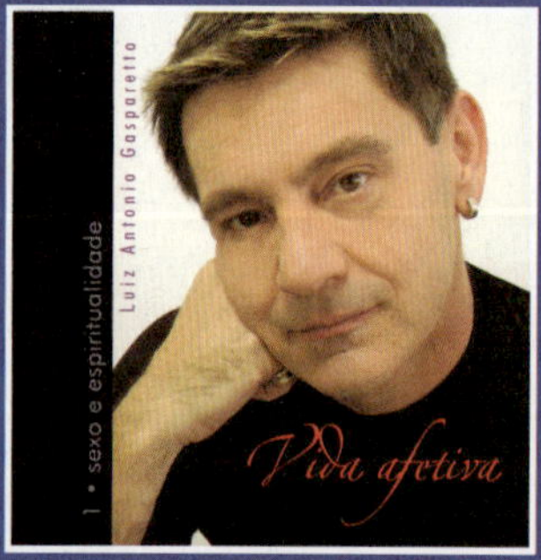

Série VIDA AFETIVA
Auto-ajuda

1 - Sexo e espiritualidade
2 - Jogos neuróticos a dois
3 - O que falta pra dar certo
4 - Paz a dois

Série PALESTRAS
Auto-ajuda

- S.O.S. Dinheiro
- Mediunidade
- O Sentido da Vida
- Os Homens
- Paz Mental
- Romance Nota 10
- Segurança
- Sem Medo de Ter Poder
- Simples e Chique

CALUNGA • PRECE DA SOLUÇÃO
Auto-ajuda

Calunga é um desencarnado carismático, possui uma sabedoria sobre a natureza humana que surpreende a todos.

Consegue tocar o mais profundo de nosso ser pela sua forma de observar a vida, como bom mineiro que foi quando estava entre nós.

Porta-voz dos espíritos superiores, está sempre a nos mostrar novas formas de lidar com as velhas coisas da vida.

Conheça seu DVD

O MUNDO EM QUE EU VIVO
Auto-ajuda

Momentos imperdíveis da palestra do Calunga proferida no dia 26 de novembro de 2006 no Espaço Vida & Consciência.